MAX SCHÖNHERR

KOMPENDIUM

ZUR PUBLIKATIONSREIHE

DENKMÄLER DER TONKUNST IN ÖSTERREICH

DENKMÄLER DER TONKUNST IN ÖSTERREICH, Band 1—120
(einschließlich DAS ERBE DEUTSCHER MUSIK, II. Reihe, 1. Band)
STUDIEN ZUR MUSIKWISSENSCHAFT (Beihefte der DTÖ), Band 1—27

AKADEMISCHE DRUCK- u. VERLAGSANSTALT
GRAZ – AUSTRIA
1974

Druck: © Akademische Druck- u. Verlagsanstalt, Graz 1974
Printed in Austria
ISBN 3-201-00920-2
200/74

V O R B E M E R K U N G

Das Interesse für das Programm eines in der Silbernen Kapelle zu Innsbruck erlebten Orgelkonzertes veranlasste mich in den Bänden der DTÖ, bzw deren Beiheften, über weitere Werke und biographische Einzelheiten der vorgetragenen Komponisten Auskunft zu erhalten. Erste Hilfe bot das von H.Etthofen hervorragend aufschlußreiche Register zu den ersten 20 Jahrgängen und der Zettelkatalog der Musiksammlung der Österreichischen Nationalbibliothek. Ein direkter Zugang zu den edierten Werken, deren Komponisten und Herausgebern - ich hatte noch nicht gefunden, was ich erstrebte - war jedoch nur über die Bände (Hefte) selbst möglich. Um eine generelle Übersicht zu gewinnen,reihte ich vorerst die Inhaltsverzeichnisse aneinander, dann kurzgefaßte Auskünfte über die gebotenen Komponisten: Lebensdaten, Lebenslauf, Werke, Schriften, einige stilkritische Bemerkungen, Ausgaben und Literaturübersicht, um weiteres Suchen in Nachschlagewerken zu ersparen. Letztere Hinweise stammen aus verschiedenen Quellen (s Literaturübersicht V.), ohne wissenschaftliche Überprüfung oder Stellungnahme zu deren Verbürgtheit...sie sollten nur kurz orientieren. So entstanden diese Blätter...

Eine allgemeine orientierende Bandübersicht (II.) steht an führender Stelle, eine Tabelle (III.) vereint Jahrgang-und laufende Band-Numerierung zum besseren Überblick und gibt Auskunft über Verlagsverhältnisse und Umfang der Bände, bzw Beihefte. Dr. Walter Pass genehmigte gütigst die Einbeziehung seiner kurzgefaßten Geschichte der DTÖ und Einordnung nach Jahrhunderten und Editionen (IV.), für die an dieser Stelle aufrichtigster Dank ausgesprochen wird. Nach einer Literatur-Zusammenfassung (V.) und dem Abkürzungsverzeichnis (VI.) folgen dann die Inhalte der DTÖ-Notenbände 1-120 (VII.), der des 1.Bandes der Reihe II der Publikation "Das Erbe deutscher Musik" aus dem Jahre 1942 (VIII.) und der Studien zur Musikwissenschaft 1-27 (IX.). Das Register ist bemüht alle edierten Komponisten aber auch deren in den Vorreden und Beiheften hervorgehoben erwähnten Herausgeber (Bearbeiter, Veröffentlicher), Textautoren wie deren eventuelle Übersetzer, wichtige Widmungsträger, gelegentlich Portraitisten, die Titel der Kompositionen und der Forschungsbeiträge aufzuzeigen. Sammelstichworte wie: Messe, Motette, Die Komponisten der Tridentiner Codices, Herausgeber, oder aber Tänze, Drucker, Standorte der Vorlagen usf, mögen zur weit gestreuten Verwendbarkeit dieses Kompendiums, als eines praktischen Nachschlagebuches zu den Veröffentlichungen der DTÖ beitragen.

I. INHALTSVERZEICHNIS

II. Bandübersicht

1. Fux, J.J., Messen (J.E.Habert und G.A.Glossner)
2. Muffat, Georg, Florilegium Primum (H.Rietsch)
3. Fux, J.J., Motetten (J.E.Habert)
4. Muffat, Georg, Florilegium Secundum (H.Rietsch)
5. Stadlmayr,J., Hymnen (J.E.Habert)
6. Cesti,M.A., Il Pomo d'oro (Prolog und 1.Akt), (G.Adler)
7. Muffat, Gottlieb, Componimenti Musicali (G.Adler)
8. Froberger,J.J., Orgel- und Klavierwerke I, (G.Adler)
9. Cesti,M.A., Il Pomo d'oro (2.-5.Akt), (G.Adler)
10. Isaac,H., Choralis Constantinus I (E.Bezecny und W.Rabl)
11. Biber,H.F., Acht Violinsonaten (G.Adler)
12. Handl (Gallus),J., Opus musicum I, (E.Bezecny und J.Mantuani)
13. Froberger,J.J., Klavierwerke II, Suiten (G.Adler)
14.u.15. Trienter Codices I, (G.Adler und O.Koller)
16. Hammerschmidt,A., Dialogi I, (A.W.Schmidt)
17. Pachelbel,J., Kompositionen für Orgel oder Klavier, (H.Botstiber und M.Seiffert)
18. Wolkenstein,O.v., Geistliche und weltliche Lieder, (J.Schatz und O.Koller)
19. Fux,J.J., Mehrfach besetzte Instrumentalwerke, (G.Adler)
20. Benevoli,O., Festmesse und Hymnus, (G.Adler)
21. Froberger,J.J., Orgel- und Klavierwerke III, (G.Adler)
22. Trienter Codices II, (G.Adler und O.Koller)
23. Muffat,Georg, Instrumental-Musik 1701 [Concerti grossi I] (E.Luntz)
24. Handl (Gallus),J., Opus musicum II (E.Bezecny und J.Mantuani)
25. Biber,H.F., 16 Violinsonaten (E.Luntz)
26. Caldara,A., Kirchenwerke (E.Mandyczewski)
27. Wiener Klavier- und Orgelwerke aus der zweiten Hälfte des 17.Jahrhunderts, (H.Botstiber)

28. Isaac,H., Weltliche Werke, Lieder und Instrumentalsätze, (J.Wolf)
29. Haydn,M., Instrumentalwerke (L.H.Perger)
30. Handl (Gallus),J., Opus musicum III, (E.Bezecny und J.Mantuani)
31. Wiener Instrumentalmusik vor und um 1750, I (K.Horwitz und K.Riedel)
32. Isaac,H., Choralis Constantinus II; Nachtrag zu den weltlichen Werken (A.v.Webern)
33. Albrechtsberger,J.G., Instrumentalwerke (O.Kapp)
34.u.35. Fux,J.J., Costanza e Fortezza (E.Wellesz)
36. Umlauf,I., Die Bergknappen (R.Haas)
37. Österreichische Lautenmusik im 16.Jahrhundert, (A.Koczirz)
38. Trienter Codices III, (O.Koller, M.Loew, E.Luntz, F.Schegar)
39. Wiener Instrumentalmusik vor und um 1750 II, (W.Fischer)
40. Handl (Gallus),J., Opus musicum IV, (E.Bezecny und J.Mantuani)
41. Gesänge von Frauenlob, Reinmar von Zweter und Alexander (H.Rietsch)
42.-44. Gaßmann,F.L., La Contessina (R.Haas)
44a. Gluck,Chr.W., Orfeo ed Euridice (H.Abert)
45. Haydn,M., Drei Messen (A.M.Klafsky)
46. Draghi,A., Kirchenwerke (G.Adler)
47. Fux,J.J., Concentus Musico-Instrumentalis (H.Rietsch)
48. Handl (Gallus),J., Opus musicum V, (E.Bezecny und J.Mantuani)
49. Biber,H., Schmeltzer,H., Kerll,J.C., Messen für Soli, Chor und Orchester, (G.Adler)
50. Österreichische Lautenmusik zwischen 1650 und 1720, (A.Koczirz)
51.u.52. Handl (Gallus),J., Opus musicum VI, (E.Bezecny und J.Mantuani)
53. Trienter Codices IV, (R.Ficker und A.Orel)

54. Das Wiener Lied von 1778 bis 1791 (M.Ansion und I. Schlaffenberg)
55. Eberlin,J.E., der blutschwitzende Jesus (R.Haas)
56. Wiener Tanzmusik in der zweiten Hälfte des 17.Jahrhunderts (P.Nettl)
57. Monteverdi,C., Il Ritorno d'Ulisse in Patria, (R.Haas)
58. Muffat,Gottlieb, 12 Toccaten und 72 Versetl (G.Adler)
59. Drei Requiem aus dem 17.Jh., (G.Adler)
60. Gluck,Chr.W., Don Juan, (R.Haas)
61. Trienter Codices V, (R.Ficker)
62. Haydn,M., Kirchenwerke (A.M.Klafsky)
63. Strauß,J., Sohn, Drei Walzer (H.Gál)
64. Deutsche Komödienarien (R.Haas)
65. Lanner,J., Ländler und Walzer, (A.Orel)
66. Schenk,J., Der Dorfbarbier, (R.Haas)
67. Förster,E.A., Kammermusik, (K.Weigl)
68. Strauß,J.,Vater, Walzer, (H.Gál)
69. Bernardi,St., Kirchenwerke (K.A.Rosenthal)
70. Peuerl,P. und Posch,I., Instrumentalwerke, (K.Geiringer)
71. Neidhart (von Reuental), Lieder, (W.Schmieder)
72. Das deutsche Gesellschaftslied in Österreich von 1480 bis 1550 (L.Vowak)
73. Amon,B., Kirchenwerke I, (C.Huigens)
74. Strauß,Josef, Walzer (H.Botstiber)
75. Caldara,A., Kammermusik für Gesang (E.Mandyczewski)
76. Trienter Codices VI, (R.v.Ficker)
77. Italienische Musiker 1567-1625, (A.Einstein)
78. Handl (Gallus),J., Sechs Messen, (P.A.Pisk)
79. Das Wiener Lied von 1792 bis 1815 (H.Maschek und H.Kraus)
80. Salzburger Kirchenkomponisten (K.A.Rosental und C.Schneider)
81. Dittersdorf, Instrumentalwerke (V.Luithlen)
82. Gluck,Chr.W., L'innocenza giustificata (A.Einstein)
83. Gaßmann,F.L., Kirchenwerke, (F.Kosch)
84. Wiener Lautenmusik im 18.Jh,, (Karl Schnürl)
85. Fux,J.J., Werke für Tasteninstrumente (E.Schenk)

86. Tiroler Instrumentalmusik im 18.Jh., (W.Senn)
87. Zangius,N., Geistliche und weltliche Gesänge (H.Sachs)
88. Reutter,G.d.J., Kirchenwerke (N.Hofer)
89. Muffat, G.d.Ä., Armonico tributo und Concerti /grossi II/ (E.Schenk)
90. Grazer Hofkapellmusiker 1564 bis 1590 (H.Federhofer)
91. Caldara,A., Dafne (C.Schneider)
92. Biber,H.I.F., Harmonia artificiosa-ariosa, (F.Reidinger)
93. Schmelzer,J.H., Violinsonaten (E.Schenk)
94.u.95. Handl (Gallus),J., 5 Messen (P.A.Pisk)
96. Biber,H.I.F., Mensa Sonora (E.Schenk)
97. Biber,H.I.F., Fidicinium Sacro-Profanum (E.Schenk)
98. Vaet,J., Sämtliche Werke I, (M.Steinhardt)
99. Bruck,A.v., Lateinische Motetten (O.Wessely)
100. Vaet,J., Sämtliche Werke II, (M.Steinhardt)
101/102. Geistliche Solomotetten (C.Schoenbaum)
103/104. Vaet, J., Sämtliche Werke III (M.Steinhardt)
105. Schmelzer,J.H., Duodena selectarum sonatarum und Triosonaten (E.Schenk)
106/107. Biber,H.I.F., Sonatae tam Aris quam Aulis Servientes (E.Schenk)
108/109. Vaet,J., Sämtliche Werke IV, Messen I, (M.Steinhardt)
110. Massaino,T., Motetten und Kanzonen (R,Monteresso)
111/112. Schmelzer,J.H., Sacro-Profanus Concentus Musicus 1662 (E.Schenk)
113/114. Vaet,J., Sämtliche Werke V, Messen II (M.Steinhardt)
115. Techelmann,F.M., Suiten für Tasteninstrumente von u.um... (H.Knaus)
116. Vaet,J., Sämtliche Werke VI, Salve Regina - Magnificat (M.Steinhardt)
117. Handl (Gallus) J., 3 Messen (P.A.Pisk)
118. Vaet,J., Sämtliche Werke VII, Hymnen und Chansons (M.Steinhardt)

119. Handl (Gallus) J., 5 Messen (P.A.Pisk)
120. Trienter Codices VII: Cousin J., Martini J., Le Rouge G., Anonymus, Messen (R.Flotzinger)

/Das Erbe deutscher Musik II.Reihe, Landschaftsdenkmäler, Alpen- und Donau-Reichsgaue, veröffentlicht von der Ges.f. Musikforschung in den Alpen- und Donau-Reichsgauen unter Leitung v.E.Schenk. 1.Bd 1942: Wiener Lautenmusik im 18.Jh. (A.Koczirz)7

III. A. Tabelle zu Band und Jahrgang

Bd	Jahr	Jg u Bd	Verlag	Seiten
1.	1894	I/1	Artaria, Wien	IX 143
2.		I/2	Artaria & Co, Wien	VII 146
3.	1895	II/1		VII 100
4.		II/2		XI 241
5.	1896	III/1		VII 39
6.		III/2		XXV 133
7.		III/3		XXII 94
8.	1897	IV/1		130
9.		IV/2		209 (343)
10.	1898	V/1		XV 268
11.		V/2		XVII 77
12.	1899	VI/1		XXXVI 183
13.		VI/2		XI 93
14.)	1900	VII		XXXIV 294
15.)				
16.	1901	VIII/1		XVII 165
17.		VIII/2		XVI 107
18.	1902	IX/1		XX 233
19.		IX/2		XI 55
20.	1903	X/1		XVIII 104
21.		X/2		VII 128
22.	1904	XI/1		VIII 139
23.		XI/2		XIV 147
24.	1905	XII/1		XXI 183
25.		XII/2		VII 85
26.	1906	XIII/1		XII 163
27.		XIII/2		XXI 104
28.	1907	XIV/1		XV 206
29.		XIV/2		XXIX 124
30.	1908	XV/1		XI 191
31.		XV/2		XXVI 122
32.	1909	XVI/1	Artaria & Co u Breitkopf & H. Wien, Leipzig	XII 242

Bd	Jahr	Jg u Bd	Verlag	Seiten
33.	(1909)	XVI/2	Artaria & Co, Wien	XII 123
34.)	1910	XVII		XXV 263
35.)				
36.	1911	XVIII/1		XXXIV 134
37.		XVIII/2		LII 129
38.	1912	XIX/1		XXXVIII 109
39.		XIX/2		XXXIX 122
40.	1913	XX/1		XIV 190
41.		XX/2		XI 105
42.)	1914	XXI/1		LXXXI 430
43.)				
44.)				
44a.		XXI/2		XIX 177
45.	1915	XXII		142
46.	1916	XXIII/1		VII 136
47.		XXIII/2		VII 105
48.	1917	XXIV		XVI 155
49.	1918	XXV/1		IX 167
50.		XXV/2		VII 92
51.)	1919	XXVI	Artaria&Co (Br.&H.Lpz),Wien	VIII 257
52.)				
53.	1920	XXVII/1	Universal Ed.A.G., Wien	VI 107
54.		XXVII/2		X 119
55.	1921	XXVIII/1		98
56.		XXVIII/2		VI 77
57.	1922	XXIX/1		II 131
58.		XXIX/2		VII 36
59.	1923	XXX/1		102
60.		XXX/2		67
61.	1924	XXXI		X 148
62.	1925	XXXII/1		XIII 93
63.		XXXII/2		V 118
64.	1926	XXXIII/1		73
65.		XXXIII/2		VI 147
66.	1927	XXXIV		VIII 177
67.	1928	XXXV/1		X 99

Bd	Jahr	Jg u Bd	Verlag	Seiten
68.	(1928)	XXXV/2		98
69.	1929	XXXVI/1	Universal Ed. A.G., Wien	62
70.		XXXVI/2		134
71.	1930	XXXVII/1		IX 61
72.		XXXVII/2		X 109
73.	1931	XXXVIII/1		119
74.		XXXVIII/2		87
75.	1932	XXXIX		VII 108
76.	1933	XL		VIII 106
77.	1934	XLI		97
78.	1935	XLII/1		(VIII) 80
79.		XLII/2		24
80.	1936	XLIII/1		VI 61
81.		XLIII/2		VI 63
82.	1937	XLIV		VII 122
83.	1938	XLV		V 114
84.	1966		Akad.Druck-u.Verlagsanstalt Graz/Wien	VIII 112
85.	1947		Österr.Bundesverlag,Wien	XVII 59
86.	1949			XV 82
87.	1951			XXIV 89
88.	1952			XIII 101
89.	1953			XXXI 122
90.	1954			XLII 106
91.	1955			XVI 122
92.	1956			V 105
93.	1958			V 100
94. 95.	1959			VIII 158
96.	1960		Akad.Druck-u.Verlagsanstalt Graz/Wien	VI 50
97.				96
98.	1961			X 133
99.	1962			VI 125
100.				VI 129
101. 102.				VI 149

Bd	Jahr	Jg u Bd	Verlag	Seiten
103.)	1963			VI 213
104.)				
105.	1963		Akad.Druck-u.Verlagsanstalt,Graz/Wien	VI 129
106.)				VI 158
107.)				
108.)	1964			VII 198
109.)				
110.				VII 88
111.	1965			VI 154
112.				VI 154
113.)				VI 166
114.)				
115.	1966			XVI 107
116.	1967			VI 138
117.				VI 197
118.	1968			VII 146
119.	1969			VI 108
120				XV 111

<u>DAS ERBE DEUTSCHER MUSIK</u>

II. Reihe

Bd 1	1942	Universal-E., Dr.Johannes Petschull,Wien-Leipzig	93

Sämtliche Bände wurden von der Akademischen Druck- u. Verlagsanstalt, Dr. Paul Struzl, Graz, nachgedruckt.
Die Reihe wird weitergeführt und ist bei der Akademischen Druck- u. Verlagsanstalt vollständig lieferbar.

B. Studien zur Musikwissenschaft (Beihefte):

laufende Nr.	H/Bd	Jahr	Verlag	Seiten
1.	H	1913	Breitkopf&H, Leipzig Artaria & Co, Wien	IV 303
2.		1914		349
3.		1915		84
4.		1916		147
5.		1918		151
6.		1919		186
7.		1920		144
8.		1921		206
9.		1922		81
10.		1923		78
11.		1924		85
12.		1925		107
13.		1926		88
14.	Bd	1927		XVI 320
15.		1928		125
16.		1929		138
17.		1930		127
18.		1931		96
19.		1932		27
20.		1933		27
21.		1934		58
22.		1953	Österr. Bundesverlag, Wien	II 269
23.		1956		191
24.		1960	Hermann Böhlaus Nachf., Graz-Wien-Köln	200
25.		1962		XVII 652
26.		1964		230
27.		1966		254

IV. Kurzgefaßte Geschichte der DTÖ und Einordnung nach Jahrhunderten von Dr.Walter Pass

(aus DTÖ, ÖMZ 23.Jg Heft 12)

1888 forderte Guido Adler, der damals noch als Ordinarius für Musikwissenschaft in Prag tätig war, in einer Petition an das Kultusministerium eine Organisation, die die überlieferten Musikdenkmäler in kritischen Ausgaben allgemein zugänglich machen sollte. Im Jahre 1893 kam es zur Gründung der Gesellschaft mit Adler als Leiter der Publikationen, und ein Jahr später, 1894, konnte der erste Band mit Werken von J.J.Fux vorgelegt werden. Die drei wichtigsten Wegbereiter der "Denkmäler der Tonkunst in Österreich" waren: die Edition musikalischer Werke der habsburgischen Kaiser Ferdinand III., Leopold I. und Joseph I. in den Jahren 1892/93, die "Musik- und Theaterausstellung" von 1892 und der Ankauf der "Trienter-Codices", die bekanntlich nach dem Ersten Weltkrieg wieder an Italien ausgeliefert werden mußten. Die finanzielle Grundlage der Gesellschaft war in der Folge vor allem durch die Herausgabe der Kaiserwerke gesichert, ähnlich wie die der 1889 begründeten "Denkmäler Deutscher Tonkunst", welche in Kaiser Wilhelm II., dem gleichzeitig mit der Unterbreitung des Planes eine Ausgabe der musikalischen Werke Friedrichs des Großen vorgelegt worden war, einen großen Förderer fanden.

Unter Leitung Guido Adlers, dem eine Leitende Kommission aus höchsten Vertretern von Kirche und Staat zur Seite stand, erschienen bis 1938 insgesamt 83 Bände. Nach Guido Adler führte ein knappes Jahr lang Robert Lach die Agenden, seit 1939 betreut Erich Schenk die Publikation. Schenk übernahm sein Amt in einer schwierigen Zeit. Die Gesellschaft verlor ihre Unabhängigkeit. Der einzige Band, der von A.Koczirz bearbeitet wurde (ein Band mit Wiener Lautenmusik des 18. Jahrhunderts), erschien im "Erbe Deutscher Musik". Nach 1945 sollte dieser Band unverändert als Band 84 herauskommen, erschien jedoch 1966 in einer völligen Neugestaltung. Erich Schenks Verdienst ist es, das von Adler in den letzten Jahren seiner Tätigkeit unter schwierigsten Umständen weitergeführte Unternehmen auch über die Wirren des Zweiten Weltkrieges hinweg gerettet zu haben. So wurden die "Denkmäler der Tonkunst in Österreich", eines der ältesten Unternehmen dieser Art, auch zum beständigsten, Sie erschienen - bis auf die kriegsbedingte Unterbrechung zwischen 1938 und 1945 - in jährlicher Folge, von 1894 bis 1936 und seit 1960 jeweils (bis auf wenige Ausnahmen) in zwei, bisweilen drei Bänden.

Die bisher vorliegenden - nachfolgend in Kurztiteln aufgezeigten und nach Jahrhunderten geordneten - 120 Bände machen ein umfangreiches Repertoire aus sieben Jahrhunderten zugänglich. Die Zahlen in runden Klammern verweisen dabei auf die Bandzahlen. Unter den Herausgebern scheinen die Namen Adler, Botstiber, Einstein, Federhofer, Ficker, Fischer, Flotzinger, Gál, Geiringer, Haas, Habert, Hofer, Knaus, Koller, Kosch, Koczirz, Kraus, Luithlen, Luntz, Mandyczewski, Mantuani, Monterosso, Nettl, Nowak, Orel, Pisk, Rietsch, Schenk, Schmieder, Schneider, Schnürl, Schoenbaum, Seiffert, Senn, Steinhardt, Webern, Wellesz, Wessely, Wolf u.a. auf.

13./14.JAHRHUNDERT

Werke von Frauenlob, Reinmar von Zweter, Alexander, Walther von der Vogelweide (41) und Neidhart von Reuental (71).

14./15.JAHRHUNDERT

Monographische Editionen

Oswald von Wolkenstein: Geistliche und weltliche Lieder (18).

Sammeleditionen

"Trienter Codices". Sieben Auswahlbände mit geistlichen und weltlichen Kompositionen (14/15, 22, 38, 53, 61, 76, 120): Anonyma und Werke von A.de Anglia, H.Battre, G.Binchois, J.Brassart, A.Busnois, Ph.Caron, J.Ciconia, Christophorus de Monte, L.Compère, J.Cousin, G.Dufay, J.Dunstable, Franchos, Forest, Johannes de Lymburgia, Hermannus de Atrio, Heyne von Ghizeghem, J.Legrant, Leonel, G.Le Rouge, G.Libert, Ludbicus de Arimino, J.Martini, Merques, Ockeghem, Pyllois, E.Velut, Verben, Ph.de Vitry

16.JAHRHUNDERT

Monographische Editionen

Heinrich Isaac: "Choralis Constantinus" (10,32), weltliche Werke (28,32), Instrumentalwerke (28); siehe auch Bd 72

Arnold von Bruck: Lateinische Motetten und unedierte Werke (99); siehe auch Bd 72

Jacob Vaet, Gesamtausgabe: Messen (108/109, 113/114), Motetten (98, 100, 103/104), Salve Regina- und Magnificat-Kompositionen (116), Hymnen, Chansons, Fragmente (118).

Jacobus Gallus: Messen (78, 94/95, 117, 119), "Opus musicum harmoniarum", d.s. Motetten zum Offizium des ganzen Kirchenjahres (12, 24, 30, 40, 48, 51/52)

Tiburtio Massaino: Lateinische Motetten und Instrumentalkanzonen (110)

Blasius Amon: Geistliche Werke (73).

Sammeleditionen

Das deutsche Gesellschaftslied in Österreich von 1480 - 1550 (72):

Werke von A.von Bruck, H.Finck, W.Grefinger, P.Hofhaymer, H.Isaac, E.Lapicida, St.Mahu, G.Peschin, G.Rhau, J.Siess, Th.Stoltzer.

Österreichische Lautenmusik im 16.Jahrhundert (37):Werke von St.Craus, O. u. J.Fugger, H.Judenkunig, H.Newsidler, S.Gintzler, V.Bakfark, Anonyma

Niederländische und italienische Musiker der Grazer Hofkapelle Karls II. (90): Werke von J.de Cleve, L.de Sayve, J.v. Brouck, A.Padovano, S.Gatto, F.Rovigo, G.B.Galeno, P.A.Bianco, M.Ferrabosco.

Italienische Musiker und das Kaiserhaus (77): Madrigale von Ph.de Monte, F.Portinaro, A.Gabrieli, A.Padovano, M.Flecha, Ch.Luython, L.de Sayve, J.Regnart, F.Rovigo, A.Orologio, C.Zanotti, G.Priuli

17.JAHRHUNDERT

Monographische Editionen

Nikolaus Zangius: Geistliche und weltliche Werke (87).

Isaac Posch: "Musikalische Tafelfreud" (70).

Paul Peuerl: "Neue Paduanen", "Weltspiegel", "Ganz neue Paduanen" (70).

Johann Stadlmayr: Hymnen (5).

Orazio Benevoli: Festmesse und Hymnus zur Einweihung des Domes in Salzburg (20).

Andreas Hammerschmidt: "Dialogi oder Gespräche zwischen Gott und einer gläubigen Seele", Bd 1 (16)

Antonio Draghi: Geistliche Werke (46).

Claudio Monteverdi: Oper "Il ritorno d'Ulisse in patria" (57).

Pietro Cesti: Oper "Il Pomo d'oro" (6, 9)

Johann Heinrich Schmelzer: "Duodena selectarum sonatarum" (105) "Sacro-profanus concentus musicus" (111/112), Violinsonaten (93); siehe auch Bd 56.

Heinrich Ignaz Franz Biber: "Sonatae tam aris quam aulis servientes" (106/107), "Mensa sonora" (96), "Fidicinium sacro-profanum" (97), "Harmonia artificiosa-ariosa" (92), Violinsonaten (11, 25).

Georg Muffat: "Armonico tributo" (23, 89). "Florilegium primum" (2), "Florilegium secundum" (4), "Auserlesene mit Ernst und Lust gemengte Instrumental-Musik", d.s. Concerti grossi (23, 89).

Johann Jakob Froberger: Gesamtausgabe der Werke für Orgel und Klavier (8, 13, 21).

Johann Pachelbel: Werke für Tasteninstrumente (17).

Franz Matthias Techelmann: Werke für Tasteninstrumente (115).

Sammeleditionen

Messen für Soli, Chor und Orchester aus dem letzten Viertel des 17. Jahrhunderts (49): Werke von H.I.F.Biber. J.H. Schmelzer, und J.C.Kerll.

Drei Requiems aus dem 17. Jahrhundert (59): Werke von Chr. Straus, H.I.F.Biber, J.C.Kerll.

Suiten für Tasteninstrumente von und um Franz Matthias Techelmann (115): Anonyma und Werke von F.M.Techelmann.

Wiener Klavier- und Orgelwerke aus der zweiten Hälfte des 17. Jahrhunderts (27): Werke von A.Poglietti, F.T.Richter, G.Reutter d.Ä.

Österreichische Lautenmusik zwischen 1650 und 1720 (50): Werke von J.G.Peyer, F.I.Hinterleithner, J.G.Weichenberger, J.A.Losy Graf von Losinthal, W.L.Freiherr von Radolt, J.Th.Herold, J.de Saint-Luc, H.I.F.Biber, G.Muffat, Graf Tallard, R.Berhandizki.

Wiener Tanzmusik in der zweiten Hälfte des 17. Jahrhunderts (56): Werke von J.H.Schmelzer, J.J.Hoffer, A.Poglietti.

18. JAHRHUNDERT

Monographische Editionen

Johann Joseph Fux: Messen (1), Motetten (3), Oper "Costanza e fortezza" (34/35), Kirchensonaten und Ouvertüren (19), "Concentus musico instrumentalis" (47), Werke für Tasteninstrumente (85).

Antonio Caldara: Geistliche Werke (26), Oper "Dafne" (91), Kammermusikwerke für Gesang (75).

Gottlieb Muffat: "72 Versetl samt 12 Toccaten" (58), "Componimenti musicali per il Cembalo" (7).
Nicola Matteis: Tänze zur Oper "Costanza e fortezza" von J.J.Fux (34/35).
Georg Reutter d.J.: Geistliche Werke (88).
Johann Ernst Eberlin: Oratorium "Der blutschwitzende Jesus", Auswahl aus anderen Oratorien (55).
Christoph Willibald Gluck: Opern "L'Innocenza giustificata" (82), "Orfeo ed Euridice", Wiener Fassung (44a) und Ballett "Don Juan" (60).
Florian Leopold Gaßmann: Geistliche Werke (83), Oper "La Contessina" (42-44).
Ignaz Umlauf: Singspiel "Die Bergknappen" (36).
Carl Ditters von Dittersdorf: Instrumentalwerke (81).
Johann Georg Albrechtsberger: Instrumentalwerke (33).
Johann Michael Haydn: Geistliche Werke (45, 62), Instrumentalwerke (29).
Johann Schenk: Singspiel "Der Dorfbabier" (66).

Sammeleditionen

Geistliche Solomotetten des 18. Jahrhunderts (101/102): Werke von M.A.Ziani, A.Caldara, Fr.Conti, J.J.Fux
Salzburger Kirchenkompositionen (80): Werke von K.H.Biber, M.S.Biechteler, J.E.Eberlin, A.C.Adlgasser.
Deutsche Komödienarien I, 1754-1758 (64): Kompositionen zu Komödien von J.Kurz, J.K.Huber und J.G.Heubel sowie zu einer Tragödie von J.W.Mayberg.
Das Wiener Lied von 1778 bis Mozarts Tod (54): Werke von J.A.Steffan, C.Friberth, J.Chr.Hackel. L.Hofmann, J.Holzer, W.Pohl, M.Ruprecht, L.Kozeluch, J.J.Grünwald, M.Th.Paradis, F.A.Hoffmeister
Das Wiener Lied von 1792-1815 (79): Werke von A.Teyber, A.Eberl, E.G.v.Jacquin, M.v.Dietrichstein, J.Fuß, S.Neukomm. N.v.Krufft, C.Creutzer

Tiroler Instrumentalmusik im 18. Jahrhundert (86): Werke von G.P.Falk, J.E.de Sylva, F.S.Haindl, N.Madlseder, St.Paluselli.

Wiener Instrumentalmusik vor und um 1750. Vorläufer der Wiener Klassiker. Band 1 (31): Werke von G.Reutter d.J., G.Chr.Wagenseil, M.G.Monn, M.Schlöger, J.Starzer.

Wiener Instrumentalmusik vor und um 1750. Vorläufer der Wiener Klassiker. Band 2 (39): Werke von M.G.Monn, J.Chr.Mann.

/Wiener Lautenmusik im 18. Jahrhundert: Werke von Fr.Ginter, J.A.Losy Graf v.Losinthal, J.G.Weichenberger, G.Zechner, Graf Bergen, Fürst Lobkowitz, J.Porsile, Graf Gaisruck, F.Seidel, K.Kohaut, A.Caldara. s.Erbe dt.Musik II.Reihe/

Wiener Lautenmusik im 18. Jahrhundert (84): Werke von J.A.Losy Graf v.Losinthal, J.G.Weichenberger, A.Bohr v. Bohrenfeld, F.Fr.Fichtel, Fr.Conti, J.J.Fux, J.Fr.Daube, K.Kohaut

19. JAHRHUNDERT

Monographische Editionen

Emanuel Aloys Förster: Quartette und Quintette (67).
Josef Lanner: Ländler und Walzer (65).
Johann Strauß Vater: Walzer (63).
Josef Strauß: Walzer (74).

V. Literatur-Übersicht

A. Zur Geschichte der DTÖ (chronologisch)

1894 /Vorwort/ gezeichnet von: G.Adler...Wien im Oktober 1893 DTÖ Bd 1

1909 G.Adler: Denkmäler der Tonkunst in Österreich. Gedenkblatt, den Mitgliedern und Teilnehmern der Haydn-Zentenarfeier... gewidmet von der leitenden Denkmälerkommission; Wien

1913 Denkmäler der Tonkunst. Zum 20jährigen Bestande. Protokoll der Festsitzung, gehalten am 19. November 1913; Wien

1914 H.Etthofen: DTÖ Register zu den ersten zwanzig Jahrgängen (Band 1 bis 41); Lzg, Wien

1918 Verzeichnis der Publikationen der DTÖ 1893-1900. StMw 5/5-8
G.Adler: Zur Vorgeschichte der DTÖ (Anläßlich ihres 25jährigen Bestandes). St 5/9-21
H.Kretzschmar: Die Denkmäler der Tonkunst in Österreich St 5/22-26

1922 Widmungsblatt: Gewidmet dem Andenken der Dahingeschiedenen aus der Reihe unserer Förderer, Mitglieder der leitenden Kommission, wirkenden Mitgliedern und Subskribenten. Im 30. Jahre des Bestandes der DTÖ. Bd 57

1923 G.Adler: 30jähriger Bestand der DTÖ. St 10/3-5

1927 C.Schneider: Zur Organisation der musikalischen Quellen- und Denkmälerkunde. ZfMw IX. Jg. 5.H (Februar)
G.Adler: Vorwort (Festschrift). StMw 14

1933 Zum 40jährigen Bestand der DTÖ. Die Leitung der Publikation. StMw 20/3-5

1935 G.Adler: Wollen und Wirken. Aus dem Leben eines Musikhistorikers. Wien 1935. Kapitel IV (S 47-76). Darin die Vorsitzenden der DTÖ-Kommissionen: (u.ergänzt)
- 1893-1897 Eduard Hanslick
- 1897-1904 Baron Bezecny
- 1904-1912 Bischof Mayer
- 1912-1918 Baron Wickenburg
- 1918-1932 Kardinal Erzbischof Piffl
- 1932-1938 Kardinal Erzbischof Innitzer
- 1938-1939 Gesellschaft für ostmärkische Musikforschung (Ordinarius R.Lach)
- 1939-1946 E.Schenk
- 1946-1965 J.Marx

1948 E.Schenk: Sechzig Jahre DTÖ. ÖMZ 3.Jg 9.H S 239 f

1952 H.J.Moser: Das musikalische Denkmälerwesen in Deutschland, Kassel (Musikal.Arbeiten 7)

1952/3 E.Schenk: Musikalische Denkmalpflege in Österreich. Wr.Figaro 21.Jg 3.H S 7-10

1953 E.Schenk: DTÖ [anl.des 60jährigen Bestandes]. ÖMZ 8.Jg 12. H S 357-365
E.Schenk: Gesellschaft zur Herausgabe von Denkmälern der Tonkunst in Österreich. Musikerziehung 6.Jg S 358

1954 W.Schmieder: DTÖ in Denkmäler der Tonkunst. MGG 3.Bd Sp 176-178 [Komponisten in alphabetischer Reihung]

1956 E.Schenk: Aus zwei Jahrzehnten DTÖ 1938-1956. StMw 23/1-10

1964 E.Schenk: Zum 70jährigen Bestand der DTÖ. StMw 26/5-8

1967 E.Schenk: Denkmäler der Tonkunst in Österreich (v J 1953 überarbeitet). Ausgewählte Aufsätze, Reden und Vorträge. Graz-Wien-Köln. S 17-23

1967 Riemann Musiklexikon: Sachteil S 208 f (Reihung nach Jg u Bd), S 212-215 (Register nach Komponisten, eingearbeitet: Belgien, Dänemark, Deutschland, Frankreich, Großbritannien, Italien, Niederlande, Österreich, Portugal u Spanien)

1968 W.Pass: 75 Jahre DTÖ. ÖMZ 23.Jg 12.H S 686-689

B.Behelfs-Literatur

G.Adler: Handbuch der Musikgeschichte; Tutzing 1961[3]

Akad. Druck- und Verlagsanstalt: Verlagsverzeichnis 1970-71

A.W.Ambros: Geschichte der Musik; Breslau, Lzg 1862-1878 Bd 1-4; 5.Bd (Beispielsammlung zu Bd 3, hgg.v. O.Kade); Lzg 1911

M.Appel: Terminologie in den mittelalterlichen Musiktraktaten; Bottrop1935

F.Blume: Die Musik in Geschichte und Gegenwart (MGG); Kassel

Česko Slovenský Hudební Slovník; Praha 1963

A.Della Corte e G.M.Gatti: Dizionario di Musica, Torino 1945[3]

A.Dommer, A.Schering: Handbuch der Musikgeschichte, Lzg 1923

Ph.Fahrbach: Alt Wiener Erinnerungen; Wien 1935

P.Frank, W.Altmann: Kurzgefasstes Tonkünstler-Lexikon, Regensburg 1936

H.Giebisch u. G.Gugistz: Bio-Bibliographisches Literaturlexikon Österreichs; Wien 1964

D.J.Grout: A short History of Opera, New York 1947

W.Kahl u. W.-M. Luther: Repertorium der Musikwissenschaft. Musikschrifttum, Denkmäler u Gesamtausgaben in Auswahl (1800-1950); Kassel 1953

G.Koerting: Geschichte der Literatur Italiens. 1.Bd: Petracas Leben und Werke 2.Bd: Boccaccios Leben und Werke; Lzg 1879/1880

F.Krackowitzer u.F.Berger: Biographisches Lexikon des Landes Österreich ob der Enns; Linz 1931

Larousse de la musique; Paris 1957

W.Lott: Verzeichnis der Neudrucke alter Musik. I.-VII.Jg Lzg 1937-1943

H.Mendel: Musikalisches Conversations-Lexikon, Bln 1870-79

H.Partisch: Österreicher aus sudetendeutschem Stamme. 2.Bd: Tonkünstler, Musikwissenschafter...; Wien 1864

L.B.Phillips: The Dictionary of Biographical Referenc; Ldn 1889

H.Riemann: Handbuch der Musikgeschichte. 2 Bde; Lzg 1904-1913
Musikgeschichte in Beispielen, Lzg 1912
Musiklexikon 12.Aufl. 2 Teile; Mainz 1959-67

O.Rommel: Die Alt-Wiener Volkskomödie; Wien 1952

R.Schaal: Verzeichnis deutschsprachiger musikwissenschaftlicher Dissertationen; Kassel 1963

A.Schering: Geschichte der Musik in Beispielen, Lzg 1931

C.Schmidl: Dizionario universale dei musicisti; Trieste 1926-29², Suppl. 1938

W.Schmieder: Bibliographie des Musikschrifttums; Frankfurt/M. 5 Bde: 1950-1959, 1954 ff; Hofheim/Taunus 1960, 1968; Mainz 1961, 1969

C.v.Wurzbach: Biographisches Lexikon des Kaiserthums Österreich; Wien 1856-1891

J.Zuth: Handbuch der Laute und Gitarre; Wien 1926

u.v.a.

VI. ABKÜRZUNGEN

a	an, aus
A	Autor
Abtg	Abteilung
AfMw	Archiv für Musikwissenschaft
Ah	Anhang
alphab	alphabetisch
Anfg	Anfang
Anh	Anhang
Ant	Antologie
A°	Anno
Arch	Archiv (-io)
Art	Artikel
Aufl	Auflage
Augsb	Augsburg
Ausg	Ausgabe
b	bei
bayr	bayrisch
b.c.	basso continuo
Bd	Band
bD:...	biographische Daten bei Band...
begr	begraben
Beitr	Beitrag
besch	beschaut
bez	bezeichnet
Bh	Beihefte der DTÖ (Studien zur Musikwissenschaft)
Bibl,-bibl	Bibliothek,-thèque,-teca
bischöfl	bischöfliche
Bln	Berlin
bt	bearbeitet
Btg	Bearbeitung
Br.& H.	Breitkopf & Härtel
BUM	Bulletin de la Société Union Musicologique
Cemb	Cembalo
c.f.	cantus firmus
Ch	Chor
CHM	Collectanea Historiae Musicae
chronolog	chronologisch
Co(i)	Corno(i)
conc	concertato
d	der, die, das...
dass	dasselbe
ders, dies	der-, dieselbe
Dir	Direktor
Diss	Dissertation(-en)
Diss-Ausz	Dissertation-Auszug
DMK	Deutsche Musikkultur
Drdn	Dresden
ds	daselbst
dt	deutsch
DTD (Ö)	Denkmäler der Tonkunst in Deutschland (Österreich)
EA	Erstaufführung, Erstausgabe
ed	ediert
Ed	Edition
EdM	Erbe deutscher Musik
eig	eigentlich
Einl	Einleitung
einschl	einschließlich
engl	englisch
ersch	erschienen
f	für
F	Folgende(r)
facs	facsimile
Fasc	Fascikel

Fg Fgt	Fagott
Fl	Flöte
fläm	flämisch
fr	früher
frz	französisch
geb *	geboren
gedr	gedruckt
geistl	geistlich
gem	gemischt
gen	genannt
Ges	Gesellschaft
Gesch	Geschichte
gest †	gestorben
get	getauft
got	gotisch
H	Hälfte
HabSchr	Habilitations-Schrift
Hbg	Hamburg
Hg	Herausgeber
hgg	herausgegeben
Hs, hs	Handschrift,-lich
it	italienisch
InstB	Bibliothek des Musikwissenschaftlichen Instituts
JAMS	Journal of the American Musicological Society
Jb	Jahrbuch
JbP	Jahrbuch Peters
Jg	Jahrgang
Jh	Jahrhundert
Kapm	Kapellmeister
Kg	Katalog
kgl	königlich
Kgr-Ber	Kongreß-Bericht(e)
k.k.	kaiserlich-königlich
klass	klassisch
KmJb	Kirchenmusikalisches Jahrbuch
Komp	Komponist, Komposition
Kpm	Kapellmeister
kurfürstl	kurfürstlich
KV	Köchel-Verzeichnis der Werke Mozarts
-länd	-ländisch
LAZfM	Leipziger Allgemeine Zeitung für Musik
lat	lateinisch,latinisiert
Lit	Literatur
Ll	Lebenslauf
Lpzg Lzg	Leipzig
lt	laut
m	mit
-m	-musik
M	Mitte
Mbg	Musikbeilage
Mchn	München
Mf	Musikforscher, -wissenschaftler
MfM	Monatshefte für Musikforschung
MGG	Musik in Geschichte und Gegenwart, Enzyclopädie
Mgesch	Musikgeschichte
Mittgn	Mitteilungen
ML	Music and Letters

MMR	Monthly Musical Record
Mot	Motette(n)
ms	manuscritto
mutmaßl	mutmaßlich
Mw, mw	Musikwissenschaft, -lich
NA	Neuausgabe
Nat-Bibl	Nationalbibliothek
Nb	Notenbeispiel(e)
ND	Neudruck
niThK	nicht im Thematischen Katalog
Nr	Nummer
NY	New York
NZ	Neue Zeitschrift für Musik
o	oder, ohne
o A	ohne Autor
Ob	Oboe
OESA	Ordo Eremitarum Sancti Augustini
OFM	Ordo Fratrum Minorum
o O	ohne Ortsangabe
Orch	Orchester
Org	Orgel, Organo
o S	ohne Signatur
OSB	Ordo Sancti Benedicti
Ouv	Ouverture
päpstl	päpstlich
Pft	Pianoforte
Phil-hist	Philosophisch-historisch
Pos	Posaune
posth	posthum
Proc	Proceedings of the Musical Association
Prof	Professor
prom	promoviert
-qu	-quartett(e)
RD	Reichsdenkmale des Erbes deutscher Musik
Recens	Recensionen
reg	regiert(e)
Regensb	Regensburg
Rie[12]	Riemann-Lexikon 12. Auflage
RISM	Répertoire International des Sources Musicales
RMI	Revista Musicale Italiana
S	Signatur
Sächs	Sächsisch
Salzbg	Salzburg
Schr	Schriften
SIMS	Sammelbände der Internationalen Musikgesellschaft
Slg	Sammlung
SO Cist	Sacer Ordo Cisterciensis
span	spanisch
St	Stimmen
St	Studien zur Musikwissenschaft (Beihefte der DTÖ)
Stilkr	Stilkritik
-stg	-stimmig
StMw	Studien zur Musikwissenschaft (Beihefte)
Str	Streicher
Stuttgt	Stuttgart
T	Titel
TA	Textautor
Tbl	**Titelblatt**
TC	**Trienter Codices**
Ten	**Tenor**

TextA	Textautor (Dichter)
Them Kg, ThK	Thematischer Katalog
Them V, ThV	Thematisches Verzeichnis
Theor	Theoretiker
Tijds d Vereenig	Tijdschrift der Vereeniging voor Nederl. Muziekgeschiedenis
Trb(e)	Tromba(e)
Tromb(i)	Trombone(i)
TrC	Trienter Codices
Tymp	Tympani
u	und
übers	übersetzt
Univ	Universität
v	von
V	Vorige(r)
Va(e)	Viola(e)
Vcl(i)	Violoncello(i)
veröff	veröffentlicht
Veröffent.	Veröffentlichungen
Verz	Verzeichnis
VfMw	Vierteljahresschrift für Musikwissenschaft
VjS	Vierteljahrschrift
VKMf	Veröffentlichungen der Kommission für Musikforschung
Vlg, Vg	Verlag
Vl(i)	Violine(i)
Vn(e)	Violon(e)
Vorl	Vorlage(n)
vorm	vormals
W, -w	Werk, -werk
Weltl	Weltlich
Wr	Wiener
Wtr	Widmungsträger
WV	Werkverzeichnis
Zch	Zürich
ZfMw	Zeitschrift für Musikwissenschaft
ZIMG	Zeitschrift der Internationalen Musikgesellschaft
Zs	Zeitschrift
Ztg	Zeitung

VII.

D E N K M Ä L E R D E R T O N K U N S T
I N Ö S T E R R E I C H

Band 1 - 120

JOHANN JOSEF FUX

MESSEN

Hgg v Johannes Evangelist Habert u Gustav Adolf Glössner

[Vorwort] gezeichnet von: Guido Adler, C.August Artaria, Johannes Brahms, Eduard Hanslick, Wilhelm v. Hartel, Albert Ritter v. Hermann, Engelbert Mühlbacher, Hans Richter, Wilhelm Baron Weckbecker.
Wien im Oktober 1893

Zu wirkenden Herren wurden bisher ernannt die Herren: Joh.Nep. Fuchs, Joh.Ev.Habert, Oswald Koller, Josef Labor, Eusebius Mandiczewski, Heinrich Rietsch

Vorwort S IX-X+)

MISSA OCTO VOCUM SS^{s}mae Trinitatis dedicato Leopoldo I. Romanorum Imperatori facta supra subiectum  datus à Francisco Ginter. Widmungsblatt in facs

[8 stg:] Sopr I II Alto I II Ten I II Basso I II
[Instr] 2 Vli 3 Ve 3 Trombi Organo

MISSA di SAN CARLO (Missa canonica komp um 1718) Per Musica Tutta in Canone... consacrata di Carlo VI. di Giovan-Gioseffo Fux, Dell'istessa Imperial Maestà Maestro di Capella

[Chor 4 stg:] Sopr Alt Ten Bass (notiert im jeweiligen Schlüssel)
Canone - Resolutio in nona alta - Resolutio in nona bassa - Canone

MISSA QUADRAGESIMALIS

[Chor 4stg:] Sopr Alt Ten Bass

MISSA PURIFICATIONIS

[4 stg:] Canto conc Alto conc Ten conc Basso conc.
[Instr] 2 Vl conc Tromb alto Tromb Tenore Organo

Revb

Vorl: Wien: Minoritenconvent
kk Hofbibl
Lambach: Stiftsbibl

x - x - x - x - x - x - x

+) Vorworte (Einleitungen) von Belang sind unterstrichen, Seitenzahlen geben den Umfang an

Bd 1

FUX Johann Joseph (Fuchs)
/österr. Komponist u Theoretiker/ * 1660 Hirtenfeld b St Marein (Steiermark)
† 14.2.1741 Wien

Ll:
1696-1702 Organist am Schottenstift Wien
1698 kaiserl Hofcompositeur
1705 2. Kapm am Stephansdom
1715 1. Hofkpm (Nachfolger Zianis)
1713-1715 Kapm der Kaiserin Amalie

Stilkr: Instrumentalwerke von Corelli'schen Stilelementen beeinflusst - kirchliche Werke knüpfen an ältere, traditionelle Kontrapunkttechniken an, dadurch Vertreter einer Palestrina-Renaissance. Im 19.Jh. als größter Repräsentant des musikalischen Barocks bezeichnet.

W: Über 70 Messen, mehrere Requiems, 57 Vespern u Psalmen, Hymnen u Einzelsätze des Ordinarium u Proprium Missae, 11 Oratorien, 18 Opern, Instrumentalwerke (Partiten, Sinfonie, Sonaten usw) nur wenig im Druck erschienen.
Elisa, Festoper (dirigiert v Karl VI)
1701 Concentusmusico-instrumentalis (7 Orch-Suiten), Missa canonica (kontrapunktisches Prunkstück), 38 Triosonaten f 2 Vl u B.c.

Ausg:

DTÖ	1894	Bd 1	4 Messen (Habert u Glössner)
	1895	3	27 Motetten (Habert)
	1902	19	2 Kirchensonaten u 2 Ouv (Suiten) Adler
	1910	34/35	Constanza e Fortezza, Oper (Wellesz)
	1916	47	Concentus musico-instrumentalis
	1947	85	Ausgewählte W f Tasteninstrumente
	1962	101/102	Solo-Motetten (Schoenbaum)

Schr: Gradus ad parnassum sive manudictio ad compositionem musicae regularem methode nova ...
lat: Wien 1725
dt: Lzg 1761 übers v. Mizler
Celle 1938 übers v A.Mann (Teilausgabe)
Kassel 1967 Fux-Gesamtausg Ed.v.A.Mann
Wien 1959 Ernst Tittel: Der neue Gradus. Lehrbuch des strengen Satzes nach J.J.Fux
it: Capri 1761 übers v Manfredi
frz: Paris 1773 v.Denis
engl: 1770 v.Preston
New York 1943 übers v A.Mann "Steps to Parnassus"

Stilkr: Modi (6 authentische u 5 plagale) sind von Dur u. Moll aus rekonstruiert; Kontrapunkt vom Generalbaß her gewonnen. Gradus wurde zur Grundlage für Albrechtsberger, Cherubini, Bellermann u.Haller.

Lit: 1872 L.v.Köchel: J.J.F.; Wien (mit Werkverzeichnis u Them K)
1895 C.Schnabl: J.J.F., der österr.Palestrina; Jb.d. Leo-Ges, Wien
1916 H.Rietsch: Der "Concentus" v J.J.F.; StMw 4/46
1925 K.Jeppen: J.J.F. und die moderne Kontrapunktlehre; JgrB Lzg
1940: A.Liess: Die Triosonaten von J.J.F.; Bln
1946 ders: Wiener Barockmusik; Wien
1947 ders: J.J.F., ein steirischer Musiker des Barock,nebst Verzeichnis neuer Werkfunde
1952 ders: Neues aus der biograph.J,J.F.-Forschung; MfV
1958 ders: Fuxiana; Wien
1942 H.Birtner: J.J.F. und der musikalische Historismus; DMK VII

Diss: 1917 V.Halpern: Die Suiten von J.J.F.; Wien
1931 Fr. Brenn: Die Meßkomposition des J.J.Fux; Wien
1955 K.H.Holler: G.M. Bononcini's musico prattico; Mainz

GEORG MUFFAT

FLORILEGIUM PRIMUM /IIum = Bd 4/

für Streichinstrumente in Partitur mit unterlegtem Clavierauszug

Hgg v Heinrich Rietsch

Vorwort S V-VIII
Widmung u Vorrede (lat dt it frz)
Gedichte: Ad Authorem
Ad Zoilum (lat dt)

FASCICULUS I (Eusebia)

/Instr/ Vl Violetta Va Quinta parte Vlc

	(Taktarten)	
1. Ouverture	2 3/4	alle Sätze in D
2. Air	2	
3. Sarabanda	3/4	
4. Gigue I	6/8	
5. Gavotte	¢	
6. Gigue II	6/8	
7. Menuet	3/4	

FASCICULUS II (Sperantia gaudia)

8. Ouverture	2 6/8	alle Sätze in F (eigentlich in g, Schlüsse in G)
9. Balet	2	
10. Bourrée	¢	
11. Rondeau	3/4	
12. Gavotte	¢	
13. Menuet I	3/4	
14. Menuet II	3/4	

FASCICULUS III (Gratitudo)

15. Ouverture. Allegro	2 C	alle Sätze in C (eigentlich in d)
16. Balet	¢	
17. Air	3/4	
18. Bourrée	¢	
19. Gigue	6/4	
20. Gavotte	¢	
21. Menuet	3/4	

FASCICULUS IV (Impatientia)

22. Symphonie Allegro 2 Sive C Presto	3/4	alle Sätze in B
23. Balet	¢	
24. Canaries	3/4	
25. Gigue. Presto	¢	
26. Sarabande	3/4	
27. Bourrée	¢	
28. Chaconne	3/4	

Bd 2

FASCICULUS V (Sollicitudo)

29.	Ouverture. Allegro	2 3/4	alle Sätze in a
30.	Allemande	C	
31.	Air	6/8	
32.	Gavotte	¢	
33.	Menuet I	3/4	
34.	Menuet II	3/4	
35.	Bourrée	¢	

FASCICULUS VI (Blanditiae)

36.	Ouverture. Allegro	2	alle Sätze in e
37.	Sarabande	3/4	
38.	Bourrée	¢	
39.	Chaconne	3/4	
40.	Gigue	6/8	
41.	Menuet	3/4	
42.	Echo	3/4	

FASCICULUS VII (Constantia)

43.	Air	3/4	alle Sätze in e
44.	Entrée des Fraudes	2	
45.	Entrée des Insults. presto Allegro	¢ 3/4	
46.	Gavotte	¢	
47.	Bourrée	¢	
48.	Menuet I	3/4	
49.	Menuet II	3/4	
50.	Gigue	6/4	

[Nachwort] lat dt it frz
Revb
Vorl: Raudnitz: Bibl d Fürsten Moriz v. Lobkowitz

x - x - x - x - x - x - x

MUFFAT Georg
[österr. Komponist]

get: 1.6.1653 Megève (Savoyen)
gest: 23.2.17o4 Passau
3 Söhne: Franz Georg
Gottfried (1681-17o1)
Johann Ernst (1686-1746)
Gottlieb (Liebgott, Theophil)(169o-177o)

Ll: Jesuitenkolleg in Molsheim (Elsaß)
Organist in Molsheim
1672-1678 Paris Wien
1678 Salzburg Organist d bischöfl Kapelle
1681-1688 Rom studierte bei Pasquini u Corelli
1690 Hofpagenmeister d Bischofs in Passau

Bd 2

Stilkr: Vermittler der neuen französischen u italienischen Kunst in der Geschichte der deutschen barocken Instrumentalmusik

W: 1682 Armonico tributo (Salzburg); 5stge Sonaten mit B.C. (interessantes Vorwort)
1690 Apparatur musico organisticus (Salzburg); 12 Toccaten
1695 Svavioris harmoniae instrumentalis hyperschematice florilegium (Augsburg) 2 Teile
1698 Orch-Ouverturen f Str u B.c. (Passau); im 2 ten Teil wertvolles Vorwort in lat dt frz u it Sprache
1701 Außerlesener ... Instrumental-Music (Passau); 12 Concerti grossi, darunter Bearbeitungen aus Armonico tributo; erweitertes Vorwort des Arm. trib. mit Bericht über Corelli's Concerti grossi

Ausg: DTÖ 1894 Bd 2 Florilegium I (Rietsch)
1895 4 Florilegium II (Rietsch)
1904 23 Instrumentalwerke (Luntz)
1918 50 Lauten-Musik (Anhang) (Koczirz)
1953 89 Armonico tributo (Schenk)

Lit: 1871 P.U.Kornmüller OSD: Biographisches über G.M.; MfM III
1890 L. Stollbrock: G.M. u.sein Florilegium I; MfM XXII
1894 H.Rietsch: G.M.; DTÖ Bd 2 /Habschr/
1904 E.Luntz: G.M.; DTÖ Bd 23
1954 A. Goehlinger: G.M.; Zs f Kirchenmusik LXXIV
F. Raugel: G.M. en Alsace; Rev de Musicol XXXVI
E. Schenk: Muffatiana; Wien
1958/9 R.Walter: G.M. u sein Apparatus Musico-Organisticus; Musik u Altar XI

Diss: 1888 L. Stollbrock: Die Komponisten Georg u Gottlieb M. Ein Beitrag zur Musikgesch d 17. u. 18.Jhs.; Rostock
1932 W. Krüger: Das Concerto grosso in Deutschland; Berlin

x - x - x - x - x - x - x

MUFFAT Gottlieb (Theophil)
/Organist u Komp/ s a Bd 7

get.: 25.4.169o Passau
gest.:1o.12.177o Wien

Ll: 1704 Schüler v J.J.Fux
1714 Accompagnist
1717 2. Hoforganist
1751 1. Hoforganist

Stilkr: beeinflußt v. französischen Vorbildern, sonst spezifisch österr. Haltung, Neigung zu gesanglicher Melodik

W: 1726 72 Versetl sammt 12 Toccaten f Org (Wien)
1738 (?) Componimenti musicali per il Cembalo (Augsburg)

Ausg: DTÖ 1896 Bd 7 Cembalo-Kompositionen (Adler)
1922 58 Toccaten u Versetl (Adler)

Lit: 1864 Fr.Grandaur: Zu Händels Cäcilien-Ode; Recens u Mittgn über Musik u Theater X
1872 L.R.v.Köchel: J.J.Fux; Wien
1896 G.Adler: I. "Componimenti mus per il Cembalo" di Teofilo M.; RMJ II
1907/8 P.Robinson u W.Wolffheim: ZIMG IX S.123-124 u 188-189
1930 E.Valentin: Die Entwicklung der Toccata im 17.u. 18.Jh; Univ Archiv d Mw Abtg VI,Münster
1947 E.Schenk: DTÖ Bd 85 Vorwort (J.J.Fux, Werke f Tasteninstrumente)

Diss: 1888 L.Stollbrock: Die Komponisten Georg u Gottlieb M.; Rostock
1916 J.J.Knöll: Die Klavier- u Orgelwerke v Theophil M.; Wien

Lit: zu Georg u Gottlieb Muffat:

1893 E.v.Werba: G.M. u G.M.; KmJb VIII
1954 E.Schenk: Muffatiana; Anzeiger d österr.Akademie d Wissenschaften, Phil-hist. Klasse
1946 A.Liess: Wiener Barockmusik; Wien

Bd 3 II. BAND Erste Hälfte

JOHANN JOSEF FUX

MOTETTEN

Erste Abteilung

20 Motetten f 4 oder 5 Singstimmen allein, oder mit Orgel u Instrumentalbegleitung a capella

Hgg v Johannes Evangelist Habert

Für Sopr A Ten Bass

DOMINICA I. Adventus

1. Graduale - Universi, gente expectant
2. Offertorium - Ad te, Domine levavi
3. Communio - Dominus dabit benignitatem

DOMINICA II. Adventus

4. Graduale - Ex Sion
5. Offertorium - Deus, tu convertens

DOMINICA III. Adventus

6. Graduale - Qui sedes, Domine
7. Offertorium - Benedixisti, Domine
8. Communio - Dicite pusillanimes

DOMINICA IV. Adventus

9. Graduale - Prope est, Dominus
10. Offertorium - Ave Maria
11. Communio - Ecce virgo concipiet

IN VIGILIA NATIVITATIS DOMINI

12. Graduale - Hodie scietis
13. Offertorium - Tollite partes
14. Communio - Revelabitur gloria Domini

DOMINICA I. in Quadragesimae

15. Graduale - Angelus suis
Tractus - Qui habitat in adjutoris Altissimi

FERIA VI post Dominicam II. Quadragesimae

16. Offertorium - Domine, in antilium meum respice

FERIA IV post Dominicam III. Quadragesimae

17. Offertorium - Dominus, fac meum

FERIA VI post Dominicam III. Quadragesimae

18. Offertorium - Intende voci

FERIA VI Quatuor Temporum Pentecostes

/4stg:/ Sopr A Ten Bass
/Instr/ 2 Vli Violetta Cornetto Tromb Alto Tromb Tenore Cello Violon u Org

19. Introitus - Repleatus os meum

MISSA pro DEFUNCTIS

f Sopr A Ten Bass
20. Graduale - Requiem aeternam
21. Graduale - Requiem aeternam
22. Responsorium - Libera me, Domine (gem Chor u Org)

COMMUNE UNIUS MARTYRIS PONTIFICIS

23. Offertorium - Veritas mea
24. Offertorium - Veritas mea (f Sopr A I II Ten Bass 2 Vli Violetta 2 Obi Fgt Vne u Org)

AD ASPERSIONEM AGNAE BENEDICTAE

25. Asperges me (gem Chor u Org)
26. Asperges me (Sopr A Ten I II, Bass u Org)

Anhang:

f gem Chor: Commune plurimorum Martyrum extra tempus Paschalle
27. Polluerunt templum
19 a. Introitus - Repleatus os meum

Revb

Vorl: Wien: kk Hofbibl
Musikvereinsarchiv
Göttweig: Stiftsbibl
Dresden: Kgl. Musikbibl

x - x - x - x - x - x - x

Bd 4 II. BAND Zweite Hälfte

GEORG MUFFAT

FLORILEGIUM SECUNDUM [I^um = Bd 2]

für Streichinstrumente. In Partitur mit unterlegtem Clavierauszug

Hgg v Heinrich Rietsch

Vorwort
Widmung, Vorrede u Erste Anmerkungen (lat, dt, it, frz) S 19-28
Gedichte: Ad Authorem v Christianus Leopoldus Krünner
Ad Zoilum

Notenbeispiele zu den ersten Anmerkungen

[Gew: Herrn Johann Traugott, Röm-Reichsgraf u Herr v.Kueffstein
Herrn Liebgott, Röm.Reichsgraf, Freyherr zu Greillenstein
u Herr zu Spitz
"Beeden Herren, Herren Gebrüder ..."]

Besetzung aller Stücke: Vl, Violetta, Va, Quinta parte, Vn

FASCICULUS I Nobilis Juventus - Adeliche Jugend (1691)

1. Ouverture	[In D]	2, 3/4	Allegro
2. Entrée d'Espagnols		¢	
3. Air pour des Hollandois		3/4	
4. Gigue pour des Anglois		3/4	
5. Gavotte pour des Italiens		¢	
6. Menuet I des Francois		3/4	
7. Menuet II		3/4	

FASCICULUS II Laeta Poesis - Fröhliche Dicht-Schul (1692)

8. Ouverture	[In G]	2, 3/4	Allegro
9. Les Poètes		3/2	
10. Jeunes Espagnols		¢	
11. Autre pour les memes		3/4	(Ein anderes für dieselbige)
12. Les Cuisiniers. Presto		¢	(Die in ihren Häfen etwas abrührende Köchin)
13. Les Hachis		¢	(Das Fleischgehack)
14. Les marmitons		3/4	Allegro (Die Küchen-Jung)

FASCICULUS III Illustres Primitiae - Hochgräfliche Primitien (1693)

15. Ouverture	[In A]	2,6/4	Allegro
16. Gaillarde		¢	
17. Courante		3/4	
18. Sarabande		3/4	
19. Gavotte		¢	
20. Passacaille		3/4	
21. Bourrée		¢	
22. Menuet		3/4	
23. Gigue		6/8	

FASCICULUS IV Splendidae Nuptiae - Ansehnliche Hochzeit

24. Ouverture [In D] 2, C
25. Les Paisans. Presto ¢ (Die Bauren)
26. Canaries. Presto 6/8
27. Les Cavalliers ¢
28. Menuet I
29. Rigodon pour s.Jeunes Paisannes Poitevines (f junge franz. Bäuerinnen aus dem Poitou)
30. Menuet II

FASCICULUS V Colligati Montes - Vereinigte Berge

31. Ouverture [In G] 2, 3/4
32. Entreé de Maitres d'armes. Allegro 2, (Fechtmeister)
33. Autre Air pour les memes
34. Un Fantome ¢ (Ein Gespenst)
35. Les Ramonneurs 3/4 (Die Rauchfangkehrer)
36. Gavotte pour les Amours (Für die Liebs - Geisterlein)
37. Menuet I pour l'Hymen (Ehestandsgott)
38. Menuet II (Zur goldenen Umbringung d 2 Bergen)

FASCICULUS VI Grati Hospites - Angenehme Gäste (1693)

39. Caprice ¢ Allegro, 6/4 Presto, [In A]- Borea - Menuet - Largo
40. Gigue 6/8
41. Gavotte ¢
42. Rigodon dit le solitaire ¢ (R.d.Einsame genannt)
43. Contredanse 6/8
44. Bourreé de Marly imiteé ¢, 3/4
45. Petite Gigue 6/8

FASCICULUS VII Numae Ancile - Himmelsschild (1693)

46. Ouverture [In E] 2, 6/8 Allegro
47. Entrée de Numa ¢
48. Autre pour le même
49. Traquenard pour de Jeunes Romains ¢
50. II Air pour les mêmes 3/4
51. Ballett pour les Amazones ¢
52. Menuet I des Susdittes (für die obengenannte)
53. Menuet II des Susdittes

FASCICULUS VIII Indissolubilis Amicitia - Unzertrennliche Freundschaft (1695)

54.	Ouverture [In E]	2, 3/4	Allegro
55.	Les Courtisans	¢	(Die Höflinge)
56.	Rondeau. Grave	3/4	
57.	Les Gendarmes. Presto	¢	(Die Rentner)
58.	Les Bossus	3/4	(Die Bucklichte)
59.	Gavotte	¢	
60.	Sarabande pour le Genie. Adagio de l'Amitie	3/4	(f den Geist der Freundschaft)
61.	Gigue	6/8	
62.	Menuet	3/4	

Aus Vorwort - in beiden Florilegien:

Allemande	1
Bourrée	8
Canaries	2
Chaconne	2
Contredanse	1
Courante	1
Gaillarde	1
Gavotte	10
Gigue	12
Menuett	19
Passacaille	1
Rigaudon	2
Rondeau	2
Sarabande	5
Traquenard	1

Index (lat dt it frz)

Titel (lat dt it frz)

Bericht an den Buchbinder (lat dt it frz)

Vorl: wie Florilegium Primum

Bd 5 III. BAND Erste Hälfte

JOHANN STADLMAYR

HYMNEN

/f 4 Stimmen/

Hgg v Johannes Evangelist Habert

/Vorwort/Hymnen für das ganze Kirchenjahr, über den Choral komponiert, stehen in den Kirchentonarten. 1 Strophe ist im Choral zu singen oder auf der Orgel zu spielen. - Ungemein knappe Form gegenüber Palestrina, außerordentliche kontrapunktische Gewandtheit. Einzelne Hymnen sind in zwei- oder dreifacher Bearbeitung vorhanden. In ausgiebiger Weise auch komponierte Orgel- u. Instrumentalbegleitung.

Vorwort S V-VII
Original-Titel
Original-Widmung
Original-Vorwort

In Dominicis et Feriis Adventis Domini. Conditor alme siderum:
In Nativitate et Circumcissione Domini. Christe Redemptor omnium:
In Festo SS. Innocentium. Salvete flores:
In Epiphania Domini. Hostis Herodes:
In Diebus Dominicis. Lucis Creator optime:
Die Sanctissima Trinitate, et in Sabbatis. O Lux beata Trinitas:
Sabbato Quadragesimae. Audi benigne:
In Dominica Passionis et in Festo Inventionis et Exaltationis S. Crucis. Vexilla regis prodeunt:
Tempore Paschali, loco Hymni. Haec dies:
Sabbato in albis, et in diebus Dominicis post Pascha. Ad coenam agni providi:
In Ascensione Domini. Jesu nostra redemptio:
In Festo Pentecostes. Veni Creator Spiritus:
In Festo Sanctissimi Corporis Christi. Pangue lingua:
Ad Elevationem Corporis Christi. Tantum ergo:
In Cathedra S.Petri
In Conversione et Commem. S.Pauli:
In omnibus Festivitatibus B.Mariae Virginis
In Nativitate S.Joannis Baptitae
In Festo Ap. Petri et Panei
In Festo S.Mariae Magdalenae
In Festo S.Petri ad vincula
In Festo Transfigurationis Domini
In Festo S. Michaelis Archangeli
In Festo S. Francisci. Ad I. Vespera
In Festo S. Francisci. Ad II Vesperas
In Festo Omnium Sanctorum
In Natali Apostolorum
In Comm. Apostolorum et Evangelistarum, tempore Paschalis
In Natali unius Martyris
In Natalis plurimorum Martyrum, tempore Paschalis

Bd 5

In Natali Confessorum
In Natalitiis Virginum
In Natali S.Martyris tantum et nec Virginis et Martyris
In Dedicatione Ecclesiae

Revb /Gmunden, Jänner 1895/

Vorl: Kremsmünster: Stiftsbibl
Gmunden: Archiv d Gesellschaft d Musikfreunde

x - x - x - x - x - x

STADLMAYR Johann (-mair, -mayer)
/dt Komponist u Kapm/

* 1560 Freising (Bayern)
† 11.7.1648 Innsbruck
/12. in DTÖ!/

Ll: 1603 Komponist u Kapm am Fürstbischöflichen Hof in Salzburg
1607-1648 Hofkpm in Innsbruck (Erzherzog Maximilian)

Stilkr: als Kirchenkomponist im römischen u im konzertierenden Stil hoch angesehen

W:	1603	4 Bücher 6-8stg Magnificat (München)
	1608	4stg Magnificat (Passau)
	1614	8-12stg Magnificats mit B.c. (Passau)
	1610	6 Bücher: 8 stg Messen mit B.c.
	1616	12stge Messen mit B.c. (Wien)
	1625-1626	2 Bände Introitus (Ravensburg)
	1636	Antophonen
	1638	Odae sacrae
	1640	3 Bücher: Psalmen; Musik zu Schuldramen
Lit:	1885	Domkapm J.P.Hupfauf (Salzburg) schrieb über Stadlmayr in der "Salzburger Zeitung", veröff in Zs f Kirchenmusik Nr. 9-11
Diss:	1928	Daniel Friedrich: Die konzertanten Messen J.St's; Wien
	1930	Berta Hinterleithner: Die Vokalmessen J.St's; Wien
	1931	Karl Gress: Die Motetten J.St's. im Lichte der Entwicklung d Motette im beginnenden 17.Jh; Wien

Bd 6 III. BAND Zweite Hälfte

MARC ANTONIO CESTI

IL POMO D'ORO

Bühnenfestspiel (teatrale festeggiamento) - Prolog u erster Akt

Hgg v Guido Adler

Einleitung S VI-XXVI
Prolog
8 Illustrationen
Blatt I Das Innere des Theaters
II Dedicationsblatt d Libretto
III Schauplatz d österr. Ruhmes
IV Das Reich d Pluto
V Die Versammlung d Götter
VI Waldlandschaft a. d. Berge Ida
VII Palasthof d Paris
VIII Garten d Freude

Im Prolog: Spagna, Italia, Regno d'Hongeria, L'impero [Choro I]
Sardigna, Regno di Boemia
L'America, Stato Patrimoniale } [Choro II]

Soli: Amore, Himeneo, Gloria Austriaca
[Instr:] 2 Trbe Vl 2 Vci Vne (S25)

Sonata: 4 Stimmen, (Sopr- u Altschlüssel) u Cembalo (v Josef Labor ausgeführt)
(2 Cornetti, 2 Trb, Fgt Regale)
(später Cemb nicht mehr ausgeführt)

1. Akt 1. Szene Proserpina
2. Proserpina u Pluto
3. dazu Discordia
4. Versammlung der Götter d Oberwelt. Momo
5. dazu Discordia
6. Ennone
7. Paris, Ennone
8. dazu Mercur
9. Auerindo
10. Filaura, Averindo
11. Momo.
12. Paris, Momo
13. dazu Juno
14. Paris, Momo, Juno
15. Paris, Momo, Venus

Vorl: Wien: Hofbibl
Gedrucktes Libretto weicht v d Manus-Partitur teilweise ab; d Komponist änderte d Worte des Dichters, wenn die musikalische Behandlung oder andere Rücksichten es verlangten

Bd 6

2 Ausgaben: 1667 u 1668

Titel:
Il Pomo d'Oro / Festa teatrale / Rappresentata in Vienna / per / L'Augustissime / Nozze delle / Sacre Cesaree e Reali / Maestá / di Leopoldo / e Margharita / Componimento di Francesco Sbarra / Consiglero di S.M.C. / - - - - - / in Vienna d'Austria / Agresso Matteo Cosmerovio, Stampatore della Corte, l'Anno 1667 (resp.1668)

2 Ansichten:
EA a) laut gedrucktem Textbuch: Leopolds Hochzeit mit Margharita v. Spanien 1666
b) laut Manus-Partitur:
... fatta per la Nascità della M^{ta} Dell'Imperatrice Margarita 1668

Erst zur Vorfeier der Hochzeit am 12.12.1666; laut Diarium Europaeum u nach Rinck (Biograph des Kaisers) wurden noch aufgeführt:

a) Cibele et Atti, Dramma per musica v Antonio Bertali
b) La Monarchia Latina trionfante, Festa musicale v Antonio Draghi, mit den Balletten v Heinrich Schmeltzer

Wiederholung der Oper am 26.Juli 1678 zur Geburt Josef I.

Ausserdem selbständige Ballette:
a) Concorso dell'Allegrezza universale v H.Schmeltzer
b) La Contessa dell'Aria e dell'Aqua, Festa a cavallo [Francesco Sbarra] v Antonio Bertali; mit Trompetenmusik v H.Schmeltzer

[Rossballett b)
Am 30.8.1666 war die erste Probe. Proben dauerten durch fünf Monate. EA 14.1.1667 unter Mitwirkung des Kaisers, des Hofes u fast des gesamten Adels am Burgplatz (Wiederholung am 21.1.1667)]

Alle producirenden u ein Theil der reproducirenden Künstler wurden aus Italien berufen. Sbarra Hofpoet 1665-1668; neben ihm wirkte Aurelio Amalteo
Theater u Dekorationen v Ludovico Burnacini; neben ihm dessen Sohn Ottavio (geb 1636, gest 1707)

x - x - x - x - x - x - x

Bd 6

CESTI Marc Antonio

/it Opernkomponist/

get 5.8.1623 Arezzo
gest 14.10.1669 Florenz

Ll:
1635-37 Sängerknabe in Arezzo
1637 Franziskanerorden
1645-49 Magister musices u Dom-Kapm in Verona
1652 Kapm bei Erzherzog Ferdinand in Innsbruck
1659-62 Tenore der Capella Sixtina (Nebenbei)
1666 Vicekapm am Kaiserl.Hof in Wien

Stilkr: Cesti- einer der bedeutendsten Opernkomponisten des 17. Jhs.- unterscheidet sich v Cavalli durch weichere Melodik u sensibleren Stil. Nicht Dramatiker, sondern Nummern-Komponist.
Höhepunkt "Il pomo d'Oro"

1649 1. Oper L'Orontea (Venedig)
1651 Il Cesare Amante (Venedig)
1655 Argia (Innsbruck)
1662 La magnanimità d'Alessandro (Innsbruck)
1666 Il Tito (Venedig)
1666 Nettuno (Wien)
1667 La Semiramide (Wien)
Le disgrazie d'Amore (Wien)
Il pomo d'oro (Wien)
La Germania Trionfante (Wien)
/die vokalen Teile aufgeführt/

Ausg:
"La Dori" u andere Opernteile; PG fMf XII (Eitner)
"Orontea": Rezitativ u Arie - Alte Meister des Bel Canto I (L.Landshoff)
"Il pomo d'oro": Sonata u Arie; Schering Beispiele 202/203
DTÖ 1896 u 1897 Bd 6 u 9 "Il pomo d'oro" (Adler)

Lit:
1892 H.Kretzschmar: Die venezianische Oper; VfMW VIII
1907 ders.: Beitrag zur Geschichte d venezianischen Oper; JbP XIV
1913/14 E.Wellesz: 2 Studien zur Geschichte d Oper; SIMS XV
1949 ders.: Essays in Opera; London
1923 F.Conradini: P.A.C.; RMJ XXX
1937 R.Haas: Die Musik des Barock in Bücken
H.C.Wolff: Die venezianische Oper; Theater u Drama VIII Bln
1954 S.T.Worsthorne: Venetian Opera; Oxford

Bd 7 III. BAND Dritte Hälfte

GOTTLIEB MUFFAT

COMPONIMENTI MUSICALI per il CEMBALO

6 Suiten u eine Ciaconna f Clavier

Hgg v Guido Adler

Einleitung S VII-XXII
Widmung u Vorrede (it)
An den geneigten Leser (dt)

I.	Ouverture	Ø Alla breve, ma Tempo Moderato, Fuga 3/8 Allegro in C	
	Allemande	C Affetuoso, in C	
	Courante	3/4	
	Air	3/4	
	Rigaudon	Ø	
	Menuet mit Trio		
	Adagio	C	
	Final	2/4 Allegro	
II.	Prelude	C Tempo giusto - Allegro 6/8, in g	
	Allemande	C Affetuoso	
	Courante	3/4	
	Sarabande	3/4	in G
	Bourée	2/4	in g
	Menuet mit Trio		in g, Trio in Es
	Fantasie,	C Allegro	
	Gigue	6/8	
III.	Fantaisie	3/4 Grave - Vivace C	in D
	Allemande	4/4	
	Courante	3/4	
	Sarabande	3/4	in h
	Menuet ohne Trio		in D
	Rigaudon Bizarre	Ø Spirituoso	
	Air	3/4 Affetuoso	in d
	Finale	3/8 Spirituoso	in D
IV.	Fantaisie	C Tempo giusto - Fuga a quattro, in B	
	Allemande	C	in B
	Courante	3	
	Sarabande	3/4	in b
	La Hardiesse	2/4 Allegro	in B
	Menuet I (ohne Trio)		
	Menuet II(ohne Trio)		
	Air	C Cantabile	
	Hornpipe	3/2	
	Gigue	6/8	

V.	Ouverture	2/4, Allegretto - Vivace 3/2, alle in d
	Allemande	C
	Courante	3/4
	Sarabande	3/4
	Menuet (ohne Trio)	
	Rigaudon	Ø Spirituoso
	Menuet mit Trio	
	Gigue	
VI.	Fantaisie	C Vivace - Fuga a quattro, in G
	Allemande	C
	Courante	3/4
	Sarabande	3/4
	La Coquette	2/4 in g
	Menuet mit Trio	in G
	Air	Ø Vivace in G, Trio in g
	Gigue	6/8 Allegro
	Menuet en Cornes de Chasse (ohne Trio)	
VII.	Ciacono mit 38 Variationen	3/4 Spirituoso, in G

Particolari Segni delle Maniere

Revb gez v G.A.Siegenfeld August 1895.

x - x - x - x - x - x - x

GOTTLIEB MUFFAT s a Bd 2

* 169o Passau
† 1o.12.177o Wien

Sohn des Georg M., Komponist des Florilegium (4.Bd). - Kam nach 1704 (dem Tode seines Vaters Georg 23.2.) nach Wien. 1711 Hofscholar, dürfte Schüler v J.J.Fux gewesen sein.

1735-1739 Erscheinen der Componimenti
3.4.1717 zweiter Hoforganist, 1751 erster Hoforganist bis 1763
Ab 1714 besorgte er das Accompagnement bei Opern, Festen u Kammermusik

Organist der Kaiserin-Witwe Amalie (Gemahlin Josef I, gest 1742) u Clavierlehrer bei Hofe (Schüler: Maria Theresia u Maria Anna, Töchter Carl VI u Franz v Lothringen, verm mit Maria Theresia 12.12.1736). Durch 51 Jahre Dienst am Hofe - 7 Jahre in Pension.

Widmung an Kaiser Karl VI. - Exemplar der Wr.Hofbibl im Manuscript 15 935 - Geschenkexemplar an Muffat's Freund Minoritenpater Alexander Giessel, dat. Ao 1739 die 1. Augusti.

Die Verzierungstabelle (S.89) ist d vollständigste, die aus der Zeit von Marpurg's "Kunst des Clavierspiels" (1730) von Instrumentalcompositionen überliefert ist. Schon 1726 hatte er seinen "Versettln u Toccaten" eine "Erklärung d Zeichen oder Manieren" beigegeben.

Muffats Suiten sind leichter als die Bachs; f d Cembalo bestimmt.

Vorl: Wien: Minoriten Konvent (hs Korrekturen vermutlich vom Autor)

Aus Vorwort: 7 Gruppen ohne zusammenhängenden Titel, außer VII Ciacona

Georg Friedrich Händel benützte einige Sätze der "Componimenti" in den 1789 komponierten "12 Große Concerte" u in der "Cäcilienode". Concerte im Okt. 1739 komponiert u erschienen am 21.4.1740. Kleine Cäcilienode vollendet am 24.9.1739 (nach 10tägiger Arbeit), im Druck erschienen erst 15.12.1739.

"Suiten", wenn auch nicht so benannt, enthalten d Hauptbestandteile der klassischen Suitenform: Allemande, Courante, Sarabande u Gigue. Statt Sarabande gelegentlich "Air". Am Eingang jeder Suite steht ein Vorspiel, in den abwechselnden Formen der Ouverture (I. u V. Suite) Prelude (II.S.) Fantaisie (III, IV u V. S). Je drei Intermezzi (IV.Suite - 4 Intermezzi) sind accidentielle Teile d Suite.

Händel neigt in seinen Suiten mehr zu den Italienern, als Muffat u Bach, aber doch innere Verwandtschaft zwischen Händel u Muffat. Händel schöpfte aus den Componimenti wie aus einer Fundgrube; er läßt sich anregen, nimmt Themen, ja benützt ganze Stücke als Unterlage.

In den "Componimenti" gibt es keine fugierten Gigues. Polyphon geführte Fugen in den Vorspielen der 1. 4. u 6. Suite. Fuge I ist 3stg, IV u VI "a quattro".

Muffats Kompositionen haben spezifisch österr. Charakter; Werke stehen in Zusammenhang mit seinen Altvorderen: Froberger u Georg Muffat, sie reihen sich nun würdig, bereichert mit den Mitteln d frz u it Suitenkomposition (Ende 17. u Anfang 18.Jh) neben Bach u Händel. Leichtigkeit d Behandlung. Mit Muffat u Bach Höhepunkt der Suitenkunst.

Bd 8 IV. BAND Erste Hälfte

JOHANN JAKOB FROBERGER

12 TOCCATEN, 6 FANTASIEN, 6 CANZONEN, 8 CAPRICIOS, 6 RICERCARE

f Orgel u Klavier

Hgg v Guido Adler
Vorwort
2 Reproduktionen d Handschrift

TOCCATA	I	in a-moll	(meist 4stg)
	II	d-moll	
	III	G-Dur	
	IV	C-Dur	
	V	d-moll	"Da sonarsi alla Levatione"
	VI	g-moll	" " "
	VII	G-Dur	
	VIII	E-Dur	
	IX	C-Dur	
	X	F-Dur	
	XI	e-moll	
	XII	a-moll	
FANTASIA	I	C-Dur	Sopra Ut Re Mi Fa Sol La
	II	a-moll	
	III	F-Dur	
	IV	G-Dur	Sopra Sol, La, Re (Text unterlegt: "Sola re, lascia fare mi")
	V	a-moll	
	VI	a-moll	
CANZONA	I	a-moll	
	II	G-Dur	
	III	F-Dur	
	IV	G-Dur	
	V	G-Dur - A-Dur	
CAPRICIO	I	G-Dur	
	II	a-moll	
	III	d-moll	
	IV	F-Dur	
	V	g-moll	
	VI	C-Dur	
	VII	G-Dur	
	VIII	G-Dur	

Bd 8

RICERCARE	I	F-Dur - C-Dur
	II	G-Dur
	III	F-Dur
	IV	C-Dur
	V	G-Dur
	VI	cis-moll

Vorl:	Wien:	Hofbibl
	Bln:	Kgl Bibl
		Joachimtal'sche Gymnasiumsbibl
	Haag:	Bibl Scheurler
	Dresden:	Kgl Musikbibl
	Lzg:	Stadtbibl
	Paris:	Bibl Nationale

Revb gez G.A.Siegenfeld Juli 1896

x - x - x - x - x - x - x

FROBERGER Johann Jakob

/dt Komponist/

get: 19.5.1616 Stuttgart
gest: 6.(7.)5.1667
Schloß Héricourt
bei Montbéliard

Ll: Sohn des Stuttgarter Hofkapm Basilius Fr. (1575-1637)
1637 (Jänner-Oktober) Hoforganist in Wien
auf Kosten des Wr Hofes studierte er in Rom
bei Fescobaldi
1641-1645 wieder Hoforganist in Wien
1653-1657 wieder Hoforganist in Wien
nach 1657 auf Reisen (Dresden, Brüssel 1650)
1652 Paris
1662 London

Stilkr: eigentlicher Schöpfer der Klavier-Suite, hält später
die übliche Satzfolge nur gelegentlich ein.
Verbindet it mit frz u engl Stil in glücklicher Weise
Einfluß Frescobaldis
Toccaten u Canzonen f Orgel u Cembalo
"Verflochtene Freistimmigkeit" (Adler)
"Stile recitativo" in d dt Cembalokunst

W: fast alle vor seinem Abgang aus Wien komponiert.
Zu Lebzeiten Fr.s nur je ein Stück in Kirchers
"Musurgia" (Rom 1650) u in Roberday's "Fugues et
caprices" (London 1600) gedruckt, alles übrige in
Handschriften weit verbreitet.
W erst 1693 u 1695 in Mainzer Drucken erschienen

Bd 8

Ausg: Ges Ausg v Guido Adler, dann verteilt in
DTÖ 1897 Bd 8
1899 13
1903 21

Lit: 1838 A.Fuchs hs. Verzeichnis d Dt Staatsbibl Bln
1740 J.Mattheson: Grundlage einer Ehrenpforte; Hbg. 1910 NA v M.Schneider
1673 N.Binninger: Observationum ... Montbéliard
1874 G.Nottebohm: Etwas über J.J.Fr.; Mus.Wochenbl V
1878 A.W.Ambros: Gesch d Musik IV bt v Leichtentritt
1882 C.Huygens: Correspondence et oevre musicales; Leiden
1884 Fr.Beier: Über J.J.Fr. "Leben u Bedeutung"; Slg mus Vorträge 5.Reihe; Leipzig +)
1884 A.G.Ritter: Zur Gesch des Orgelspiels; Leipzig 2 Bde
1894 C.Krebs: J.J.Fr. in Paris; VfMw X
1899 C.Fr.Weitzmann - M.Seiffert, Gesch d Klaviermusik; Leipzig
1912 H.Riemann: Hdb d Musikgesch II/2
1924 W.Danckert: Gesch d Gigue; Veröffentlichungen d mw Seminars; Erlangen
1934 S.H.Meyer: Die mehrstimmige Spielmusik; Heidelberger Studien z MW; Kassel
1940 M.Reimann: Untersuchungen zur Formgeschichte d frz Klaviermusik; Regensburg

Diss: 1930 M.Seidler: Untersuchungen über Biographisches u Klavierstil J.J.Fr.; Königsberg (biogr Teil erschienen)

Kommentar: In den Original Manusc. partiturmäßig niedergeschrieben: Rechte oder linke Hand nach Belieben. Pedalgebrauch.

+) mit Thematischem Verzeichnis der Suiten Frobergers

Bd 9 IV. BAND Zweite Hälfte

MARC ANTONIO CESTI

IL POMO D'ORO

Bühnenfestspiel. Zweiter bis fünfter Akt

Verzeichnis der Illustrationen:

Blatt	IX	Seehafen
	X	Eingang d Hölle
	XI	Waffenplatz d Athene
	XII	Tritonischer Sumpf
	XIII	Höhle des Aeolus
	XIV	Thallandschaft
	XV	Zeughaus des Mars
	XVI	Das Meer bei Ungewitter
	XVII	Ritterkampfplatz
	XVIII	Lustwald
	XIX	Tempel der Pallas
	XX	Himmel
	XXI	Vorhof des Palastes der Venus
	XXII	Festung des Mars
	XXIII	Lusthof des Paris
	XXIV	Festungsplatz des Mars
	XXV	Himmel, Erde u Meer

2. AKT. Sonata

1. Szene	Filaura u Aurindo
2.	Momo u Filaura
3.	Paris
4.	Ennone. Filaura u Paris
5.	Momo
6.	Caron
7.	Aletto, Tesifone, Megera, Caron
8.	Paris
9.	Venus, Amor
10.	Cecrops, Adrast, Chor d Soldaten
11.	dazu Pallas
12.	Cecrops u Alceste
13.	Adrast, 1.Soldat
14.	dazu Pallas

3. AKT (Text)

4. AKT Sonata

1. Szene	Ennone
2.	dazu Filaura
3.	Adrast, Priester d Pallas, Chor d Opferdiener
4.	dazu Pallas
5.	Alceste
6.	Venus

Bd 9

7. dazu Amor
8. Juni u Venus
9. Juno u d Feuer
10. Eufrosine
11. Aglaia, Pasithea, Eufrosine
12. Venus, Mars, Cecrops, Soldatenchor
13. Venus, Mars, Amor
14. Adrast, Alceste
15. dazu Pallas

5. AKT (Text)

Revb zur ganzen Oper

Inhaltsverzeichnis der ganzen Oper

Vorl: Wien: Hofbibl 4 Bde

Bd 10 V. BAND Erste Hälfte

HEINRICH ISAAC

CHORALIS CONSTANTINUS [2.Teil = Bd 32]

Erster Teil: Graduale in mehrstimmiger
Bearbeitung (A-Capella)

Hgg v Emil Bezecny u Walter Rabl

Vorbemerkung

Einleitung S VII-XV

Original-Titel

Ad Cantorem

Dedication

Ad candidum Musicum [Gedicht]

Eucomion Operis ["]

Asperges me Domine (4stg)
Die Sanctissima Trinitate - Prosa - Communio
Dominica I post Pentecosten
Dominica II - XXIII post Pentecosten
Dominica I. - IV. Adventis
Dominicam infra octavam Epiphaniae
Domini I. II. post Epiphania
Dominica in Septuagesima
Dominica in Sexagesima
Dominica in Quinquagesima
In die Cinerum
Dominica Invocavit
Dominica Reminiscere
Dominica Oculi
Dominica Laetare
Dominica Indica
Dominica Palmarum
Dominica Quasimodo geniti
Dominica Misericordia Domini
Dominica Jubilate
Dominica Cantate
Dominica Vocem Jucunditatis
Dominica Exaudi

Revb gez W.Rabl, Prag 1897

Vorl: Bln: Kgl Bibl
Mchn: Hof u Staatsbibl

x - x - x - x - x - x - x

ISAAC Heinrich (Yzaac) it: Arrigo Tedesco
lat: Arrhigue

[fläm. Komponist] * vor 1450
† 1517 Florenz

Ll: fläm. Abkunft
vor 1480 in Ferrara u Florenz (nicht belegt)
nach 1480 unterrichtete Isaac die Söhne Lorenzos (il Magnificio) de Medici - Florenz
Organist in Florenz
1484 vorübergehend am Hofe Erzherzog Sigismunds in Innsbruck
ab 1497 (3.4.) Hofkomponist Kaiser Maximilians I (durch mehr als 20 Jahre)
Reisen nach Italien
1503-1514 wiederholt in Konstanz
auch am Hofe des Kurfürsten Friedrich v.Sachsen
1514 zurückgezogen in Florenz

Stilkr: Isaac - einer der vielseitigsten Musiker seiner Zeit. Stil geht v konstruktiver Herbheit bis zu renaissancemäßiger Gewandtheit u Glätte.
Beherrschte niederländische, dt u it Kompositionseigentümlichkeiten
Vorläufer Orlando di Lassos
Liedschaffen - teils textiert, teils untextiert, teils tabuliert überliefert: Chansons, Frottole, dt.Lieder
Schüler: Senfl (Nachfolger Isaacs)

W: weitverbreitetes Tenorlied: Mein freud allein in aller Welt Innsbruck, ich muß dich lassen
a) in "Missa carminium" (Liedmesse) als kanonisches Tenorlied [M. über dt Lieder]
b) 4stge homophone (2te) Fassung (berühmt). C.f. in d Oberstimme - Wiederholung der Schlußzeile - Terz im Schlußakkord: einziges Beispiel bei Isaac f ein dt homophones Diskantlied
1506 Misse Henrici Izac (bei Petrucci in Venedig gedr) enthält 5 Messen
1539 2 Messen (Salva nos u Frölich Wesen) in Grapheus "Missae tredecim"
1541 Messe über d span Lied "Une musique de Biscaye", Wittenberg
1550 Choralis Constantinus (-tiensis) - großes Proprienwerk, nach Isaacs Tod v Senfl fertiggestellt. in 3, das ganze Kirchenjahr umfassenden Teilen in Nürnberg bei Formschneyder gedruckt. I.Bd (DTÖ 10 u 32)
1955 II. u III.Bd
4stge Proprium-Kompositionen - teilweise Auftragswerke des Domkapitel v Konstanz

Zahlreiche geistliche u weltliche Sätze in vielen, besonders dt Sammelwerken des 16.Jhs
Glarean nahm 5 Motetten v Isaac in sein Dodekachordon (1547) auf.

Ausg: DTÖ 1898 Bd 10 Choralis Constantinus I (Bezecny u Rabl)
1909 32 II (Webern)
1907 28 Weltliche Werke J.Wolf, Nachtrag in
1909 32 (Wolf)
1930 72 "Der hund" - Anhang (Nowak)
1939 Missa Carminum - ChW.VII (R.Heydes)
1950 Choralis Constantinus III - University of Michigan Public. Fine Arts II hgg v L.Cuyler
1956 5 Polyphonic Masses (aus Chor.C.III.Teil) (Ann Arbor)

Lit: 1882 A.v.Reumant: H.I. - MfM XIV
(1886)La Mara; Musikerbriefe aus 5 Jhen I. Lzg
1904 F.Waldner: H.I.; Zs d Ferdinandeums f Tirol u Vorarlberg
1906/7 J.Wolf: Zur Isaac-Forschung; ZIMS VIII
1907 ders.: I. a Firenze; Nuova Musica XII
1909 A.v.Webern: H.I. Choralis Constantinus II; DTÖ Bd 32 Wien
1913 P.Wagner: Gesch d Messe I; Lzg
1917 H.Rietsch: H.I. u d Innsbrucklied; Jb P XXIV
1929/30 O.zu Nedden: Zur Musikgesch v Konstanz um 1500; ZfMw XII
1932/33 ders.: Zur Gesch d Musik am Hofe Kaiser Maximilians I; ZfMw XV
1931/32 H.Schweiger: Archival. Notizen zur Hofkantorei Maximilians I; ZfMw XIV
1931/32 H.Osthoff: Zu Isaacs u Senfls dt Liedern; ZfMw XIV
1949 A.Einstein: The Italian Madrigal I/II; Princetown
1950 W.Lipphardt: Die Gesch d mehrstimmigen Proprium missae; Heidelberg
1954 W.Senn: M. u Th. am Hof zu Innsbruck; Innsbruck
1957 Fr.Feldmann: Divergierende Überlieferungen in I's "Petrucci-Messen"; CHM II
+)

Diss: 1926 P.Blaschke: Der Choral in H.I's. Choralis Constantinus; Breslau
1924 K.Ameln: Beiträge zur Gesch d Melodie "Innsbruck, ich..." u "Ach Gott, von H..."; Freiburg
1950 R.Wagner: Die Choralverarbeitung in H.I's Offizienwerk "Ch.C."; München
1952 W.Heinz: Isaacs u Senfls Propriums-Kompositionen in Hss d Bayr.Staatsbibl Mchn; Bln
1954 R.Machold: H.I., Beiträge zur Kompositionstechnik an Hand seiner choralpolyphonen Messen; Mchn
1956 S.R.Pätzig: Liturgische Grundlagen u hs Überlieferungen v H.I's "Ch.C."; Tübingen
1957 H.-J.Rothe: Alte dt Volkslieder u ihre Bearbeitungen durch I., Senfl u Othmayr; Lzg
1960 M.Just: Studien zu H.I'S Motetten; Tbg 2 Bde

+) Check List: 250 257-8 275 280 296

Bd 11 V. BAND Zweite Hälfte

HEINRICH FRANZ BIBER

ACHT VIOLINSONATEN /2.Bd = Bd 25/

mit ausgeführter Klavierbegleitung

1. Band

/Guido Adler, Siegenfeld im September 1897/

Einleitung S V-XVII

Reproduktion d Originaltitels

d Dedication

d Bildnisses v Biber (Paulus Seel scul.)

d ersten zwei Notenseiten /Vl u B.c. /ohne Ziffern//

(beigegeben ist eine Separatstimme f Geige 28.S.)

SONATA I /A-Dur/

Ø - Adagio 3/4 - Presto 4/4 - Variation 3/4 - Finale Ø

SONATA II /Dorisch/

C - Aria Ø - Adagio Ø - Finale Ø

SONATA III /F-Dur/

Adagio Ø 6/4, Presto; Adagio - Aria 3/4 plus Variationen

SONATA IV /D-Dur/

Ø, Presto - Gigue 12/8 plus Double - Aria C - Presto /C/

in Beilage Accordo { d' a' c' A

SONATA V /e-moll/

Ø, Adagio plus Variation 3/4 - Aria Ø

SONATA VI /c-moll/

Ø - Passacaglia 3 - Gavotte /nicht Beginn auf 3 4/- Allegro

SONATA VII /G-Dur/

Ø - Aria, Presto Ø - Ciacona Ø 3

SONATA VIII /A-Dur/ à Violino Solo /obwohl in zwei Zeilen gedruckt/

Ø, 3 - Aria C - Sarabanda 3 - Allegro

Revb

/irrtümlich hier - gehört in Bd 25:/
in Extra fasc. nur Violine

I. Praeludium ¢ - Aria plus Variatio (d-moll)
II. Sonata ¢ - Allemande ¢ - Presto (A-Dur)
III. Sonata ¢ - Courante 3/4 plus Double (h-moll)
IV. Ciacona 3/4 - Adagio, Presto, Adagio (d-moll)
V. Praeludium ¢ - Gigue ¢ - Sarabande 3/4 plus Double (A-Dur)
VI. Lamento ¢ (c-moll)
VII. Allemande ¢ plus Variatio - Sarabande 3/4 plus Variatio (F-Dur)
VIII. Adagio ¢, Presto - Gigue 6/4 (F-Dur)
IX. C - Courante 3/4 - Finale ¢ (a-moll)
X. Praeludium ¢ - Aria ¢ plus Variatio - Adagio (g-moll)
XI. ¢ /auf beiliegender Klavierstimme bearb v Erwin Luntz "Auferstehung Christi" - diese gehört in den Bd /25/ 2.Hälfte d Jg.XII/
XII. ¢ Intrada - Aria Tubicinum - ¢ - Allemande ¢ - Courante 3 (C-Dur)
XIII. Sonata 3/4 - Gavotte ¢ /nicht Beginn auf 3 4/ - Gigue 12/8 - Sarabande 3/4 (d-moll)
XIV. ¢ - Aria 3/2 - Aria - Gigue /9/8/ (D-Dur)
XV. C - Aria ¢ - Canzone ¢ - Sarabande 3/4 (C-Dur)
XVI. Violino Solo - Passacaglia 6/8 (g-moll)

Vorl: Kremsier: St.Mauriz-Archiv
Salzburg: Domarchiv
Städt.Museum
Wien: Ges d Musikfreunde

Violinsonaten bestehen aus toccatenartigen Teilen, Arien u Tänzen mit Variationen. Fast alle Sonaten werden präludierend eingeleitet.
Arien mit Variationen
Bässe werden bei Biber zu Bassi ostinatissimi. In d ersten Sonate: 29 Variationen über einem Basso ostinato
Passacaglia u Ciacona verwendet.
Tonart u Tonrelationen sind d rote Faden in den Sonaten, deren einzelne Teile in Takt, Tempo u Rhythmus kontrastieren.
Maßvoll in d Verwendung der stereotypen Verzierungsformen.

Sonaten V, VI u VII sind die besten
Biber noch v E.L.Gerber als größter Violinist bezeichnet

x - x - x - x - x - x - x

Bd 11

BIBER Heinrich Ignaz Franz (von Bibern)
/österr. Komponist u Violinvirtuose)

* 12.8.1644 Wartenberg (Böhmen)
† 3.5.1704 Salzburg
4 Kinder:
Karl Heinrich v.Bibern (1681-1749)
1714 Vicekapm
1746 Truchseß

Ll: bis 1670 in Olmütz am Bischofshof
ab 1673 in Salzburg - durch 34 Jahre in Erzbischöflichen Diensten
1676 Kremsier (Kapelle d Erzbischof Karl Graf v. Liechtenstein - Kastelkron
1679 Vicekapm
1684 Kapm u Truchseß
1690 geadelt v Kaiser Leopold I

Stilkr: gehört zu den bedeutendsten Instrumentalmusikern seiner Zeit; in seinen Kompositionen nahm er it Anregungen auf u verarbeitete sie in eigener Art; in den Balletti frz Geschmacksrichtung

W:
1673 Serenade à 5 "In der Ciacona kombt der Nachtwächter, wie man jetziger Zeit die Uhr allhier auszurueffen pflegt..."
um 1675 16 Violinsonaten "Zur Verherrlichung v 15 Mysterien aus dem Leben Mariae"
1676 Sonatae tam aris quam aulis servientes
1680 Mensa sonora seu Musica instrumentalis "Klingende Taffel oder Instrumentalische Taffel-Musik mit frischlautendem Geigenklang"
(= 4stge Kammersonaten f Vl 2 Va I Vne)
1681 8 Solo-Violinsonaten mit B.c. "Fidicinium sacro-profanum" (12 4-5stge Sonaten)
1687 "Chi la dura la vince" (in einer Arie, 4 stg u Pken, Manuskript erhalten!)
1689 Alessandro in Pietra (Bühnenwerk)
1693 Vespern u Litaneien, Messen (Sancti Henrici in C), Requien u Offertorien
1699 L'ossequio di Salisburgo
1712 Harmonia artificiosa (7 Partiten à 3 mit komplizierter Anwendung der Scordatur u Doppelgriffen)

Ausg:

DTÖ	1898	Bd 11	8 Violinsonaten	(Adler)
	1905	25	16	(Luntz, Labor)
	1918	49	Messe	(Adler)
	1918	50	Passacaglia Anhang (Koczirz)	
	1923	59	Requiem	(Adler)
	1956	92	Harmonia artificiosa (Nettl, Reidinger)	
	1960	96	Mensa sonora	(Schenk)
	1960	97	Fidicinium sacro-profanum (Schenk)	
	1963	106	Sonatae tam aris (Schenk)	

Lit: Einleitungen zu den Ausg DTÖ
1906/07 M.Schneider: Zu B's Violinsonaten; ZIMG VIII
1918/19 A.Moser: Die Violin-Scordatur; AfMw I
1923 ders.: Gesch des Violinspiels
1921/22 P.Nettl: Die Wiener Tanzkomposition; StMw VIII
ders.: Zur Gesch d Musikkapelle... Olmütz; ZfMw IV
1926 C.Schneider: B. als Opernkomponist; AfMw VIII
1935 ders.: Gesch d Musik in Salzburg
1950 E.Schmitz: B's Rosenkranz-Sonaten; Musica V

Bd 12

Bd 12 VI. BAND Erste Hälfte

J A C O B H A N D L (G A L L U S)

OPUS MUSICUM

I.Teil
/II.Teil = Bd 24/

Motettenwerk f d ganze Kirchenjahr

Vom ersten Adventsonntag bis zum
Sonntag Septuagesima

Hgg v Emil Bezecny u Josef Mantuani

Bildnis v Jacobus Gallus

Einleitung S VII-XXXIII

Alphabetischer Index

Original-Titelblatt

Widmung u Inhaltsverzeichnis d Vorlage

Motetten .....

BEGINN d MOTETTE:	ST:	S:
Ab oriente venerunt magi	4	174
Ante luciferum genitus	5	164
Aspiciens a longe	8	7
Beatus vir, qui timet Dominum	8	91
Canite tuba in Sion	5	52
Cantate Domino canticum novum, laus eius	12	97
Cantate Domino canticum novum, quia mirabilia	9	121
Christe, qui nos propriis manibus (= III.pars zu Christum natum)	6	135
Christum natum Dominum	6	133
Clama in fortitudine (= II. pars zu "Super montem excelsium")	5	43
De coelo veniet Dominator	4	61
Dicunt infantes Domino	4	172
Dies est laetitiae	8	68
Dies sanctificatus illuxit	4	169
Dominus pudici pectoris	4	170
Ecce concipies et paries	4	59
Ecce Dominus veniet	5	50
Ecce veniet Deus (= II.pars zu "Ecce Dominus veniet")	5	51
Egredietur virga de radice Jesse	4	55
Emitte Domine sapientiam	6	34
Et ambulabant gentes (= II.pars zu "Illuminare Jesus")	6	142
Et intrantes domum (= II.pars zu "Stella quam...)	6	149

Bd 12

MOTETTE	ST:	S:
Facta est cum angelo multitudo	6	136
Felix est puerpera (= II.pars zu "Christum natum Dominum")	6	134
Festina, ne tardaveris Domine	5	45
Gaudeamus omnes fideles	7	130
Geminavit radix Jesse	5	157
Haec est dies, quam fecit Dominus	8	127
Hierusalem, etc Siehe: Jerusalem		
Hodie Christus natus est	6	144
Hodie nobis coelorum rex	8	62
Jerusalem, cito veniet salus	4	56
Jerusalem, gaude gaudio magno	6	28
Illumimare, Jerusalem	6	140
Jocundare filia Sion	6	24
Israel, si me audieris (= II.pars zu "Jerusalem, cito veniet")	4	58
Laetamini cum Jerusalem	8	19
Laetentur coeli, et exultet terra	6	36
Laudate Dominum de coelis	10	103
Laudate Dominum in Sactis eius	16	75
Mirabile mysterium declaratur	5	161
Montes et colles cantabunt (= II.pars zu "Jocundare filia Sion")	6	26
Nato Domino angelorum chori (= II.pars zu "Geminavit radix Jesse")	5	159
Natus est nobis Deus	4	172
Nesciens mater virgo	6	152
Notum fecit Dominus	6	151
O admirabile commercium	8	88
Obsecro Domine, mitte	4	54
Ob magnum mysterium	8	86
Omnes de Saba venient	5	163
Orietur stella ex Jacob	5	40
O sapientia, quae ex ore altissimi	5	48
Prope est, ut veniat tempus	6	30
Propter Sion non tacebo	8	22
Pueri concinite	4	167
Quem vidistis, pastores	8	65
Quid admiramini	8	71
Regem natum angelus annuntiavit	4	166
Resonet in laudibus	6	138
" " "	5	154
" " "	4	168
Rorate coeli desuper	6	32

Bd 12

MOTETTE	ST:	S:
Sapientia clamitat in plateis	4	60
Stella, quam viderant magi	6	148
Super montem excelsum	5	41
Super solium David (= II.pars zu "Ecce concipies")	4	59
Tribus miraculis ornatum diem	12	110
Utinam dirumperes coelos	6	37
Veni Domine, et noli tardare (= II.pars zu "Utinam dirumperes coelos")	6	39
Veni Domine, et noli tardare	8	14
Veni redemptor gentium	5	47
Venite ascendamus ad montem Domini	8	10
Venit lumen tuum, Jerusalem	5	156
Verbum caro factum est	10	115
Vox clamantis in deserto	8	16
Vox de coelo sonuit	6	146

Vorl: Breslau: Stadtbibl
Bln: Kgl Bibl
Dresden: Kgl Bibl
Liegnitz: Ritterakademie
Mchn: Kgl Staatsbibl
Regensburg: Preske'sche Bibl
Wien: Ges d Musikfreunde
Zwickau: Ratsschulbibl

OPUS MUSICUM

I. Teil: 103 Gesänge f d Zeit v 1.Adventsonntag bis zur Karwoche. Ersch Nov 1586, gewidmet dem Erzbischof v.Prag u den Bischöfen v.Olmütz (Pawlikowsky) u Breslau.
Vorrede dat 1.11.1586

II. Teil: März 1587 mit Vorrede dat. 10.3.1587. Widmung an d Äbte, Pröbste u Prälaten, Beweise, daß seine Kompositionen gefallen. Die Widmungsträger bestritten die Druckkosten. Gesänge f d Zeit v d Karwoche bis Pfingsten

III. Teil: 57 Gesänge f d Zeit v Pfingsten bis Advent. Vorrede dat 29.9.1587. Widmung an d Städtevertretungen. Damit ist d Bedarf d 3 kirchlichen Festkreise gedeckt u die "Anforderungen des 'Proprium de tempore' befriedigt".
Kaiserl.Privileg - Nachdruck auf 6 Jahre geschützt.

IV. Teil: "Proprium Sanctorum" ersch 1591. Widmung an Abt Ambrosius v Zabrdovice. - Vorrede. - Die letzten 2 Psalme sind 24stg "Cantate Domino canticum novum" u "Laudate Deum in Sanctis eius". - Triumphalpsalmen - er hörte sie vielleicht nie?

MORALIA

Sammlung weltlicher Gesänge
1. Teil ersch 1589
2. u 3.Teil 1590

/Trauergesang auf den Tod des Freiherrn Wilhelm v.Oppersdorf.- G. vertonte d Leichenrede v Salomon Frencelius. "O Herre Gott in meiner Noth" - Text v Pastor Dr.Nicolaus Selneccer/

Komponiert auf Zureden v Freunden "für Scherz u Geselligkeit" - Texte frei v Mißtönigkeiten u Zweideutigkeiten.

x - x - x - x - x - x - x

GALLUS Jacobus (Handl, Händl, Hähnel, Petelin)
bezeichnet sich 1591: Jacobus
Handl Gallus vocatus,
Carniolanus

/österr Komponist/

* zw 15.4.u31.7.1530
Reifnitz (Unterkrain)
† 18.7.1591 Prag

Ll:	1568	Sänger im Kloster Melk (Abt Wolfgang Neff)
	um 1574	Mitglied d Wr Hofkapelle - nachweisbar
	bis 1578	Reisen in Mähren, Schlesien (Breslau), Zabrdovice
	1579-1585	Chordirektor am Bischofshof in Olmütz
	ab 1585	in Prag, Kantorat an d Kirche St.Johann
	1587/8	Privilegien zur Herausgabe seiner Werke v Kaiser Rudolph II.

Stilkr: keine bestimmte Schule. - Verschmelzung der durchimitierenden Schule der Niederländer mit venezianischer Mehrchörigkeit, durch nicht mehr ganz kirchentonartliche, aber auch nicht moderne Harmonik

W:	1580	Selectiores quaedam Missae: 16 Messen in 4 Büchern zu 4 bis 8 Stimmen
	1586	Moralia 5, 6 et 8 vocibus concinnata
		Opus musicum harmoniarum (f 4 - 8 u mehr Stimmen)
		I - III Proprium de tempore
		IV Proprium Sanctorum
	1586	I. Teil
	1587	II. u III.Teil
	1590	IV.Teil - Widmung v 1.1.1591 datiert
		Verschiedene Nachdrucke u Drucke in Sammelwerken bis 1631 (19 Motetten in Bodenschatz' Florilegium Portense). Messen u Motetten erhalten in HS

Bd 12

Ausg:	F. Commer:	Musica sacra
	H. Proske:	Musica divina
	F.Jöde:	Chorbuch
	H.Riemann:	Beisp.48
	A.Schering:	Beisp.131
	D.Cvetko:	Gallus, Plautius in njihovo delo, Ljubljana 1963
		J.G. Harmoniae morales quatuor vocum, Ljubljana 1966

Lit:	1879	J.Richter: Ein 24stger Psalm v J.H.; MfM XI
	1908/9	G.W.Naylor: J.H. (G.); Proc.Mus.Ass.XXXV
	1909/10	ders.: J.H. as Romanticist; SIMG XI
	1913	P.Wagner: Geschichte d Messe
	1918	P.A.Pisk: Das Parodieverfahren in den Messen d J.G.; StfMW V [auch Diss]
	1918	H.Leichtentritt: Geschichte d Motette
		DTÖ Einleitung zu Bd 12
		Bibliographie der Werke Gallus' s Bd 24

Ausg:	DTÖ 1899	Bd 12	Opus musicum	I	(Bezecny u Mantuani)
	1905	24		II	
	1908	30		III	
	1913	40		IV	
	1917	48		V	
	1919	51/52		VI	
	1935	78	Messen		(Pisk)
	1967	117			

Bd 13 VI. BAND Zweite Hälfte

JOHANN JAKOB FROBERGER

SUITEN f KLAVIER

Hgg v Guido Adler

Einleitung S V-X

Reproduktion der Handschrift Frobergers u einer Orgeltabulatur

SUITE					
I	(a moll)	Allemande C -	Courante C3 -	Sarabande C3 -	
II	(d moll)				Gigue
III	(G-Dur)				Gigue
IV	(F-Dur)				
V	(C-Dur)				Gigue C6
VI	(G-Dur)	Auff die Mayerin; Prima Partita - Secunda Partita - bis Sexta P. - Courante sopra Mayerin C3 - Double - Sarabande sopra Mayerin C3			
VII	(a-moll)	Allemande C -	Courante C3 -	Sarabande C3 -	Gigue C!
VIII	(D-Dur)				
IX	(g-moll)				
X	(a-moll)				C3
XI	(D-Dur)				C
XII	(C-Dur)	Lamento sopra dolorosa perdita della Real Mstà di Fernando IV, Rè de Romani etc Allemande C -	Courante C3 -	Sarabande C3 -	Gigue
XIII	(d-moll)				C!
XIV	(g-moll)				
XV	(a-moll)				6/8
XVI	(G-Dur)				C
XVII	(F-Dur)				
XVIII	(g-moll)				
XIX	(c-moll)				6/8
XX	(D-Dur)			3	C
XXI	(F-Dur)		x)	x)	
XXII	(e-moll)		Courante 3 -	Sarabande	6/8
XXIII	(e-moll)	x)	x)	x)	3/4
XXIV	(D-Dur)	x)	x)	x)	C
XXV	(d-moll)	Allemand			
XXVI	(h-moll)	x)			6/8
XXVII	(e-moll)				
XXVIII	(a-moll)			C3	C

Anhang: Sarabande (G-Dur) - Gigue 3/4

Revb

Vorl: Exemplare in Paris, Bibl du Conservatoire
Bln: Kgl Bibl (Partite ex Vienna)
: Fappert Privatbesitz
Wien: Hofbibl

x) mit Le Double

Bd 14/15 Jg VII

SECHS TRIENTER CODICES

GEISTLICHE UND WELTLICHE KOMPOSITIONEN DES XV.JHS. [II. = Bd 22]

Erste Auswahl bt v Guido Adler u Oswald Koller

Vorbemerkung

Einleitung S XIII-XXXIV

Manus-Reproduktionen

Salva cara deo v.L.de Arimino (Schluß)	Cod 87	fol 162a		
Advenisti, desiderabilis	88	250	Nr	394
Advenisti	88	336		452
O rosa bella. Dunstable	89	119b		575
(nur Text)	89	193a		642
Imperitante Octaviano	90	463b		1141
Sala virgo	90	465b		1144
Omnium bonorum plena (Schluß)	91	34b		1161
Et in terra	92	91b		1443

Thematischer Katalog d 6 Tr.Codices

S 31	Cod 87	Nr	1 - 198
37	88		199 - 507
47	89		508 - 780
57	90		781 - 1144
67	91		1145 - 1364
75	92		1365 - 1585
	[93 in Bd 61!]		

KOMPOSITIONEN.I.LATEINISCH (3stg, wenn nicht anders bemerkt)

Anonym: 2 Widmungs-Kompositionen auf Bischof Georg II v Trient n.d. hl Vigilius, denen die Anfangszeilen der für die Bearbeitung verwendeten Chansons beigesetzt sind:
a) Imperitante Octaviano (Pour l'amour quiest en vous)
b) Virtute cuius praesedeat (Hélas mon coeur, amour me fuit)

2 Begrüßungsgedichte für Bischof Georg II
a) Advenisti, desiderabilis. Venisti u 4 stg
b) " , " , quem expectabamus

Tu ne quaesieris (oder Horex) 4 stg

Binchois: Asperges
(Dunstaple) Beata mater

Jo.Brasart: Ave Maria 4stg
Fortis eius quaevis actio
O flos flagrans

Bd 14/15

Busnois: In hydraulis, 4 stg

Lorpet Conopere: Omnium bonorum, 4 stg

G.Dufay: Missa "Se la face ay pale" 4 stg
(Kyrie Gloria Credo Sanctus Agnus Gloria)
Sanctus u Agnus papale

Hymnen:

1. Ad coenam agni providi
2. Christe redemptor (de omnibus Sanctis)
3. (de Nativitate)
4. Conditor alme siderum
5. Hostis Herodes
6. Iste confessor
7. O lux beata
8. Pange lingua
9. Sanctorum meritis
10. Ut queant
11. Veni creator
12. Vexilla regis

Magnificat sexti toni
octavi toni

Salve regina

Dunstable: Crux fidelis
O crux gloriosa
Quam pulchra es

Dunstable (Leonel): Salve regina
Sancta Maria
Sub tuam protectionem
Veni sancte Spiritus
1 Btg
2 (4stg)

Grossin: Imera dat hodierno

Leonel: Ave regina coelorum
Mater ora filium

Jo.de Lymburgia: Ave mater

Joh.Sarto: O quam mirabilis

Jo.Tourant: O florens rosa
O gloriosa regina

Eα.Velut: Summe, summi (4 stg)

II.ITALIENISCH

Joh.Martini: La martinella
O rosa bella (in 5 Bearbeitungen)

1. anonym
2. (4 stg)
3. Joh.Giconia
4. Dunstable (3stg mit 6 Concordancen zur Auswahl v Bedingham)
5. Hert-Okeghem, (4stg)

III. FRANZÖSISCH

Anonym: La doulce saison
Mort ou merchi
Vous marchez, (4stg)

Le Serviteur in 2 Bearbeitungen
1. Isaac, (5stg)
2. Bedingham

Binchois: Adieu mon amoureuse
Deul angouisseux
L'ami de ma Dame
Si jeusse
Se la belle ne le volet

Busnois: Chi dit benedicite
Joyo me fuit

Caron: Helas que pourra devenir, (4stg)

Dufay: Craindre vous vueil
Je ne suis plus
Se la face ay pale (2 Bearbeitungen)

Dunstable: Puisque m'amour

Grossin (Binchois): Leesse m'a mandé salut

Hermannus de Atrio: Nouvellement

Heyne: Amours, (4stg)

Pyllois: Pour prison

IV. DEUTSCH

Anonym: Christi ist erstanden (4 Bearbeitungen)
Der Tag der ist so freudenreich (Dies est laetitiae)
In Gottes namen faren wir (8stg)
O edle frucht (Martinus Abrahae)
Sendliche pein, hat mich verwundt
So lieb geschicht
Wunsch alles lustes

Revb S 21 Index der Textanfänge
26 Index der Komponisten
29 Concordanzen

Korrekturen u Konjekturen s. Bd 22 S IX u X

x - x - x - x - x - x - x

Rie 1967[12]

Codices 87-92: Trient, Domkapitel (Mss 87-92)
93: , Archivio Capitolare (o.S.)

Papier, Kleinfolio

Cod 87:	265 Seiten
88:	422
89:	425
90:	465
91:	259
92:	239
93:	382
zusammen:	2457 Seiten

mit 1864 Stücken

DATIERUNG:

Bd 87 u 92: um 1440 - Oberitalien - Repertoire: 1420-1440
88-90 u älterer Teil aus 91: 1444-1465 - Trient - Repertoire: 2.Drittel des 15.Jhs
91 jüngerer Teil: um 1480 - Trient - Repertoire: 1460-1480 periphere Quelle der Dufay-Zeit

Lit: Dr.Rudolf Wolkan: Die Heimat der Tr Musikhandschriften; StzMw 8/5 [Inst B. C 1064,B, Bd VIII]

Eneas Silvius Piccolomini

Inhaber des Kanonikats v Trient, weilt aber in Wien.
1455 erhielt dessen Freund, Johann Hinderbach d Praepositur
(1442) in Padua zum Dr promoviert, 1449 in Mailand,
1449-1465 Verwalter der Pfarrei Mödling, 1451 in Italien
zwecks Vorbereitung der Krönungsreise Friedrichs.
Kaiserlicher Sekretär, begleitete die Kaiserin auf allen ihren Reisen, dadurch nicht dauernder Wohnsitz in Trient.
Gedicht an Hinderbach im Cod 89 fol 199: als Bischof erwartet)
1465 Bischof in Trient

Eine Menge Handschriften in d Stadtbibl v Trient tragen den eigenhändigen Vermerk Hinderbachs, wann u wo erstanden.

Wolkan: Hss des Codex 88-91 in Wien entstanden, für d Bibl Hinderbachs, die dieser dann nach Trient mitnahm, u in 4 Bände gebunden wurden.
Bisher konnte für Trient keinerlei musikal Betätigung nachgewiesen werden, die den weiten Umfang der Codices (frz, it u dt Kompositionen) rechtfertigen könnte. 15 dt, aber nur 5 it Texte!

Fast alle Hss von einem Schreiber: Johann Wiser (später Pfarrer in Tione!)
Reichtum an verschiedensten Musikwerken, wie sie nur in Wien zusammengefaßt werden konnten; sie sind niederösterreichischen Ursprungs u haben mit d Pflege der Kirchenmusik in Trient fast nichts zu tun; d.i. vielleicht auch d Grund, weshalb sie durch Jahrhunderte unbeachtet blieben.

Adler fügt hinzu: Codices 87 u 92, die d ältesten Bestandteile enthalten, sind in weißer Notation geschrieben; in dieser Zeit wurde aber in Italien ausnahmslos d schwarze Notation verwendet. Ein Schreiber (Cod 87 fol 161a) nennt sich "Puntschucherh" - es sind mit Sicherheit dt Schreiber anzunehmen.

Diss: 1910 M. Loew: Der Tenor grune Linden, seine Verwendung in d Messe grune Linden (Tr C Nr 482-486) u d Stellung dieser Komposition im Vergleich zu anderen Messen dieser Zeit; Wien in: DTÖ Bd 38

1911 F.Schegar: Die beiden Liedweisen "Caput" u "Le Serviteur" u ihre Verarbeitung als C.f. in 4 Messen in den Tr.C.; Wien

1920 A. Orel: Die Hauptstimme in den Salve Regina der Tr.C.; Wien

1920 R.Ficker: Die Kolorierung der Trienter Messen; Wien [HabSchr] StMw 7/5

1936 H.Federhofer: Akkordik u Harmonik in frühen Motetten der Tr.C.; Wien

x - x- x - x - x - x - x - x - x

BINCHOIS (de Binche, de Bins), Gilles

[franko-fläm Komponist]

* 1400 Mons (Hennegau)
† 1460 Sept od Okt, in Lille?

Ll: zuerst Soldat
1424-25 in Hofdiensten bei Philipp v Burgund als Kapellsänger
1430-56 Kaplan der burgund Hofkapelle
Kanonikus v St.Wandru in Mons

W: Chansons - Missa Angelorum
weltl Lieder

Lit: W.Gurlitt: Burgund.Chanson-u dt Liedkunst; Basel 1924

Diss: 1952 W.Reim: Das Chansonwerk v G.B.; Freiburg im Br

x - x -x - x - x - x - x - x - x

Bd 14/15

BRASSART, Johannes (Br.Jo.de Leodio?)
Br.Jo.de Ludo?
auch: Braxatoris, Brasseur,
Bruwer)

/franko-fläm Komponist/ * in Lüttich
† nach 1443

Ll: 1431 päpstl Kapellsänger in Rom
bis 1434 Kaplan in St.Lambert in Lüttich
ab 1438 oder 1442 Kanonikus an Nôtre Dame von Tongern

W: Meßsätze u Motetten
dt Lied "Christ ist erstanden" (3stg)

x - x - x - x - x - x - x - x - x

BUSNOIS, Antoine

/franko-fläm Komponist/ † 6.11.1492 Brüssel

Ll: seit 1647 am Hofe Karl des Kühnen
B u Okeghem widmete Tinctoris sein "Liber de natura et proprietate tonorum" 1476

x - x - x - x - x - x - x - x - x

COMPÈRE, Loyset

/franko-fläm Komponist/ * um 1450 St.Omer?
† 16.8.1518 St.Quentin

Kirchenkapm in St.Quentin, später Kanonikus u Kanzler

W: Messen, Motetten u Chansons

Lit: 1930 O.J.Gombosi: Ghizeghem u C. (Festschrift Adler, Wien)

Diss: 1954 L.Fischer: Die Messen u Motetten L.G's; Göttingen

x - x - x - x - x - x - x - x - x

Bd 14/15

DUFAY, Guillaume (du Fay)

* 1401 Chimay (Hennegau)
† 27.11.1474 Cambrai

Ll: erste Ausbildung in d Kathedrale v Cambrai
ab 1409 Kapellknabe
1420-26 datierte Kompositionen in Verbindung mit einer Familie Malatesta
1427 in Bologna
1428 Priester u Kapellsänger Martin V.
1434 Kapm in Savoyischen Diensten
1435-37 in d päpstl Kapelle (Bologna, Florenz)
1437 im Mai in Ferrara nachweisbar - im Dienste Ludwigs v Savoyen bis
1451 dann in Cambrai

Stilkr: ältere Werke noch mit d ars nova verbunden. Balladen u Motetten isorhythmischer Natur Einfluß der Engländer (Dunstables) möglich. Durch einheitliche Messen, auf ein Thema gebaut, Chansons mit prägnantem Superius und Motetten ist D eine der größten Musikerpersönlichkeiten aus d 2.Hälfte des 15.Jhs.

W: Motette: Vassilissa ergo (1420)
Ballade: Resvellies vous (1423)
Motette: Apostolo glorioso (1426)
Ballade: Je me complains piteusement
Chanson: Adieu ces bons vives de Lamoy (1426)
Motette: Magnanimae gentis (1438)

Lit: 1885 F.X.Haberl: Vjs f Mw
1925, 1931-34, 1950 u 1952 weitere Schriften Haberls
1925 Ch.v.d. Borren: G.D.; Brüssel
1940 u 1941 weitere Exkurse
1928 Fr.Baix: La Carrière "beneficiale" de G.D.; Rom

Diss: R.Bockhardt: Die frühen Messenkompositionen v G.D.; Heidelberg - erschienen in 2 Bden. Tutzing

x - x - x - x - x - x - x - x - x

DUNSTABLE, John

/engl Komponist, zugleich Astronom u Mathematiker/

* 1370 (80)
† 24.12.1453
Grab: Walbrook (London)

Ll: 1422-35 im Dienste des Herzogs v Bedford - in diesen Jahren Regent in Frankreich (Paris)

W: Liturg Musik (Motetten mit lat Text)
berühmt mit: Quam pulchra es
Sancta Maria non est
Veni Sancte Spiritus
Ch'essa Rex seculorum

Stilkr: Hochstil der isorhythmischen Motette
Tenormessen als musikal Großzyklen

Lit: 1906 V.Lederer: Über Heimat u Ursprung der mehrstimmigen Tonkunst
1924 R.v.Ficker: Die frühen Messkompositionen d TC; StMw 11
1936 M.F.Bukofzer: Über Leben u Werke v D.; AML VIII
(1950) M.F.Bukofzer: Studies in Ma and Renaissance Music; NY

x - x - x - x - x - x - x - x - x

GROSSIN, (Grosin, Grossim de Parisiis) Estienne

[frz Komponist der 1.Hälfte des 15.Jhs]

Ll: 1418 Chapelain an St.Merry in Paris
1421 Clerc de matines au Notre Dame in Paris

W: Meßsätze, Chansons

Diss: 1936 E. Dannemann: Die spätgot.Musiktradition in Frankreich u Burgund; Heidelberg

x - x - x - x - x - x - x - x - x

POWER, Lionel (Lyonel, Leonello Powereo...)

[engl Komponist] † 5.6.1445 Canterbury

Ll: 1423 u 1441-45 in Canterbury nachgewiesen

W: Ordinariumsätze, Motetten
Missa Alma redemptoris

Stilkr: der bedeutendste engl Komponist neben Dunstable

x - x - x - x - x - x - x - x - x

LYMBORGIO(A), Jo.de

Zeitgenosse v Binchois u Dufay
dürfte auch in Italien gelebt haben

W: Ordinarium Missae
Regina celi letare (Fauxbourdonsatz)

Lit: 1948 Werkverz v G.de Van in MD II

Diss: 1929 H.W.Rosen: Die liturgischen Werke des Johannes v.L.

x - x - x - x - x - x - x - x - x

SARTO, Johannes (identisch mit Jean Dusart ?)
[franko-fläm Komponist]

1458-1464 Singmeister in Cambrai

x - x - x - x - x - x - x - x - x

CARON, Philippe

1472 in Cambrai nachweisbar (Schule Dufays)

x - x - x - x - x - x - x - x - x

ATRIO, Hermannus de
[Komponist der 1. Hälfte des 15.Jhs]

W: In Maria vitae (4 stge Motette)

x - x - x - x - x - x - x - x - x

HEYNE (HAYNE) [= Heinrich v Gizeghem]

Ll: 1453 Kathedralsänger in Cambrai
1468 am Hofe Karls des Kühnen

W: Chansons

x - x - x - x - x - x - x - x - x

PYLLOIS, Jo.

1447 päpstlicher Kapellsänger

x - x - x - x - x - x - x - x - x

Bd 16 VIII. BAND Erste Hälfte

ANDREAS HAMMERSCHMIDT

DIALOGI

oder Gespräche einer gläubigen Seele mit Gott
I. f Vokalstimmen mit Instrumentalbegleitung

Hgg v A.W.Schmidt
Bildnis v Hammerschmidt
Einleitung S VII-XVI
Originaltitel
Widmung

I.	DIALOGUS à 3 (2 Spr B Begl Instrumente x), B.c./ausgesetzt/)	-	Ich bin die Wurzel des Geschlechtes Davids
II.	à 3 (2 Spr T)	-	Ach dass ich hören sollte
III.	à 3 (2 Spr B)	-	Herr, kehre dich doch wieder zu uns
IV.	à 3 (2 Spr T)	-	Gelobet sei der Herre täglich
V.	à 2 (Spr B)	-	Ach Herr, ich habe gesündiget
VI.	à 2 (Spr B)	-	Liebe Seele, du hast einen guten Vorrath
VII.	à 3 (2 Spr B)	-	Ach wie gar nichts sind alle Menschen
VIII.	à 3 (2 Spr B)	-	Herr, wer wird wohnen in deiner Hütten?
IX.	à 2 (Spr B)	-	Ach Herr, wie sind meiner Feinde soviel
X.	à 2 (Spr T)	-	Was mein Gott will - Auf Deinen lieben Gott
XI.	à 3 (2 Spr T)	-	O Jesu, du allersüssester Heiland
XII.	à 3 (2 Spr T)	-	Miserere mei Deus
XIII..	à 2 (Spr T)	-	Siehe meine Freundin, du bist schöne
XIV.	à 2 (Spr T)	-	Was siehst du aber einen Splitter in deines Bruders Auge
XV.	à 3 (2 Spr B)	-	Ich der Herr, das ist mein Name
XVI.	à 3 (2 Spr B)	-	Nehmet hin und esset, dies ist mein Leib
XVII.	à 2 (Spr T)	-	Ach Herr, straf mich nicht
XVIII.	à 2 (A B)	-	Ich leide billig nach meinem verdienten Lohn
XIX.	à 2 (Spr T)	-	Maria, gegrüsset seist Du
XX.	à 2 (A B)	-	Wende dich Herr und sei mir gnädig

x) jeweils verschieden besetzt

XXI. DIALOGUS à 4 (2 Spr T B) - Ach Gott, warum hast Du mein vergessen
XXII. à 4 (2 Spr T B) - Benedicam Dominum in omni tempore

Revb

Vorl: Dresden: Kgl Bibl
Bln: Kgl Bibl
Wiesbaden: Landesbibl
Löbau: Ratsbibl

x - x - x - x - x - x - x - x - x

HAMMERSCHMIDT Andreas

/dt Komponist/

* 1611 Brüx
† 29.1o.1675 Zittau

Ll:
1633-1634 Organist d Gräflich Bünauschen Kapelle in Wesenstein
1635 Organist in Freiberg (Sachsen)
ab 1639 Organist in Zittau

Stilkr: eine der bedeutendsten u in ihrer Zeit populärsten Erscheinungen auf dem Gebiete der kirchlichen Komposition in Deutschland neben Heinrich Schütz, den er an Vielseitigkeit u Tiefe nicht erreichte. Größere Gefälligkeit u Glätte. Förderer des in Italien seit 1600 aufkommenden Konzertierenden Stils in Deutschland

W:
1636-1639 Erster Fleiß (Paduanen, Galliarden, Balletten, Couranten, Sarabanden usw). 5 stg f Violen u B.c.
1638 I. Geistliche Konzerte 1-4stg mit B.c.
1641 II. Geistliche Madrigale 4-6stg mit B.c.
1642 III. Geistliche Symphonien 1-2stg mit Instrumenten
1646 IV. Geistliche Motetten u Konzerte 5-12stg mit dopp.B.c.
1652 V. Chormusik 5 u 6stg
I bis V unter dem Titel: Musicalische Andachten

1645 Dialogi I.Teil 2-4stg mit B.c.
1645 II.Teil das Hohelied Salomonis in Opitz' Übertragung 1-2stg mit 2 Vl u B.c.
1663 Missae (M.breves, nur Kyrie u Gloria) 5-12stg
1642 Weltliche Oden I/II III: 1649

	1649	Motettae unius et duarum vocum
	1655/6	Musicalisches Bethaus
		Musicalische Gespräche über die Evangelia
	1658/9	Fest-, Buß- u Danklieder 5 Sing- u 5 Instrumentalstimmen mit B.c.
	1662	Kirchen- u Tafelmusik
	1671	Fest- u Zeitandachten 6stg
Ausg:		DDT Bd XL hgg v H.Leichtentritt u viele andere
Lit:	1910/11	G.Schünemann: Beiträge zur Biographie A.H's; SIMG XII
	1914	E.Steinhard: Zum 100.Geburtstage A.H's; Prag
	1924	E.Richter: Die Dialoge A.H's; Die Singgemeinde I
Diss:	1911	St.Temesvári: H!s Dialogi; Wien
	1941	H.-O. Hudemann: Die protestantische Dialog-Komposition; Kiel

Bd 17 VIII. BAND Zweite Hälfte

J O H A N N P A C H E L B E L

94 COMPOSITIONEN

Zumeist Fugen über das Magnificat f Orgel o Klavier

Hgg v Hugo Botstiber u Max Seiffert

Einleitung S V-XV

Magnificat	primi toni	(23 Stücke)
	secundi toni	(10 ")
	tertii toni	(11 ")
	quarti toni	8 ")
	quinti toni	(12 ")
	sexti toni	(10 ")
	septimi toni	7 ")
	octavi toni	(13 ")

Revb

Vorl: Bln: Kgl Institut f Kirchenmusik
Ldn: British Museum

x - x - x - x - x - x - x - x - x

PACHELBEL Johann

[dt Organist- Komponistenfamilie aus Eger]

get 1.9.1653 Nürnberg
gest 3.3.1706 Nürnberg
Söhne: Wilhelm Hieronymus (1685-1764)
Karl Theodor (1690-1730)

Ll: Ausbildung in Nürnberg (Schwemmer u Wecker)
1669 Organistendienst in Altdorf
Regensburg (Gymnasium poeticum)
1673 Hilfsorganist in St.Stephan, Wien
1677 Hoforganist in Eisenbach
(Freundschaft mit Bachs Vater; Lehrer Johann Christian Bachs, des späteren Pflegevaters J'S's)
1678 Organist in Erfurt
1690 Hoforganist in Stuttgart
1692 Stadtorganist in Gotha
ab 1695 Nürnberg Sebaldus-Kirche

Stilkr: einer der besten Organisten seiner Zeit
als Komponist: schöpferische Verschmelzung des süddeutschen (it) u mitteldeutschen Stils
Kennzeichen: Cantabilität der Stimmführung, Einfachheit der Harmonik, Kunst der Mensurvariation, in der seine Technik des Orgelchorals wurzelt.
Wichtigster Teil seines Schaffens sind seine Choralbearbeitungen: Choralfugen, Orgelchoräle (Fuge u Choral)

W: 1683 (?) Musicalische Sterbens - Gedancken (Choralvariationen)
1691 Musicalische Ergötzung (6 Partiten f 2 skordierte Vl u Gen.Baß) - beide Erfurt
1693 Zum praeambulieren, Nürnberg
1699 Hexachordum Apollinis, Nürnberg (Aria-Variationen)
70 Choralbearbeitungen, ca 70 Vokalkompositionen hs

Ausg: 1901 DTB II/1 1903 IV/1 (Werke f Tasteninstrumente)
1905 VI/1 (2 Kantaten)
4 Bände hgg v K.Matthaei
1928 hgg v Max Seiffert

Lit: 1740 J.Mattheson: ..... Ehrenpforte; Hambg
1910 neu hgg v Max Schneider 1969[2]
1873 Th.Spitta: J.S.Bach
1899 M.Seiffert: Geschichte d Klavierspiels
1903/4 ders: J.P's Sterbegedanken; SIMG V
1936/59 G.Frotscher: Geschichte d Orgelspiels II; Bln
1918/19 G.Beckmann: J.P. als Kammerkomponist; AfMW I
1954 H.H.Eggebrecht: J.P. als Vokalkomponist; AfMW XI (mit vollständigem Werkverzeichnis)
1956 ders: Musica X

Diss: 1901 H.Botstiber: J.P.; Wien DTÖ Bd 17
1941 G.Born: Die Variation als Grundlage handwerklicher Gestaltung im musikalischen Schaffen J.P's; Frankfurt, Bln, Junker u Dünnhaupt 1941 in Neue dt Forschungen Abt 10, Bd 266
1952 H.Woodward: A Study of the Tenbury Mss of J.P.; Cambridge, Mss.
1956 E.V.Nolte: The Instrumental Works of J.P.; Evanston

x - x - x - x - x - x - x - x - x

Bd 17

PACHELBEL Wilhelm Hieronymus

/Organist in Nürnberg/

get 29,8.1685 Erfurt
gest 1764 Nürnberg

W: Präludium u Fuga C-Dur Nürnberg
1725 Musicalisches Vergnügen (Präludium, Fuge u Fantasie) Nürnberg

x - x - x - x - x - x - x - x - x

PACHELBEL Karl Theodor

/Organist/

* 24.11.1690 Stuttgart
† 15.9.1750 Charleston, USA

Ll: 1730 Boston u Newport
1736 New York
dann Charleston

W: 1 Komposition: 8stg Magnificat

Lit: V.L.Redway: Charles Th.P.; JAMS V, 1952

Bd 18 IX. BAND Erste Hälfte

OSWALD VON WOLKENSTEIN

GEISTLICHE UND WELTLICHE LIEDER

ein- u mehrstimmig

Hgg: Text v Josef Schatz, Musik v Oswald Koller

7 Reproduktionen: Oswald v Wolkenstein (stehend mit Notenblatt in d Hand)
Portrait
Denkstein am Dome zu Brixen

Vorbemerkung

I. Teil - Literarische Einleitung: Die Handschriften (Liederfolge)S 1-13
Text S 14-84
Lesarten S 85-98
Anmerkungen S 99-107
Zu einzelnen Liedern S 1o7-125
Der gesungen Kalender u d Hs A

II.Teil - Musikalische Einleitung: Alphabet Verzeichnis d Lieder
Einstimmige Lieder (Nr 1-83)
Mehrstimmige Kompositionen (Nr 84-116)
Entwürfe u Unvollständige

Revb

Vorl: Wien: Hofbibl
Innsbruck: Universitätsbibl
Museum Ferdinandeum

Lieder v Oswald v.Wolkenstein in 3 Hs erhalten:

Wr Hofbibl Nr 2777: 61 Blätter, Pergament, kam aus einem tirolischen, v Kaiser Joseph II aufgehobenem Kloster nach Wien; mit Portrait; verschiedene Handschriften. - Schon 1691 v.Denis erwähnt. Codices ms Vol II

Universitätsbibl Innsbruck: 48 Blätter, Pergament; Bibl Kaiser Franz Joseph, aus dem Besitze eines Nachkommen des Dichters: Graf Wolkenstein-Rodeneck; verschiedene Hs; aus dem Jahre vor 1436

Museum Ferdinandeum Innsbruck: 115 Blätter, Papier mit Holzdeckeln; v Hormayr 1803 erwähnt (ohne Melodien!)

Stilkr: "Adeliger Dilettant" - Melodien aus Volksmusik. - Wolkenstein eignete sich Fortschritte aus der kunstmäßigen Entwicklung seiner Zeit an. - Ungelenk u dilettantenhaft. Beziehungen zum Lochheimer Liederbuch.

VERZEICHNIS der LIEDER OSWALDS v. WOLKENSTEIN

	Text Nr.	Musik Nr.
Ach Gott, wär ich ein pilgerein	26	1
Ach senleiches leiden	18	84
Ain anevank	84	2
Ain ellend schid	23	117
Ain erens Schatz an tadels ort	24	118
Ain graserin durch Küelentan	49	85
Ain guet geporen edelman	20	86
Ain jeterin junk frisch frei fruet	48	4
Ain mensch mit achzen jaren Klueg	1	5
Ain pürger und ain hofman	112	3
Ain rainklich weib	67	6
Ain tünkle Varb	71	7
Ave müeter Küniginne (Ave mater o Maria)	125	116
Bog dep'mi	27	8
Der Himelfürst mich heut bevar	105	9
Der mai mit lieber zal	45	87
Der oben swebt	90	10
Der seines laids ergetzt well sein	59	11
Der grossen herren wunder	79	12
Des himelstrone	35	88
Die minne füeget niemand	41	89
Do fragg amors	77	13
Du armer mensch	94	14
Du ausserweltes schöns mein herz	31	90
Durch abenteuer tal und perg	109	16
Durch Barbarei Arabia	107	17
Durch toren weis	98	15
Erwach an schrick	11	18
Es füegt sich da ich was	64	19
Es ist ain altgesprochen rat	63	20
Es komen neue mär gerant	116	21
Es leucht durch graw	54	22
Es nahent gender vasennacht	86	23
Es seust dort her von orient	6	24
Freu dich durchleuchtig junkfrau	126	25
Freu dich du weltlich creatur	4	91
Freuntlicher plick	15	92
Fröleichen so well wir	16	26
Fröllich geschrei	47	93
Fröllich so will ich aber singen	80	120
Frölich zärtlich	12	94
Für allen schimpf	62	27

	Text Nr.	Bd 18 Musik Nr.
Gar wunniklich hat si	33	95
Gelück und hail	3	28
Gesegent sei die frucht	51	299
Got gab euch einen gueten morgen	81	30
Grasselich lif	25	96
Her wirt uns dürstet also sere	43	97
Herz muet geibsel	34	31
Herz prich	22	121
Hör cristenhait	89	32
Hört zue was ellentleicher mär	120	33
Ich hab gehört	110	34
Ich hör sich manger	66	119
Ich klag ein engel wunniklich	124	98
Ich sich und hör	93	35
Ich spür ain luft	7	36
Ich spür ain tier	92	37
In Frankereich	65	38
In Oberland	117	39
In Suria	55	40
Ir alten weib	36	41
Ir päbst ir Kaiser	119	42
Jenner besnaid Crist	56	-
Kain ellend tet mir nie so and	102	43
Kain freud mit klarem Herzen	91	58
Keuschlich geporen	53	99
Kum lichter man	73	100
Lieb dein verlangen	21	122
Löbleicher got	108	44
Mein herz das ist versetzt	29	101
Mein herzt jüngt sich in hoher gail	69	102
Mein puel laist mir gesellschaft zwar	2	45
Mein sünd und schuld	106	46
Menschlichen got	57	47
Mich fragt ain ritter angevar	118	-
Mich tröst ain adeliche maid	68	103
Mit günstlichem herzen	74	104
Nempt war der schönen plüede	28	48
Nu luiss	78	49
Nu rue mit sorgen	8	50
O herzenlieber Nickel mein	38	51
O Pfalzgraf Ludeweig	99	52
O rainer got	103	53
O snöde welt	96	54
O Welt o Welt	93	55
O wunniklicher wolgezierter mai	32	56
O wunnikliches paradis	61	57
Rot weiss ain frölich angesicht	70	59

Bd 18

	Text Nr.	Musik Nr.
Sag an herzlieb	10	105
Senlich we mit langer zeit	72	60
Sich manger freut das lange jar	114	61
Sim Gredli Gret	76	122
Solt ich von sorgen werden greis	87	62
Stand auff Maredel	46	106
Sweig guet gesell	82	63
Sweig guet gesell	39	64
Treib her	40	65
Tröstlicher hort	13	107
Und swig ich nu die lange zwar	122	66
Var heng und lass	17	67
Vier hundert jar auff erd	19	108
Vil lieber grüsse	37	68
Von rechter lieb Kraft	14	109
Vor trauren möcht ich werden taub	113	69
Von Wolkenstein	100	70
Wach auff mein hort	9	10
Wach menschlich tier	85	71
Weiss tor mit praun verleucht	30	111
Wenn ich betracht	88	72
Wenn ich mein Krank vernunft	97	73
Wer die Augen will verschüren	115	112
Wer hie und dieser Welte lust	121	74
Wer ist die da durchleuchtet	50	75
Wer machen well den peutel ring	60	76
Wes mich mein puel ie hat erfreut	201	77
Wie vil ich sing und tichte	111	78
Wolauff als das zu himel sei	52	29b
Wolauff gesellan an die vart	58	79
Wolauff gesellen wer jagen well	44	113
Wolauff und wacht	123	80
Wolauff mir wellen slaffen	42	114
Wolauff wolan	75	115
Wol mich we der lieben stund	5	81
Zergangen is meins herzenwe	83	82
Zwar alte sünd pringt neues laid	104	83
Ohne Text	-	124

x - x - x - x - x - x - x - x - x

Bd 18

OSWALD VON WOLKENSTEIN

/österr Dichter u Sänger/

* 1377 (?) Schöneck
† zw 18.6.u 2.8.1445

Name des Geschlechtes Wolkenstein im Grödnertal

Ll: seit dem 10.Lebensjahre abenteuerliche Reisen durch Europa u Vorderasien, begann nach 1400 Verse u Weisen zu verfassen
1406/7 Freundschaft zu Sabine Jäger (erste Liebesgedichte)
1409/11 Jerusalemfahrt
1415 im Gefolge König Sigismunds
Konzil zu Konstanz - anschließend Reisen in West Europa
1417 Vermählung mit Margarete v.Schwangau
bis 1427 Gefangennahme wegen Erbschaftsstreitigkeiten mit d Familie Sabine Jägers
harte Prüfungen (Todeslyrik)
1430-32 politisch tätig - Basler Konzil
1411 erwarb Pfründe des Klosters Neustift bei Brixen, daselbst begraben

Stilkr: Vermittler westlicher Chansonkunst in d häusliche Musizieren (geregelter mehrstimmiger Satz) Mitteleuropas. Werke im harmonischen abwechslungsreichen Kantilensatz, aber auch in urtümlichen Organas. - Trotz Vorstößen in kompositionstechnisches Neuland der Tradition verhaftet.

W: Liebeslieder
geistliche Lieder
biographische u zeitgeschichtliche Gesänge
"Wach auff, mein Hort" - populäres Lied bis 1500

Ausg: 1904 J.Wolf: Geschichte der Mensuralnotation II/III 2 Lieder
1951 Fr.Gennrich: Troubadours ... Musikwerk II, Köln

Lit: 1901 L.Villari: O.v.W.; London
1904 J.Schatz: Die Gedichte Os.v.W.; Göttingen
1930 ders.: Sprache u Wortschatz Os.v.W.; Wien
1915 A.Motz: O.v.W.; Budapest
1920 W.Türler: Stilistische Studien zu O.v.W.; Heidelberg
1922 Fr.Maurer: Beiträge zur Sprache Os.v.W.; Gießen
1930 J.M.Müller-Blattau: "Wach auff, mein Hort" in: Fs G.Adler; Wien, Lpzg.
1930 A.v.Wolkenstein-Rodenegg: O.v.W.; Innsbruck
1934 Fr.Ranke: Lieder v O.v.W. auf der Wanderung; in Fs J.Meier; Bln u Lpzg
1938 Fr.Martini: Dichtung u Wirklichkeit bei O.v.W.; in Dichtung u Volkstum XXXIX
1955 F.Bravi: Lauta di O.W. in Arch.per l'Alto Adige XLIX

Diss: 1927 W.Marold: Kommentar zu den Liebesliedern Os.v.W.; Göttingen
1932 H.Löwenstein: Wort u Ton bei O.v.W.; Königsberg
1949 E.Schwarke: Interpretationsstudien zur Lyrik Os.v.W.; Hamburg
1951 A.Engelmann: O.v.W.; Mchn

Bd 19 IX. BAND Zweite Hälfte

JOHANN JOSEF FUX

MEHRFACH BESETZTE INSTRUMENTALWERKE

zwei Kirchensonaten u zwei Ouverturen (Suiten)

Bt v Guido Adler
Einleitung S V-X

SONATA a Quattro	C - Allegro C - Adagio 3/2 - Allegro (Vl Cornetto Tromb Fg Org)
SONATA a Trei	Allegro C - Presto C - Grave 3/2 (2 Vli Fg B.c. [ausgesetzt])
OUVERTURE	C - Allegro C - Menuet - Aria C - Fuga Presto C - Gigue 6/8 - Aria 3/4 (2 Vli Va 2 Obi Fg Vne B.c. [ausgesetzt])
OUVERTURE	C - Aria 3/4 - Menuet I - Menuet II - Gavotte - Passapied ("Der Schmidt") 3/4 - Gigue 6/8 (2 Vli Va 2 Obi 2 Fg Vne B.c. [ausgesetzt])

Revb

Vorl: Dresden: Kgl Privatsammlung (Hs)

Bd 20 X. BAND Erste Hälfte

ORAZIO BENEVOLI

FESTMESSE UND HYMNUS

zur Einweihung des Domes in Salzburg 1628 mit
53 Stimmen (26 Vokal- u 34 Instrumentalstimmen)
nebst 2 Orgeln u B.c.

Bt v Guido Adler

Faksimile einer Partiturseite 83 mal 66 cm

Einleitung S IX-XVIII

Partitur-Anordnung:

Choro I	8 voci in Concerto (2 Spr, 2 A, 2 T, 2 B), Org
Choro II	2 Vli 4 Ve
Choro III	2 Hautbois 4 Fli 2 Clarini
Choro IV	2 Cornetti 3 Trombi
Choro V	wie Choro I u 2 Vli
I. Loco	4 Trombi Tymp
II. Loco	4 Trombi Tamp Org B.c.

Sätze: Kyrie - Gloria - Credo - Sanctus - Agnus
Hymnus "Plaudite tympana"

Vorl: Salzburg: städt Museum, hs Riesenfolio 66 mal 183 cm

x - x - x - x - x - x - x - x - x - x

BENEVOLI Orazio

/it Komponist/

* 19.4.1605 Rom
† 17.6.1672 Rom
französischer Vater
hieß R.Vencouot (Name italienisiert)

Ll:
- 1617-23 Schüler v V.Ugolini, Chorknabe an der frz Ludwigskirche
- 1644-46 Kapellmeister an verschiedenen Kirchen in Rom
- ab 1646 Kapellmeister am Vatikan

Stilkr: Werke fast ausschließlich in Ms überliefert, nur wenige Motetten in Sammeldrucken seiner Zeit.

W: Messen zu 12, 16, 24 u 48 Stimmen
1628 Festmesse u Hymnus Plaudite tympana

Ausg: Gesamtausgabe hgg v L.Feininger: Monumenta liturgiae polychoralis sanctae ecclesiae romanae; Trient 1950 [mehrere Bände]

Lit: Vorwort zu DTÖ v Guido Adler
1903 ders.: Una Messa e un Inno a 53 voci di O.B.; RMJ X
1915 A.Cametti: La scuola dei pueri cantus di S.Luigi dei Francesi in Roma (1591-1623); RMJ XXII
1950 L.Feininger: O.B. in: Atti del congresso intern. di musica sacra; o.O.

Bd 21 X. BAND Zweite Hälfte

JOHANN JAKOB FROBERGER

13 TOCCATEN, 10 CAPRICCIOS, 7 RICERCARE, 2 FANTASIEN, 2 SUITEN UND SUITENSÄTZE

Orgel- u Klavierwerke III
Schlußband der Ausgabe Froberger

Bt v Guido Adler, gezeichnet in d Einleitung

Einleitung S V-VI

TOCCATA XIII - XXV
CAPRICCIO IX - XVIII
RICERCARE VII - XIV
FANTASIA VII, VIII

Anhang

Suite XXIX: Allemande C - Courante I 3/4 - Courante II 3/4 - Sarabande 3/2 - Gigue 3/4

Suite XXX: Plainte faite a Londres pour passer les Melancholie, laquelle se joue lentement avec discretion Allemande C - Courante 3/2 - Sarabande 3/2 - Gigue 6/8

Suite XXV: Sarabande 3/4 - Double 3/4 - Courante 3

Tombeau fait a Paris sur la mort de Mr Blancheroche, le quel se joue fort lentement à la discretion sans observer aucune mesure Ø [c-moll]

Lamentation fait sur la mort très douloureuse de Sa Majesté Imperiale, Ferdinand e troisième; et se joue lentement avec discretion.

Revb [gezeichnet G.Adler]

Vorl: Bln : Kgl Bibl
Kgl Akademie: Institut f Kirchenmusik
Hmbg: Stadtbibl
Wien: Bibl d P.P. Minoriten

Bd 22 Jg XI Erste Hälfte

SECHS TRIENTER CODICES

GEISTLICHE UND WELTLICHE KOMPOSITIONEN DES XV.JHS

Zweite Auswahl

/I. = Bd 14u15
III.= Bd 38/

Bt v Guido Adler u Oswald Koller

Vorbemerkung

Inhaltsverzeichnis

Verzeichnis v berücksichtigenswerten Korrekturen u Konjekturen zum Thematischen Katalog der Tr.C. DTÖ Jg VII (Bd 14/15)
S 31-80

Drei Messen über "O rosa bella"

I. 3stg Θ /Cantus/ Contra-Tenor
II. 3stg
III. in 2 Systemen:
a) nach den Tr.C - 4stg: Θ
Contra-Tenor
Tenor
Contra-Bassus
b) nach dem Modenser Cod - 4stg: Θ
Contra-Secundus
Tenor
Contra

Bedingham: Granttemps (Beata es)
3stg: Θ - Contra - Tenor

Binchois: Je me recommande
3stg: dass.

Bourgois: Fortune
5stg: Θ - Tenor - Contratenor (concordans per se) - Contratenor (concordans cum alio) - Contratenor (concordans cum alio et sine alio)

Quand je remire
3stg: Θ - Contra - Tenor

Busnois: Mon seul et sangle souvenir
3stg: dass.

Caron: Accoueille m'a la belle (da pacem Domine)
4stg: Θ Tenor - Contra (nach P.) + /Contra (nach Tr.)/

Bd 22

Dufay:	Adieu quitte le demeurant 3stg: G - Contra - Tenor
	Belle que vous 3stg: dass.
	Bien doy servir 3stg: dass.
	En languir en piteux martire 3stg: dass.
	Donnez l'assault 3stg: dass.
	Francueur gentile 3stg: dass.
	Jenai doubte 3stg: dass.
	Le jour c'endort + 3 1/2 Extra-Strophen
	Mon bien m'amour 3stg: dass.
	Puisquecelle 3stg: dass.
Le Grant:	Las, je ne puis (unicus Dei filius) 3stg: dass.
Jo. Le Grant:	Les mesdisans + 3 Strophen 3 stg: dass.
R.Libert:	Mourir me voy + 3 Strophen 3stg: dass.
C.de Mergues:	Vous soyez + 2 Strophen 3stg: dass.
Jo.Pyllois:	Les larmes 3stg: dass.
	Puisque fortune (Respice) 3stg: dass.
	Quelque cose (Globus igneus)
Jac.Vide:	Qui son cueur met a dame trop amour 3stg: dass.
Anonym:	Adieu, ma tres bielle mestresse 3stg: dass.
	Ay mi lasse + 1 Strophe 3stg: dass.
	Ce ne fut pas 3stg: dass.
	De ceste joyense advenue 3stg: dass.
	De madame (O beata Maria) 3stg: dass.
	Faites vinguet vrais amorants 3stg: dass.

Anonym:

Je me
3stg: dass.

Je ne puis plus
3stg: dass.

Je ne vis onques la pareille + 2 Strophen
3stg: dass.

Laboure
3stg: dass.

La douleur est dure
3stg: dass.

La merchi
3stg: dass.

Las aymi
2stg: Θ-Contra + 2 Strophen

N'est ce pas bien
2stg: Θ - Tenor

Onques je n'eusse pensé
3stg: Θ - Contra - Tenor

Parle que parler voudra (Nesciens)
3stg: dass.

Pucelle
4stg: Θ - Contra I^{mus} - Contra II^{do} - Tenor
(nach Wahl der I. oder II. Contra)

Puisque me vois mis en oubli
3stg: Θ - Contra - Tenor

Queque langage
3stg: dass.

Se medisans
3stg: dass.

Terriblement + 2 Strophen
3stg: dass.

Vostre bruit et vostre grant fame
3stg: ohne Bezeichnung

Gentile alma benigma
3stg: Θ - Contra - Tenor

Pyllois:

So lang si nur in meinem sin
3stg: Θ - Contra - Tenor

Anonym:

Heya, heya, nu wie sie grollen
4stg: Θ - Contra I - Tenor Contra II + 2.Strophe

Mein hertz in staten trewen
3stg: Θ - C.T. (I.Lösung
II.Lösung)

Agvillare
2stg: ohne Bezeichnung

Revb

Bd 23 XI. BAND Zweite Hälfte

GEORG MUFFAT

AUSERLESENE MIT ERNST UND LUST GEMENGTE INSTRUMENTAL-MUSIC 1701

Erster Teil
Sechs Concerti grossi nebst einem Anhange: Auswahl aus "Armonico Tributo" 1682

Bt v Erwin Luntz
Einleitung S V-XIII
Reproduktion des Originaltitels
des Portraits des Dedikaten: Maximilian Ernst Reichsgraf v. Scherffenberg
Widmung u Vorrede dt, it, frz, lat

1) CONCERTO II (A-Dur) Cor Vigilans
Concerto grosso: 2 Vli 2 Ve I Vne
Concertino: Vl I (oder Ob I), Vl II (oder Ob II); Violoncino e B.c. (o Fagotto)
Cembalo (B.c.) ausgesetzt
Sonate C - Courante 3/4 - Gavotta - Rondeau 3/4

2) CONCERTO IV (F-Dur) Dulce Somnium
dasselbe, nur ohne "oder Ob ... o Fagotto")
Sonata C - Sarabande 3/4 - Grave C - Aria C - Borea Ø

3) CONCERTO V (D-Dur) Saeculum
dass. wie 2)
Sonata 3/2 Grave - Allegro 6/8 - Allemande 4/4 - Gavotta - Menuet

4) CONCERTO X (G-Dur) Perseverantia
dass. wie 1)
Allemande C - Grave 3/2 - Gavotta - Menuet

5) CONCERTO XI (G-Dur) Delilirium Amoris
dass. wie 2)
Sonata C - Ballo C - Menuet - Gigue 6/8

6) CONCERTO XII (G-Dur) Propitia Sydera
dass. wie 2)
Sonata C, Grave, Allegro - Aria 3/4 - Gavotta - Grave C - Ciacona 3/4 (19 1/2 S.) - Borea C

Register derer in diesem Werck enthaltenen Concerten.

Anhang:

Armonico Tributo 1682 (Auswahl)

Titel, Widmung usw

Sonata I (1.Satz) D-Dur: 2Vli 2Ve Vne e Cemb (nicht ausgesetzt)

Sonata II g-moll: dass.
Sonata ¢ Grave 6/4, Allegro- Aria C- Sarabande 3/2 - Borea ¢

Sonata III (1.Satz) H-Dur: Grave 3/2, Allegro C

Sonata IV (5.Satz) c-moll: Adagio C, Aria C

Sonata V (3.u.4.Satz) G-Dur: Fuga C

Revb

Vorl: Raudnitz a.d.Elbe: Bibl seiner Durchlaucht Fürst Ferdinand Zdenko v. Lobkowitz

Wien: kk Hofbibl

Bd 24 XII. BAND Erste Hälfte

J A C O B H A N D L (GALLUS)

OPUS MUSICUM

/I. Teil=Bd 12/
/III.Teil=Bd 30/

Motettenwerk f d ganze Kirchenjahr.
II.Teil

Bt v Emil Bezecny u Josef Mantuani

Bibliographie der Werke Gallus' S V—XVII

I. Druckwerke
II. Handschriftlich erhaltene Kompositionen

Alphabetischer Index

Inhaltsverzeichnis d Vorlage (I.Buch, Rest)

Motetten vom Sonntag Septuagesima bis zum Passions-Sonntag (excl)

Titel u Widmung u Inhaltsverzeichnis vom II. Buch

Motetten vom Passionssonntag bis in die Karwoche

Revb

BEGINN DER MOTETTE	x)	S.
Ad Dominum cum tribularer clamavi	4	106
Adoleccentulus sum ego	4	108
Adoramus te, Jesu Christe	6	154
Amplius lava me (II.pars zu Miserere mei Deus)	4	59
Ante cuius compectum mors fugit (II.pars zu Recessit pastor)	4	171
Apprehendit ergo cum Pilatus (II.pars zu Passio ....sec. Johannem)	8	127
Apprehendit ergo cum Pilatus (II.pars zu Passio ....sec. Mattheum)	6	145
Apprehendit ergo cum Pilatus (II.pars zu Passio ....sec. Johannem)	4(5)	162
Audi tellus, audi magnis maris limbus	8	3
Ave Maria, gratia plena	8	20
Beata Christi passio	8	121
Benedicam Dominum (II.pars zu In Domino speravit)	6	65
Converte Domine, luctum nostrum	8	13
Cor mundum crea in me Deus (II.pars zu Miserere mei Deus)	6	65
Delicta iuventutis meae (II.pars zu Erravi sicut ovis)	6	36
Deus, in adiutorium meum intende	4	111
Deus insigni in surrexerunt	6	24

x) Anzahl der Stimmen

Bd 24

BEGINN DER MOTETTE	x)	S.
Deus, in nomine tuo (II.pars zu Peccantem me quotidie)	5	83
Deus ne elongeris a me (II.pars zu Eripe me de inimicis meis)	5	75
Domine, ante de omne desiderium	6	25
Domine Jesu Christe, non sum dignus	5	39
Domine quando veneris iudicare	6	68
Dominus mihi adiutor	5	78
Duo rogavi te (II.pars zu Verbum iniquum)	5	87
Ecce quemodo monitur iustus	4	171
Eripe me de inimicis meis	5	73
Errari sicut ovis	6	34
Et qui inquirebant mala (II.pars zu Domine, ante te ...)	6	28
Exsurge, gloria (II.pars zu Repleatur os meum)	5	94
Filiae Jerusalem, nolite flere	8	135
Formavit igitur Dominus hominem (II.pars zu In principio creavit ...)	4	105
Fratres mei elongaverunt	6	53
Gloria, laus et honor	5	155
Gloria, laus et honor	4	169
In Domino speravit cor meum	6	63
In nomine Jesu omne genu flectatur	4	113
In pace factus est locus eius (II.pars zu Ecce quo modo...)	4	172
In principio creavit Deus coelum	4	105
In tribulatione mea	5	91
Israel es tu rex (II.pars zu Gloria, laus et honor)	4	165
Israel es tu rex (II.pars zu Gloria, laus et honor)	4	109
Lamentabatur Jacob	6	42
Locutus est Dominus ad Moysem	6	51
Media vita in morte sumus	8	1
Moserere mei Deus	6	57
Ne forte veniant discipuli (II.pars zu Sepulto Domino ...)	4	173
Nolite confidere in principibus	5	79
Nos alium Deum nescimus	6	41
Numquid in aeternum irasceris (II. pars zu Usquequo De...)	6	48
O bone Deus, ne proiicias	6	72
O bone Deus illumina oculos meos	5	89
Omnes amici mei dereliquerunt me	5	157
Orabat autem Jesus (II.pars zu Passio ...sec. Johannem)	8	130

x) Anzahl der Stimmen

BEGINN DER MOTETTE	x)	S.
Orabat autem Jesus (II.pars zu Passio ...sec. Mattheum)	6	149
Orabat autem Jesus (II.pars zu Passio ...sec. Johannem)	4(5)	164
O vos omnes, qui transitis per viam	6	139
O vos omnes, qui transitis per viam	4	174
Passio Domini nostri Jesu Christi, sec. Johannem	8	123
Passio Domini nostri Jesu Christi	6	141
Passio Domini nostri Jesu Christi	4(5)	158
Pater noster, qui es in coelis	8	16
Patres, qui dormitis in Hebron	6	71
Peccantem me quotidie	5	81
Prosternens se Jacob (II.pars zu Lamentabatur Jacob)	6	44
Pueri Hebraeorum tollentes ramos	4	168
Pueri Hebraeorum vestimenta (II.pars zu Pueri Hebraeorum...)	4	168
Quid gloriaris in melitia	6	30
Quoties Diem illum considero	5	98
Recessit pastor noster	4	170
Repleatus os meum laude	5	93
Salva nos, Domine	8	21
Salvum me fac, Domine	4	112
Scio enim, quod redemptor meus vivit	5	100
Sepulto Domino rignatum et monumentum	4	173
Stetit Moyses coram Pharaone (II.pars zu Locutus est.)	6	53
Tribulatio est angustia (II.pars zu Adolescentulus ....)	44	109
Tribulationes civitatum audivimus	55	102
Tunc incipient dicere montibus (II.pars zu Filiae Jerusalem...)	8	137
Ubi Plato? Ubi Porphyriug? (II.pars zu Audi tellus)	8	5
Usquequo Domine irasceris	6	46
Usquequo Domine oblivisceris	8	9
Vae nobis, quia peccavimus	4	175
Verbum iniquum et dolosum	5	85
Versa est luctum cithara mea	5	97
Videbunt iusti et timebunt (II.pars zu Quid gloriaris...)	6	32

x) Anzahl der Stimmen

Bd 25 XII. BAND Zweite Hälfte

HEINRICH FRANZ BIBER

SECHZEHN VIOLINSONATEN 2.Band

[1.Band = Bd 11]

mit ausgeführter Klavierbegleitung

Bt v Erwin Luntz bez Bass Sonaten I-VII v Hoforganist Josef Labor

VIII-XV Dr.Karl Nawratil

Einleitung (gez. Dr.E.L.) S V-VII

Reproduktion der Widmung

SONATE I	(Dorisch)	Prael - Aria . Allegro - Finale
II	(A-Dur)	Sonata - Allemande - Presto
III	(h-moll)	Sonata - Courante, Double - Adagio
IV	(Dorisch)	Ciacona
V	(A-Dur)	Prael-Allem - Gigue - Sarab - Double
VI	(c-moll)	Lamento
VII	(F-Dur)	Allem - Variatio - Sarab - Varatio
VIII	(B-Dur)	Sonata - Gigue Double I Double II
IX	(a-moll)	Sonata - Courante - Double Finale
X	(g-moll)	Prael - Aria, Variatio
XI	(G-Dur)	Sonata - Adagio
XII	(C-Dur)	Intrada - Aria Tubicimum All-Courante. Double
XIII	(d-moll)	Sonata - Gavotte - Gigue - Sarab
XIV	(D-Dur)	Grave, Adagio - Aria
XV	(C-Dur)	Sonata - Aria - Canzone - Sarab
XVI	(g-moll)	Passacaglia f Solo-Violine

(Violine oft in anderen Stimmungen)

Revb

Vorl: Mchn: Kgl Hof- u Staatsbibl

Bd 26 XIII. BAND Erste Hälfte

A N T O N I O C A L D A R A

KIRCHENWERKE

Bt v Eusebius Mandyczewski

Portrait Caldara (Gesellschaft d Musikfreunde)

Einleitung S VII-XI

Acht Motetten:	
1. Caro mea vere est eibus	Canto I, II, Organo
2. Ego sum panis vivus	Canto, Alto, Organo
3. Benedictus Deus	Alto I, II, Organo
4. Transeunte Domino	Alto, Tenore, Organo
5. Transfige, dulcissime Jesu	Alto, Basso, Organo
6. Miserere mei, Domine	Canto, Alto, Basso, Organo
7. Laboravi in genitu meo	Alto, Tenore, Basso, Organo
8. O sacrum convivium	Canto, I, II, Basso, Organo
Stabat mater	Canto, Alto, Tenore, Basso, 2 Vli Va, 2 Trbe Organo e Basso
Missa Dolorosa	Canto, Alto, Tenore, Basso 2 Vli Va, Org e Basso
Te Deum	Coro I: C, A, T, B, 2 Clarini, 2 Tromb, Tymp Coro II: C, A, T, B, 2 Vli Va, 2 Trbe (al Alto), Org e Continuo
Crucifixus	4 Chöre zu: Canto I-IV Alto I-IV Ten I-IV Basso I-IV und Organo

Revb

Vorl: Wien: kk Hofbibliothek
Bologna: Biblioteca di Liceo Musicale
Bln: Singakademie
Dresden: Kgl Bibliothek

x - x - x - x - x - x - x - x - x

Bd 26

CALDARA Antonio

/it Komponist/

* um 1670 Venedig
† 28.12.1736 Wien

Ll: Schüler v Legrenzi
1700 Violoncellist an der Markuskirche
ca 1712 in Wien
ca 1715 in Rom -
Madrid - Wien
1.1.1716 Vicekapm in Wien (1. Kapm war J.J.Fux)

Stilkr: schrieb über 80 Opern u Serenaden, mehr als 30 Oratorien (bis auf wenige in Wien erhalten), die sich zwar durch Melodiosität auszeichnen, aber nicht durch Größe und Originalität. - Viel Kirchenmusik

W: 1748 4stge Messen mit Instrumenten, Bamberg
1715 Motetten mit B.c., Bologna
1693 1. Werk: Sonate a due Violini con Violoncello e parte per l'organo op.1, Venedig
1699 12 Sonaten op.2

hs. Solo- u Triosonaten, 6 Quartette, Septett, mehrere Symphonien u Klavierstücke.

Ausg: DTÖ 1906 Bd 26 Kirchenwerke (Mandiczewski)
1932 75 Kammermusik f Gesang (Mandiczewski)
1955 91 Dafne, Oper (C.Schneider)
1962 101/2 Solomotetten geistl. (Schoenbaum)

1 Madrigal u 12 Kanons hgg v K.Geiringer, Chw. XXV

1949-52 3 Triosonaten hgg v Schenk, Hausmusik LIX, LXXXV u CXXI, Wien

Lit: 1929/30 E. Schenk: in ZfMw XII S 247 ff

Diss: 1920 L. Posthorn: Die Instrumentalwerke des Kaiserl Vice-Hofkapellmeisters A.C.; Wien
1927 A. Gmeyner:. Die Opern M.A.Cs. Ein Beitrag zur Geschichte der it Oper in Wien; Wien

Bd 27 XIII. BAND Zweite Hälfte

WIENER KLAVIER- UND ORGEL-WERKE

aus der 2. Hälfte des 17. Jhs.

Alessandro POGLIETTI, Ferdinand Tobias RICHTER, Georg REUTTER der Ältere

Bt v Hugo Botstiber

Portrait v A.Poglietti

Facs d Tbl. Rossignolo
Fasc d Tbl. Horologium

Einleitung S XI-XXI

Alessandro Poglietti

I. Suite "Rossignolo"

Toccato - Canzona - Allemande - Courante - Sarabande - Gigue - Aria
Allemande con alcuni Varazioni sopra d'Età della Maestra Vostra (Parte 8: Böhmisch Dudelsack
9: Holländisch Flageolett
11: Bayrisch Schalmei
14: Hanaken Ehrentantz
15: Frz Baiselements
16: Gaugler Seiltantz
17: Polnischer Sablschertz
18: Soldaten Schwebelpfeif
19: Ungarische Geiger
20: Steiremarke Horn) - Ricercar per lo Rossignolo - Capriccio - Aria bizarra del Rossignolo)

II. Suite "sopra la ribellione di Ungheria" (mit so ähnlichen Satztiteln)

III. Canzone u Capriccio "Über das Henner u Hannergeschrey"

Ferdinand Tobias Richter

Suite I (d-moll)
II (d-moll)
III (F-Dur)
Toccata (Primi Toni)

Georg Reutter der Ältere

I. 6 Capricci [Rie[12]: 6 Capricci, 1 Ricercar u 1 Canzone von N.A.Strungk (1640-1700)]

II. 2 Canzonen
III. Fuga
IV. Ricercar
V. Toccata

Revb

Vorl: Wien: kk Hofbibl
Graz: Privatbesitz Prof.Dr.Ferdinand Bischoff
Kremsier: Mauritius-Archiv (Hss)
Wien: Bibl des Minoritenkonvents

x - x - x - x - x - x - x - x - x

POGLIETTI Alessandro

/österr. Komponist/ † Juli 1683 Wien (ermordet v Tartaren)

Ll: ab 1661 Hoforganist in Wien bis 1683
(Nachfolger Ferdinand Tobias Richter)

Stilkr: virtuoser Stil u humorvolle Charakteristik (Il Rossignolo, Arie mit Variationen)

W: gedruckt einige Stücke zusammen mit Pasquini u Kerll in Amsterdam
1704 Toccates et Suites

Ausg: 4 Stücke in Tagliapietra, Ant.VIII
1954 Aria alemagna in Ant. Organistica Ital., hgg v P.Ferrari, Mailand
DTÖ 1921 Bd 56 Balletto à 6 (Nettl)

Schr: Compendium oder ... Einführung zur Musica, sonderlich einem Organisten dienlich (1666 hs), jedoch entlehnt Chr. Bernhard's "Ausführlicher Bericht".

Lit: 1916 A.Koczirz: Zur Lebensgeschichte A.de P's; StMw IV
1953 A.Orel: Die Kontrapunktlehren v P. u Bertali; Kgr-Ber Bamberg
1958 H.Federhofer: Zur hs Überlieferung der Musiktheorie in Österreich ...; Mf
1960 Fr.W.Riedel: Quellenkundliche Beiträge zur Geschichte der Musik für Tasteninstrumente; Schriften d Landesinstitutes f Musikforschung Kiel X

x - x - x - x - x - x - x - x - x

RICHTER Ferdinand Tobias

[österr. Organist u Komponist] * 1649 in Würzburg
† 1711 in Wien

Ll: ab 1683 Nachfolger Poglicttis

Stilkr: Lehrer der Kinder Leopolds I und einiger Schüler Pachelbels; letzterer widmete ihm sein "Hexachordum Apollinis" (1699)

W: 1699 Hymneai de Marte triumphus, Jesuitendrama
und 4 weitere Jesuitendramen
2 Serenate
2 Oratorien, Magnificat, Hymnen
7stge u 8stge Sonaten, Suiten u Toccaten f Tasteninstrumente

Lit: Biographie v H.Botstiber in DTÖ Bd 27

x - x - x - x - x - x - x - x - x

REUTTER Georg (der Ältere)

[österr. Organist u Komponist] * 1656 Wien
† 29.8.1738 Wien
Sohn: Georg (Johann Adam...) Edler von, ab 1740 (1708-1772)

Ll: 1686 Nachfolger Kerlls als Organist am Stephansdom
1697-1703 Theorbist in der Hofkapelle
ab 1700 Hof- u Kammerorganist
1712 2.Kapm (als Nachfolger v Fux) am Stephansdom
1715 1.Kapm am Stephansdom

W: Messen, Kirchliche Vokalwerke, Orgelmusik

Ausg: 1934 Stücke in Klaviermusik des 17. u 18.Jhs III, hgg v N.Herrmann, Lpzg

Diss: 1915 J. Hofer: Die beiden R. als Kirchenkomponisten; Wien (hs)
1915 Fr. Berend: N.A.Strungk; Mchn

Bd 28 XIV. BAND Erste Hälfte

H E I N R I C H I S A A C

WELTLICHE WERKE

Bt v Johannes Wolf

2 Reproduktionen

a) In Gottes Namen fare wyr! (Bln Kgl Bibl Ms 721)
b) 4 Seiten: "Palle, palle" ein Loblied auf die Medice (Rom Arch di Capella Giula u Cod cart. sec XVI fol 1-2)

Einleitung S IX-XII

KOMPOSITIONEN

A Deutsche Lieder

1. Ach, was will doch mein hertz (4stg)
2. Al mein mut (3)
3. Christ ist erstanden (4) [in DDT Bd 72 unter Stoltzers Namen]
4. Ein frolich wesen (3)
5. Erkennen thu mein traurigs gmüt (4)
6. Es het ein Baur ein Töchterlein (4)
7. Es wollt ein Meydlein grasen gan (4)
8. Freundtlich und mild (4)
9. Greiner, Zancker, Schnöpflitzer (4)
10. Ich stund an einem Morgen (4)
11. In Gottes Namen faren wir (4)
12. Isbruck, ich muß dich lassen (4)
13. Kein frewd (4)
14. Mein freud allein (4)
15. Mein Mütterlein (4)
16. Mich wundert hart (4)
17. O weiblich art (4)
18. O wer des glück (4)
19. Svesser, vatter, herregot (3)
20. Wenn ich des morgens frü auffstehe (4)
21. Was frewet mich (4)
22. Zwischen perg und tieffe tal (4)

B Französische Lieder

1. Fille, vous aves mal gardé (4)
2. J'ay pris amours (3) [Cantus] / Tenor / Contra
3. Je ne puis vivre (4) [Cantus] / Contra / Ten (Contra)
4. Le serviteur (3)
5. Maudit soit (4) [Cantus] / Contra / Tenor / Bassus

C Italienische Lieder

1. Donna di dentro dalla
2. Fammi una gratia amore (3) /Centus/ / Ten / Bassus
3. La piu vagha et siu bella (3)
4. Lasse, gnel ch'altri fugge (2) /C/ Ten
5. Lieto e contento (3)
6. Ne piu bella di queste (4) /C/Ten / Contra / Bassus
7. Ov'e di Maggio (1 !!)
8. Questo mostarsi adirata (3)
9. Sempre giro piangendo (3)
10. Un di lieto giamai non hebbi (3)

D. Lateinische Gesänge

1. Quis dabit capiti meo aquam? (4)
2. Quis dabit pacem populo timenti?
3. Imperii proceres (4)
4. Sancti spiritus assit nobis gratia (4)
5. Substinuimus pacem (4)

E Instrumentalsätze

1. Ach hertzigs K. (4)
2. Ain frelich wesen (4)
3. Amis des que (3) /?/ Tenor / Contra
4. Fortune contrent (3)
5. Anbrios (4)
6. Coment poit avoir joye (3)
7. Corri fortuna (4)
8. Der welte fundt
9. Die prunlein, die da vliessen
10. Digau alez donzelles (3)
11. Et il boi d'autant (4)
12. Et gni le dira (4)
13. Fortuna, Bruder Conrat (4)
14. Fortuna, desperata (3)
15. Hélas, que deuera mon cuer (3)
16. Helogierons nons (4)
17. J'ay pris amours (4)
18. J'ay pris amours (4)
19. Je suys malcontent (3)
20. In meinem sinn I (4) Discantus/Altus/Ten/Bassus
21. In meinem sinn II (4)
22. Insprungk ich muss dich lassen (4)
23. La la ho ho (4)
24. La Martinella (3)
25. La mi la sol (4)
26. La morra (4)
27. Las rauschen (4)
28. L'ombre (4)
29. Maudit soyt (4)
30. Mon père m'a doné mari (4)
31. O Venus bant (3)

32. Palle, palle (4)
33. (P)Ar ung chies do ewe (4)
34. Par ung iour de matinee (4)
35. Pour vous plasisiers (4)
36. Si dormiero (3)
37. Suesser, Vatter (4)
38. Tart ara (3)
39. Tmeiskin nas iunch (4)
40. Wolauff, gut gsell von hinnen
41. Zart liepste frucht (4)
42-44 (3)
45. Carmen (3)
46. Exemplum (4)
47. Carmen
48.-5o. (3)
51. (4)
52. (3)
53. (5!) [?] Can/Ten/B primus/B secundus
54. (3)
55. (4)
56. Carmen
57.-58. (3)

F <u>Zweifelhafte Kompositionen</u>

1. Die brünlein, die da fliessen (3)
2. a) Kein dingg auff erd (4)
   b) " " " " (4)
3. Vergangen ist mir glück und heyl (4)
4. Pouer me mischin dolente (4)
5. Se is te o dato l'anima e'l coro (4)
6. - (4)
7. Fortuna desparata in mi (3)

G <u>Heinrich Isaac in der Hausmusik</u>

1. Adieu mes amours (in 2 Systemen: Klavier)
2. Ain frewlich wesen
3. D(ecem) P(recepta)
4. XBOΓ - Decem precepta. in sol
5. Die brünle. P.H.
6. a) Die prünlein, die da flissen
   b) -"- -"-
7. a) -"- -"-
   b) -"- -"-
8. wie 2.
9. Fortuna desparata in mi
10.
11. Frater conradus
12. Graciensi plaisat
13. Herr Gott, lass dich erbarmen
14. In meinem Sinn
15.
16. La martinella
17. a) La mora
    b) -"-
18.

19. Mein freud allain
    b) Mein freud allain
20.
21.
22. Metzkin (Singstimme ohne Text u Lautenpart)
23. Nil n'est plaisir
24. O weiblich art
25. Palle
26. Si dedero
27. Si dormiero
28. Tartara
29. Zwischen Berg und tiefen tal. In sol. HB

Revb: I die Quellen

A Hs in Stimmen
B Stimmendrucke
C Hs Partituren a) Lauten-Tabulaturen
b) Orgel-Tabulaturen
D Tabulatur-Drucke

II die Lesarten

Vorl zu A: Basel: Univ Bibl
Bln: Kgl Bibl
Bologna: Liceo musicale
Cortona: Bibl Comunale
Florenz: Istituto Musicale
" : Bibl Nazionale
Greifswald: Univ-Bibl
Lpzg: Univ-Bibl
Mchn: Univ-Bibl
" Kgl Hof- u Staatsbibliothek
Perugia: Bibl Comunale
Regensburg: Proske'sche Bibl
Rom: Archivo della cappella Giulio
St.Gallen: Stiftsbibl
Wien: kk Hofbibliothek

zu B: Wien; Treviso
Mchn: Kgl Staatsbibl
Univ-Bibl
Bln: Kirchenmusikalisches Institut
Basel: Univ-Bibl
Zwickau: Ratsschulbibl
Bln: Kgl Bibl
Univ-Bibl
Augsburg: Stadtbibl
Darmstadt: Hofbibl
Heilbronn: Gymnasialbibl
Nürnberg: Germ.Seminar
Hmbg: Stadtbibl
Lpzg: Stadtbibl

zu C: Basel: Univ-Bibl
Bln: Kgl Bibl
Stockholm: Univ.Bibl

zu D: Bibl: Liegnitz, Nürnberg, Strassburg, Wolfenbüttel, Kopenhagen, London
Bln: Kgl Bibl
Lpzg: Stadtbibl
Rostock: Univ.Bibl
Wien: Bibl der Ges der Musikfreunde

Bd 29 XIV. BAND Zweite Hälfte

MICHAEL HAYDN

INSTRUMENTALWERKE I

/II - nicht aufgelegt/

Bt v Lothar Herbert Perger

Bildnis des Komponisten

Einleitung S IX-XIV

Thematisches Verzeichnis der Instrumentalwerke Haydns S XV - XXIX (nach Katalog Lang u Katalog Rettensteiner)

1. Symphonie in C-Dur Salzburg 19.2.1788
   Allegro con spirito 3/4 - Andante 2/2 — 2 Obi 2 Fgi 2 Coi 2 Clar Tp Vl Va Vcl e B
   Finale. Fugato Molto vivace ∅

2. Symphonie in Es-Dur Salzburg 14.8.1783
   Allegro spirito 3/4 - Adagietto affetuoso 2/4 - Finale Presto 6/8 — 2 Obi 2 Fgi 2 Coi Tba Vl Va Vcl e B

3. Türkischer Marsch Salzburg 6.8.1795
   C-Dur — 2 Fli 2 Obi 2 Cli 2 Fg 2 Trbe 2 Cni Tromb Piatelli Tamburo turchese

4. Sechs Menuette Salzburg 23.1.1784 — 2 Obi 2 Coi 2 Vl Basso

5. Divertimento in G-Dur Salzburg 17.6.1785 — Fl Cor Vl Va Fg
   Marcia. Andantino 2/4 - Allegro spirituoso C-Menuetto Andante 6/8-Menuetto-Polonese 3/4 Allegretto 2/4-Finale. Presto 6/8

6. Divertimento in B-Dur /Salzburg 1785/ — 2 Vli 2 Ve Vcl
   Allegro con garbo C - Menuetto. Moderato - Largo C-Allegretto 2/4 mit 6 Variationen-Menuetto-Finale. Rondeau-Marcia C

7. Quartett in A-Dur — 2 Vli Va Vcl
   Presto 6/8-Menuetto-Andante grazioso mit 4 Variationen - Rondo. Allegro molto

Bd 29

Revb
Vorl: Salzburg: Stift St.Peter
Michaelbeuren: Klosterbibl

x - x - x - x - x - x - x - x - x

HAYDN Michael Johann
/österr.Komponist/

* 14.(15.)9.1737 Rohrau
† 2o.8.18o6 Szbg
Bruder v Joseph Haydn

Ll: ab 1745 Sängerknabe (St.Stephan) lernte Vl, Klavier u Orgel
ab 1757 bischöfl Kapm in Groß-Wardein
ab 14.8.1763 "Hofmusicus und Conzertmeister" der fürstbischöflichen Hofkapelle in Salzburg, möglicherweise als Vertreter des oft abwesenden Leopold Mozarts
17.8.1768 Heirat mit der Hofsängerin Maria Magdalena Lipp (Tochter des Hoforganisten)
Ende 1777 Organist an der Dreifaltigkeitskirche
ab 1781 (nach Mozarts Abgang) Hof- und Domorganist
ab 1787 unterrichtet H. (als Nachfolger L.Mozarts) Klavier u Violine
1798 und 1801 in Wien
1804 auswärtiges Mitglied der Kgl Schwedischen Musikakademie
1827 stirbt die Witwe in ärmlichen Verhältnissen

Stilkr: (stark an Naturwissenschaften interessiert, hinterließ durch 20 Jahre aufgezeichnete Wetterbeobachtungen)

Schüler: C.M.v. Weber, Neukomm, Wölfl, Aßmeyer u A.Diabelli

Haydns Hauptbedeutung: Kirchenmusik - bildete die Fux'sche Tradition aus, dadurch Bindeglied zur Palestrina-Renaissance.
Die Proprium-Kompositionen bis ins 19.Jh. vorbildlich durch kirchliche Haltung u Formenreichtum. -
Priorität im Schaffen von unbegleiteten Männerchören.
Werke für die Bühne u Instrumentalkompositionen: konventionell.
Keine Beweise, daß M.H. der Autor der österr. Militärsignale ist.

W: 32 lat, 8 dt Messen;
2 Requiem - c-moll, auf den Tod Erzbischofs Sigmund (2. = unvollendet)
6 Te Deum, 117 Gradualien, 45 Offertorien, 27 Responsorien für die Karwoche u andere kirchliche Kompositionen.
Kanons, Chorlieder, Lieder, Kantaten, Oratorien

1787 Oper: Andromeda e Perseo

46 Symphonien, 5 Konzerte, Märsche, Menuette, Kammermusik: Serenaden, Divertimenti, 7 Quintette, 2 Quartette für Bläser u Streicher, 9 Streichquartette u s w
50 kleine Orgelpräludien - Skizzen für das Salzburger Glockenspiel

Ausg: DTÖ 1907 Bd 29 Instrumentalwerke I (Perger)
45 3 Messen (Klafsky)
62 Kirchenwerke (Klafsky)
1949 Missa S.Crucis; hgg v E.Tittel, Wien
1952 M sub Titulo Sancti Leopoldi; hgg v W.Reinhart, Zürich
1897 Auswahl mehrstimmiger Männergesänge; hgg v Otto Schmid, Lpzg
1896 4 Lieder hgg v demselben, Lpzg
1895 Sinfonie in C op.1, Lpzg
1957 Flötenkonzert; Budapest
1952 Quintett in C (als op.88 v Joseph Haydn, Offenbach 1798,) Lippstadt

Unveröffentlichte Werke hgg v R.Pauly in Collegium musicum (hgg v Schrade)

Lit: 1808 G.Otter u Fr.J.Schinn (anonym) [Schüler Haydns] Biographische Skizze v M.H.; Szbg
1860 C.v.Wurzbach: Joseph Haydn u sein Bruder Michael; Wien
1913 F.Martin: Kleine Beiträge zur Musikgeschichte Salzburgs; in Mitt. der Ges f Salzburgische Landeskunde LIII
1952 H.Jancik: M.H.; Zürich-Lpzg-Wien

Diss: 1905 L.Perger: M.H. als Instrumentalkomponist; Wien DTÖ Bd 29
1911 A.M.Klafsky: M.H. als Kirchenkomponist; Wien StMw 3/5 (1915)
? R.Pauly: Yale University

Bd 30

Bd 30 XV. BAND Erste Hälfte

JACOB HANDL (GALLUS)

OPUS MUSICUM

/II. = Bd 24
IV. = Bd 40/

Motettenwerk für das ganze Kirchenjahr III. Teil

Von der Karwoche (Lamentationen) bis zum Dreifaltigkeitsfest (exclusive)

Bt v Emil Bezecny und Josef Mantuani

Alphabet. Index

Inhaltsangabe

Motetten von der Karwoche

x) Anzahl der Stimmen

BEGINN DER MOTETTE	x)	SEITE
Cantate Domino canticum novum	12	63
Caph. Non enim humiliavit (Lam.VI)	4	18
Quia non repellet (Lam.VI)	4	17
Quia si abiiciet (Lam.VI)	4	18
Cervicibus minabamur (Oratio Jeremiae prophetae)	4	26
Christus resurrexit, mala nostra texit	6	105
Circumaedificavit adversum me (Lam.VI Gimel)	4	11
Cito euntes dicite (II.pars zu M.Magdalena)	8	53
Conclusit vias meas (Lam.VI)	4	12
Confirma hoc Deus	4	121
Confregit ad numerum dentes (Lam.V Va)	4	14
Congratulamini mihi omunes (II.pars zu M. stabat)	6	102
Crucifixum in carne laudate	5	123
Cum rex gloriae Christus	8	42
Dabit percutienti se maxillam (Lam VI Jod.)	4	17
Daleth. Adhaesit lingua lactentis (Lam.VIII)	4	21
Semitas meas subvertit (Lam.V)	4	13
Ursus insidians (Lam.V)	4	13
Viae Sion lugent (Lam.II)	4	4
Deus in adiutorium meum intende (S:Subsannatores)	4	174
Deus meus in auxilium meum (II.pars zu Subsannatores)	4	175
Domine rex Deus Abraham	5	121
Ego autem semper sperabo (III.pars zu Subsannatores)	2	176
Ego vir videns paupertatem (Lam.IV Aleph)	4	10
Emitte spiritum tuum	5	162
Erraverunt caeci in plateis (Lam.VIII Nu)	4	23
Erubescant et conturbentur	4	172
Et dixi: periit finis meus (Lam.V Vau)	4	14
Et egressus est a filia Sion (Lam. II, Vau)	4	5
Et factum est postquam in captivitatem (Lam.I)	4	1
Et repulsa est anima (Lam.V,Vau)	4	14
Et si non surrexisset (II.pars zu Christus surrexit)	4	109
Exsultate Deo adiutori nostro	16	71
Facies Domini divisit eos (Lam.VIII, Phe)	4	24
Fac mecum signum in bonum (V.pars zu Subsannatores)	4	177
Facti sunt hostes eius (Lam.I, He)	4	4
Factus est repente de coelo sonus	5	163
Factus est repente de coelo sonus	4	170
Factus sum in derisum (Lam.V, He)	4	13
Filia populi mei (Lam.VII, Gimel)	4	20
Fitii Sion inclyti (Lam.VII, Beth)	4	19
Gavisi sunt discipuli (II.pars zu Stetit Jesus)	4	134
Gimel. Circumaedificavit adversum me (Lam IV)	4	11
Conclusit vias meas (Lam IV)	4	12
Filia populi mei (Lam VII)	4	20
Migravit Judas (Lam I)	4	3
Sed et cum clamavero (Lam IV)	4	12
Sed et lamiae nudaverunt (Lam VII)	4	20

x) Anzahl der Stimmen

Bd 30

x) Anzahl der Stimmen

BEGINN DER MOTETTE	x)	SEITE
Pater manifestavi nomen	4	139
Patres nostri peccaverunt (=Oratio Jeremiae prophetae)	4	27
Peccatum peccavit Jerusalem (Lam.III, Heth)	4	8
Phe. Facies Domini divisit eos (Lam.VIII)	4	24
Plauserunt super te manibus (Lam.II, Vau)	4	6
Plorans ploravit in nocte (Lam.I, Beth),	4	2
Ponet in pulvere os suum (Lam.VI, Jod)	4	17
Propter peccata prophetarum (Lam.VIII, Mem)	4	22
Pupilli facti sumus (Oratio Jeremiae prophetae),	4	26
Quia non repellet (Lam.VI, Caph)	4	17
Quia si abiiciet (Lam.VI, Caph)	4	18
Quia ploras, mulier?	8	140
Qui vescebantur voluptuose (Lam.VII, He)	4	21
Quo mihi crude dolor	8	59
Quomodo obscurantum est aurum (Lam.VII, Aleph)	4	19
Quomodo sedet sola civitas (Lam.I, Aleph)	4	2
Recedite polluti clamaverunt (Lam.VIII, Samech)	4	23
Recordamini, quomodo praedixit (II.pars zu: Crucifixum in carne)	5	125
Recordare, Domine, quid acciderit nobis (=Oratio Jeremiae Prophetae)	4	25
Recordare paupertatis (Lam.V, Zain)	4	15
Recordata est Jerusalem (Lam.III, Zain)	4	7
Repleti sunt omnes	8	152
Repleti sunt omnes	5	165
Replevit me amaritudinibus (Lam.V, He)	4	14
Samech, Recedite polluti, clamaverunt (Lam.VIII)	4	23
Sedebit solitarius (Lam.VI, Jod)	4	17
Sed et cum clamavero (Lam.IV, Gimel)	4	12
Sed et lamuae nudaverunt (Lam.IV, Gimel)	4	20
Sed et lingua mea (IV.pars zu: Subsannatores)	2	176
Sedit angelus ad sepulchrum	6	97
Semitas meas subvertit (Lam.V, Daleth)	4	13
Servi dominati sunt (=Oratio Jeremiae prophetae)	4	27
Sordes eius in pedibus (Lam.III, Teta)	4	8
Stetit Jesus in medio	4	133
Subsannatores subsannavit Deus	4	174
Surrexit Christus et illuxit	4	136
Surrexit Dominus de sepulchro	4	136
Tantum in me vertit (Lam.IV, Aleph)	4	10
Teth. Bonum est praestolari (Lam.VI)	4	16
Bonum est viro (Lam.VI)	4	16
Bonus est Dominus (Lam.VI)	4	16
Sordes eius in pedibus (Lam.III)	4	8
Vide, Domine, afflictionem (Lam.III)	4	9
Triumphat Dei filius (II.pars zu: Cum rex gloriae Christus)	8	46

x) Anzahl der Stimmen

BEGINN DER MOTETTE	x)	SEITE
Ursus insidians (=Lam V, Daleth)	4	13
Vau. Contregit ad numerum (Lam.V)	4	14
Et dixi: periit finis meus (Lam.V)	4	14
Et egressus est a filia Sion (Lam.II)	4	5
Et repulsa est anima (Lam.V)	4	14
Plauserunt super te manibus (Lam.II)	4	6
Veni sancte spiritus, et emitte	6	147
Veni sancte spiritus, reple	4	169
Vespere autem sabbati	4	132
Vetustam fecit pellem (=Lam.IV, Beth)	4	11
Viae Sion lugent (=Lam.II, Daleth)	4	4
Vide, Domine, afflictionem (=Lam.III, Teth)	4	9
Vidi coniunctos viros	6	154
(Zain) Haec recolens in corde meo (=Lam.V)	4	15
Memoria memor ero (=Lam.V)	4	15
Recordare paupertatis (=Lam.V)	4	15
Recordata est Jerusalem (=Lam.III)	4	7

x) Anzahl der Stimmen

Bd 31   XV. BAND   Zweite Hälfte

WIENER INSTRUMENTALMUSIK VOR UND UM 1750

VORLÄUFER DER WIENER KLASSIKER   [2.Auswahl=Bd 39]

Bt v Karl Horwitz und Karl Riedel

Bildnis: Karl Georg v.Reutter
Josef Starzer   beide Ges der Musikfreunde

Vorwort

Einleitung S XV-XXVI

I. Karl Georg v.Reutter (1708-1772)

Servizio di Tavola 1757 (C-Dur)

Intrada. Allegro spiritoso C Larghetto cantabile C Menuetto. Tempo giusto Finale. Allegro 2/4	2 Obi 2 Cli, 2 Trbe Tamp 2 Vli Va B.cont. (Vcl).Cembalo

II. Georg Christoph Wagenseil (1715-1777)

Symphonie in D-Dur 1746

Allegro (molto) C Andante 3/8 Tempo di Menuetto	2 Obi 2 Coi Tymp, 2 Vli Va obligata Basso Cembalo

Symphonie in D-Dur

Allegro molto 2/4 Menuetto Andante 3/2 Allegro 2/4	2 Vli Basso Cembalo

III. Georg Matthias Monn (1717-1750)

Symphonie in D-Dur 24.5.1740

Allegro C Aria. Andante un poco 2/4 Menuetto Allegro 2/4	Flitraversi Fg 2 Coi ex D 2 Vl Basso Cembalo

Symphonie in H-Dur

Allegro 3/4 Andante C Presto 6/8	2 Vli Va Basso Cembalo

Sonata in A-Dur (Partita)

Ouvertüre C Fuga Allegro 3/8 Andante C Menuetto Allegro assai 3/8	2 Vli Basso Cembalo

Bd 31

Symphonie in Es-Dur

Allegro assai C
Andante 2/4
Menuetto
Finale. Presto 3/8

2 Obi 2 Coi 2 Vl
Va Basso
Cembalo

IV. Matthias Schlöger

Partita in B-Dur

Allegro C
Largo C
Menuetto
Finale 2/4

2 Vli B.c.

V. Josef Starzer

Divertimento in C-Dur

Allegro non troppo C
Menuetto
Larghetto 3/4
Allegro 2/4

2 Vli Va Basso
(ohne Cembalo!)

Divertimento in a-moll

Allegro 6/8
Menuetto
Adagio C
Allegro 2/4

2 Vli Va Basso

Revb

Vorl: Wien: Bibl. der Ges. der Musikfreunde
Kremsmünster
Wien: Hofbibl
Regensburg: Thurn und Taxis'sche Hofbibl

x - x - x - x - x - x - x - x - x

REUTTER, Karl Georg von (Georg der Jüngere)

/österr.Organist u Komponist/

* 6.4.1708 Wien
† 11.3.1772 Wien
ab 1740 Edler von
Sohn von R.Georg
(der Ältere)

Ll: Schüler seines Vaters u v Caldara
1726/27 im Auftrage des Hofes, die ersten großen Werke:
Oratorium: Abel
Oper: Archidamia
nach Rückkehr aus Italien
1731 Hofkomponist
1738 erster Kapm am Dom St.Stephan als Nachfolger seines
Vaters, den er schon vorher im Amt vertreten hatte

1741 nach dem Tode von Fux u Caldara zur Unterstützung Predieris herangezogen
1751 erster Kapm (Tätigkeit als)
1759 Titel
1756 zusätzlich 2.Kapm an St.Stephan, hatte dadurch alle Stellen des musikalischen Lebens Wiens in Händen

Stilkr: Musik nicht sehr tief - Instrumentation wurde v den Zeitgenossen als wirkungsvoll anerkannt

W: "677"
41 Opern u dramatische Werke
Oratorien, Symphonien, Serenaden, 80 Messen, zahlreiche vokale Kirchenkompositionen (Kantaten, Motetten), Musik f Tasteninstrumente

Ausg: DTÖ 1908 Bd 31 Servizio di Tavola (Horwitz u Riedel)
1952 88 Kirchenwerke (Hofer)

Lit: 1892 L.Stollbrock: Leben u Wirken des Wiener Hofkapellmeisters u Hofkompositors J.G.R.; StfMw VIII

Diss: 1915 J.Hofer: Die beiden R. als Kirchenkomponisten; Wien

x - x - x - x - x - x - x - x - x

WAGENSEIL, Georg Christoph

/österr.Komponist u Pianist/ * 15.1.1715 Wien
† 1.3.1777 Wien

Ll: ab 1736 Hofscholar der Wr Hofkapelle; Schüler v J.J. Fux u Palotta. - Klavierlehrerin der Kaiserin Maria Theresia u der Prinzessinnen
ab 1739 Kaiserl Hofkomp
1741-50 Organist an d Kapelle der Kaiserin-Witwe Elisabeth-Christina

Stilkr: bedeutendster Vertreter der Wiener Schule, die v.a. an Haydn anknüpfte. - Anschlüsse an österr Volksmusik u der Mannheimer Komponisten-Schüler u.a. J.B.Schenk u Fr.X.Duschek

W: 1740 Suavis artificiose elaboratus musicus continens VI parthias selectas ad clavicembalum compositas; Bamberg
ab 1753 18 Divertimenti da Cembalo op.1-2; Wien
1761 3 Divertimenti per Cembalo; Wien
2 Divertimenti für Klavier, Vl u Vcl
Symphonien, Konzertante Quartette u Klavierkonzerte (ersch in Paris, London u Haag)
15 für Wien komponierte Opern
1745 Ariodante Oper für Venedig

Lit: 1921/22 R.Sondheimer: Die formale Entwicklung der vorklassischen Symphonien: in: AfMw IV
1925/26 W.Vetter: G.Chr.W. als Vorläufer Chr.W.Glucks; in: ZfMw VIII
1928 ders.: Der Opernkomponist G.Chr.W.; in: Gedenkschrift H.Abert, Halle
1952 G.Hausswald: Der Divertimentobegriff bei G.Chr.W.; in: AfMw IX

Diss: 1906 K.Horwitz: G.Chr.W. als Symphoniker 1715-1777; Wien
1926 J.Pelikant: Die Klavierwerke Ws.; Wien
1938 R.Philipp: Die Messenkomposition der Wiener Vorklassiker G.M.Monn u G.Chr.W.; Wien

x - x - x - x - x - x - x - x - x

MONN, Georg Matthias (Riemann: eig:Mann)
/österr.Komponist/

* 1717 Niederösterreich
† 3.1o.175o Wien
Bruder: Joh.Christoph Mann (1726-1782)

Ll: Sängerknabe

Stilkr: Stil der Altklassik zwischen Caldara u der neueren Sonatenkunst schwankend. Einer der Hauptmeister des vorklass Stils

W: 16 Symphonien, 6 Quartette, 7 Konzerte, 1 Divertimento f Cembalo u Orchester, je ein Vl- u Vcl-Konzert
14 Sonaten, Praeludien u Fugen f Cembalo
Orgelwerke
3 Messen

Ausg: DTÖ 1908 Bd 31 5 Symphonien u 1 Sonate (Horwitz u Riedel)
1912 39 2 Symphonien, Vcl- u Clavicembalo-Konzerte (Fischer)

Lit: DTÖ Bd 39 Thematischer Katalog der Instrumentalwerke ergänzend
1930 L.de la Laurencie: Inventaire du fonds Blancheton; Publ de la Soc franz de musicologie II/1, Paris
1908 H.Riemann: Stamitz oder M?; Blätter f Haus- u Kirchenmusik XII
1915 W.Fischer: Zur Entwicklungsgeschichte-des Wr klass Stils; StMw III/24 /Hab-Schr/
1921/7 K.Nef: Gesch der Sinfonie u Suite; Lpzg
1923/7 H.Abert: W.A.Mozart I; Lpzg
1932 H.Kretzschmar: Führer durch den Konzertsaal (bt v Fr.Noack); Lpzg

Diss: 1913 W.Fischer: M.G.M. als Instrumentalkomponist; Wien DTÖ Bd 39
1938 R.Philipp: Die Messenkomposition des Wiener Vorklassiker G.M.M. u G.Chr.Wagenseil; Wien

x - x - x - x - x - x - x - x - x

STARZER, Josef

/österr Komponist/

* 1726 Wien
† 22.4.1787 Wien

Ll: Violinist u Konzertmeister der Hofkapelle in Wien
1760 als Konzertmeister u Hofkomp in St.Petersburg
1770 Wien

Stilkr: Ballette, die sich großer Beliebtheit erfreuten

W: 20 Ballette
nach 1760 Floras Sieg / L'amore medico — in St.Petersburg
1797 Adelheid v.Ponthien (in St.Petersburg erschienen)
Die Horazier

Singspiele:
1778 Die drei Pächter
1782 Die Wildschützen

1778 La passione di Jesu Christo, Oratorium
Symphonien, Divertimenti, Vl-Konzert, Kammermusik

Lit: 1945 R.-A.Mooser: Opéras, Intermezzos, balletts, cantates oratorios joués en Russie durant le XVIII[ieme] S.; Genf

Diss: 1923 L.Braun: Die Ballett-Komposition J.St's.; Wien, StMw 13/38 (1926)

Bd 32 XVI. BAND Erste Hälfte

HEINRICH ISAAC

CHORALIS CONSTANTINUS

/1.Teil=Bd 10/

Zweiter Teil: Graduale in mehrstimmiger Bearbeitung (a capella)

Bt v Anton von Webern

Mit einem Nachtrag zu den weltlichen Werken v H.Isaac (vgl. Jg XIV Bd I), bt v Johannes Wolf

Einleitung S VII-XII

Originaltitel

Dedication (lat)

Psalmus - CL - Halleluja - Ad lectorem

I. CHORALIS CONSTANTINUS. Zweites Buch (4 stge Sätze)

I.	Officium	natalis Domine
II.	"	circumcisionis Domini
III.	"	epiphaniae Domini
IV.	"	purificationis beatae Mariae virginis
V.	"	annunciationis beatae Mariae virginis
VI.	"	resurrectionis Domini
VII.	"	ascensionis Domini
VIII.	"	sancti spiriti
IX.	"	corporis Christi
X.	"	sancti Johannis Baptistae
XI.	"	Johannis et Pauli martirum
XII.	"	sanctorum Apostolorum Petri et Pauli
XIII.	"	visitationis beatae Mariae virginis
XIV.	"	sanctae Mariae Magdalenae
XV.	"	assumptionis beatae Mariae virginis
XVI.	"	sancti Geberhardi
XVII.	"	sancti Pelugii
XVIII.	"	nativitatis beatae Mariae virginis
XIX.	"	anniversarii dedicationis ecclesiae
XX.	"	sanctae crucis
XXI.	"	Omnium sanctorum
XXII.	"	sancti Martiri Episcopi confessoris
XXIII.	"	praesentationis beatae Mariae virginis
XXIV.	"	sancti Conradi
XXV.	"	conceptionis beatae Mariae virginis

Revb

II. WELTLICHE WERKE (Nachtrag zu Jg XIV, 1.Hälfte /Bd 28/

A Deutsche Lieder 4 stg

1. Tmeiskin was jonck

B Französische Lieder

1. Ami soufre 3 stg
2. Et qui la dira 4 stg

C Italienische Lieder

4. Hora e di Maggio 4 stg

D Lateinische Gesänge

5. Virgo prudentissima 6 stg

E Instrumentalsätze

6. Les, bien amore (Motto: omnis labor habet finem) 3 stg (ohne Texte)
7. A la bataglia 4 stg
8. Der hundt (Fragment) 2 stg

F Hausmusik

9. Ricercar	Orgel	(Klavier)	- Satz	4 stg
10. Maria Junckfrow	"	"	- Satz	
11. ohne Titel	"	"	- Satz	
12. Die zechen gebot	"	"	- Satz	
13. E qui le dira	"	"	- Satz	
14. Hélas	"	"	- Satz	
15. In gottes namen	"	"	- Satz	

Revb

Vorl: Bln: Kgl Bibl
Brüssel: Kgl Bibl
Dijon: Stadtsbibl
Heilbronn: Gymnasialbibl
Florenz: Bibl Naz Centr Panciatichi
Ldn: British Museum
Paris: Bibl Nationale
St.Gallen: Sitftsbibl
Wien: Ministerium f Kunst u Unterricht

Bd 33 Jg XVI Zweite Hälfte

JOHANN GEORG ALBRECHTSBERGER

INSTRUMENTALWERKE

Bt v Oskar Kapp

Bildnis Albrechtsbergers

Einleitung I S VII-XI
II Biographie

Sinfonia C-Dur 1768	
Allegro 4/4 Andante 3/4 Presto 2/4	2 Obi 2 Clarini, 2 Vl Va, Bassi, Tymp
Sinfonia Concertino in D	
Allegro 4/4 Andante 2/4 Menuetto Presto 2/4	2 Fli 2 Obi 2 Fgi 2 Coi 2 Clarini, Tymp, Vl principale, 2 Vl, Alto Viola Vcl e Basso
Quintor in C-Dur 1778	
Adagio Fuga, Allegro maestoso	3 Vli Alto, Basso
Sonata in AS-Dur 1792	
Adagio Fuga, Allegro moderato	[2 Vli, Va, Vcl ohne Bezeichnung]
Quartetto I in D-Dur	
Allegro moderato ¢ Andante 2/4 Menuetto Finale. Andante grazioso	[dass.]
Quartetto II in A-Dur	
Andante Menuetto Scherzando (mit Minore)	[dass.]
Quartetto III in F-Dur	
Allegro 6/8 Adagio cantabile Menuetto Finale. Rondo. Allegro non troppo	[dass.]
Orgelpraeludien	
Andante Andante Poco vivace Andante	

Bd 33

Praeludium für Orgel oder Clavier

Praeludium und Fuge in D-Dur

Praeludium und Fuge in D-Dur

Fuge in D-Dur

Fuge in B-Dur

Fuge über B-a-c-h

Revb

Vorl: Eisenstadt: Fürst Esterhazy
Regensburg: Thurn und Taxis'sches Zentralarchiv
Wien: Musikverein

x - x - x - x - x - x - x - x - x

ALBRECHTSBERGER, Johann Georg

[österr Musiktheoretiker, Theorielehrer u Komponist] * 3.2.1736 Klosterneuburg
† 7.3.1809 Wien

Ll: mehrere Ämter in kleinen Städten
1772 Hoforganist
1792 Kapm am Stephansdom
1794 Lehrer Beethovens

W: gedruckt: Entre'acts zu Heinrich IV
Orgelpraeludien u -fugen
Klavierfugen
18 Streichquartette, 6 Quartettfugen
1 Streichquintett
1 Klavierquartett
6 Streichtrios

hs 26 Messen
6 Oratorien
4 große Symphonien
42 Streichquartette
38 Streichquintette
28 Streichtrios
viele Hymnen, Offertorien, Gradualien usw

Ausg: 12 und 18 Fugen ... in Le Trésor des Pianistes, hgg v A.Farrenc XV
o.J. Messe, hgg v K.Pfannhauser

Schr: 1790 Gründliche Anweisung zur Komposition; 1818^2
1814 frz
1855 engl v Sabilla Novello
1792 Kurzgefaßte Methode, den Generalbaß zu erlernen
1808 Klavierschule für Anfänger u Kleinere Abhandlungen

Ausg: o.J. (1837^2) J.G.A's sämtliche Schriften .... hgg v J.Ritter v.Seyfried
1835 engl Bearbeitung mit Anmerkungen
1844^2 v Choron hgg v A.Merrick

Lit: 1914 A.Weissenböck: J.G.A. - Thematisches Verzeichnis der Kirchenkompositionen J.G.A's; in: Jahrbuch des Stiftes Klosterneuburg VI S.1.
1911 R.Oppel: A. als Bindeglied zwischen Bach u Beethoven; NZfM LXXVIII

Diss: 1907 O.Kappelmacher: J.G.A. Sein Leben und seine Instrumentalkompositionen; Wien
1912 F.A.Weißenbäck: J.G.A. als Kirchenkomponist; Wien StfMw 14/143 (1927)
1932 G.Uebele: J.G.A., der Theoretiker; Wien
1954 A.M.Schramek-Kirchner: J.G.A's Fugenkompositionen in seinen Werken für Tasteninstrumente; Wien (3 Teile)

Bd 34 und 35 Jg XVII

JOHANN JOSEF FUX

CONSTANZA E FORTEZZA

Festa teatrale in 3 Akten. Dichtung v Pietro Pariati
Tänze v Nicola Matteis

Bt v Egon Wellesz

1. Reproduktion+): Teatro e Proscenico della festa Teatrale Costanza e Fortezza.Rappresentata nel Reale Castello di Praga MDCCXXIII
2. " : Teatro Laterali del Proscenia, le quali corrispondono a tutto, L'Amfiteatro
3. " : Grundriß des Theaters

Inhaltsverzeichnis

Einleitung S VII-XXV

Titelblatt des Libretto

Argomento

Verzeichnis der Schauspieler, Szenen u Tänze

4. Reproduktion:+) Grande Campagna attraversata del Fiume Tevere in vicinanza di Roma

Partitur:

Sinfonia Coro I 2 Clarini
2 Trombe
Tymp
Coro II dass.
Coro I u II Vl I II
Flauti I II
Oboi I II
Viole
Vcli, Violoni, Fagotti, Theorbi, Arcitiuti
Cembalo (kleingedruckt)

I. Akt: 14 Szenen u 1 Ballett
II. " : 13 " u 2 Ballette
III. " : 9 " u 3 " u Licenza

5. Reproduktion:+) 1. Gran Massa d'acque
2. Reggia del Tevere
3. Grotta
4. Arco trionfali

+) Scenenbild

Bd 34 u 35

6. Reproduktion: Accompamento dell'Esercito Etrusco sotto Roma
7. " : Giardini Reali o'Tarquinii nel Gianicolo

Revb

Attori:

Publio Valerio Publicola, Consolo di Roma	Praun
Porsenna, Re de gli Etruschi, amante di Valeria	Gaetano
Tito Tarquinio, figliuolo di Lucio Tarquinio detto il Superto, amante di Clelia	Domenica
Valeria, figliuola di Publio Valeria, amante di Muzio e destinata sua sposa	La Borrosini
Clelia, nobile Vergine Romana, Amante di Orazio	Le Ambreville
Orazio, amante di Clelia	Borrosini
Muzio, amante di Valleria e des inato suo sposo	Casati
Erminio, figliuola di P.V., amante di Clelia	Caratini
Il fiume Tovere	
Il Genio di Roma	Barghi
Coro e Comparsi	

Vorl: Wien: Ges der Musikfreunde
kk Hofbibl

Bd 36 Jg XVIII Erste Hälfte

IGNAZ UMLAUF

"DIE BERGKNAPPEN"

Originalsingspielszene in einem Aufzug
Dichtung v Paul Weidmann

Bt v Robert Haas

Titelblatt der Aufführung am 28.4.1778 Nationaltheater nächst der kk Burg
Szenenbild

Einleitung (mit Repertoire der Jahre 1778-1780, 1782 u später) S IX-XXXIV

Partitur u Klavierauszug des Singspiels

Nr 1	Sinfonia	2 Obi 2 Fgi 2 Coi 2 Vli Va Basso
2	Duett: Sophie (Sopr)	
3	Lied: Walcker (Baß)	
4	Terzett: Sophie, Fritz, Walcker	
5	Walcker	
6	Delda (Sopr)	
7	Chor u Arie: Fritz	
8	Arie: Sophie	
9	Duett: Sophie u Fritz	
10	Arie: Sophie	
11	Arie: Delda	
12	Arie: Walcker	
13	Arie: Delda	
14	Arie: Fritz	
15	Musik v Bergleuten	
16	Chor	
16a	....	
17	Rezitativ: Fritz u Chor	
18	" : Sophie	
19	Lied	
20	Rundgesang	

Revb

Vorl: Wiener Hofbibl

x - x - x - x - x - x - x - x - x

Bd 36

UMLAUF Ignaz

/österr Komponist/

* 1746 Wien
† 8.6.1796 Mödling b.Wien
Sohn: Michael

Ll: 1772 Bratschist im Hofopernorchester
1778 Dirigent der dt National Singspiele
1789 Vertreter Salieris bei d Kaiserl Hofkapelle
unterrichtete Erzherzöge

Stilkr: komponierte auf Wunsch Kaiser Josefs II "Die Bergknappen". Damit schuf er das dt Singspiel in Wien Eigenartiges Nebeneinander verschiedenster Stilrichtungen: Buffonummern, Koloraturarien der opera seria, volkstümliche Lieder. - Erst Mozart gelang es, diese Elemente zu verschmelzen

W: Singspiele für Wien komponiert
1772 Die Insel der Liebe
1778 Die Apotheke
1779 Die pucefarbenen Schuhe u Die schöne Schusterin
1782 Das Irrlicht
Der Oberamtmann und die Soldaten
1786 Der Ring der Liebe

Neuausgabe der Bergknappen 1959

x - x - x - x - x - x - x - x - x

/nicht zu verwechseln mit dem Sohne:/

UMLAUF Michael

* 9.8.1781 Wien
† 20.6.1842 Baden b Wien (?)

Ll: 1810-1825 Kapm beider Hoftheater
führte Beethoven'sche Werke auf, (d.h. er stand hinter dem schwerhörigen Beethoven)
Fidelio 1814, 9.Symphonie 1824

Singspiele: 1812 Der Grenadier

Oper: Das Wirtshaus in Granada

x - x - x - x - x - x - x - x - x

/und mit:/

UMLAUF Carl Ignaz Franz

* 19.9.1824 Baden b.Wien

österr.Zithervirtuose (führte die Wr Stimmung ein)

† 13.2.1902 Wien

Bd 37 Jg XVIII Zweite Hälfte

Ö S T E R R. L A U T E N M U S I K IM XVI. J H

HANS JUDENKÜNIG, HANS NEWSIDLER, SIMON GINTZLER, VALENTIN GREFF BAKFARK UND UNIKA DER WIENER HOFBIBLIOTHEK

Bt v Adolf Koczirz

Inhaltsverzeichnis

13 photograph.Reproduktionen v.Lautenbüchern u Hss (A-N)
A Darstellung des Griffumfanges (4 Hände)
B-N facsimilis - Einleitung S XVII-LII

Kompositionen f Laute:

Revb

x - x - x - x - x - x - x - x - x

Bd 37

JUDENKÜNIG, Hans

/dt Lautenvirtuose/ — * um 1450 zu Schwäbisch-Gmünd, † 4.3.1526 Wien

Ll: in Wien zuerst dokumentiert: 1518-1526 Mitglied der zu St.Stephan bestandenen Gottleichnam-Zeche (o.Bruderschaft), darin alles vertreten v Fürsten, Edelleuten bis hinab zu den Kerzelweibern. - H.J. wohnte im Gundlachhaus (Köllnerhof)

Schr: Verfasser der ersten dt Lautentabulaturwerke:
um 1515 Utilis et compendiaria introductio qua ut fundamento jacto quam facillime musicum exercitium instrumentarum et Lutinae et quod vulgo Geygen nominant, addiscitur... (mit Lautenübertragung der Oden-Kompositionen v Tritonius)
1523 Ain schone Künstliche underweisung ... auff der Lauten und Geygen ...

Lt: 1878 J.v.Wasielewsky: Geschichte der Instrumentalmusik im XVI.Jh.

Diss: 1903 A.Koczirz: Der Lutenist H.J.; Wien SIMG VI S 237 (1904/5) in DTÖ Bd 37

x - x - x - x - x - x - x - x - x

GINTZLER, Simon

/Lautenist/ — 16. Jh.

Ll: von 1547 längere Zeit im Dienste des Kardinal-Fürstbischofs v Trient Cristoforo Madruzzo; widmet ihm sein Lautenbuch

Schr: 1547 Intabolatura di lauto; Venedig
1552 4 Stücke bei Gerle: Eyn Newes sehr Künstlichs Lautenbuch; Nürnberg

Ausg: 2 Stücke in O.Chilesotti
1878 s. Wasielewsky: Gesch der Instrumentalmusik ...
1926, J.Wolf: Sing - und Spielmusik; Lpzg
1931[2]

x - x - x - x - x - x - x - x - x

Bd 37

BARKFARK Valentin Greff

/österr. Lautenist/

* 1507 Kronstadt (Siebenbürgen)
† 13.8.1576 Padua (an der Pest)

Ll: Schüler v Antonius Rot (Rota, Rotta)
bis 1549 in Siebenbürgen, dann in Krakau in kgl Dienst
vor 1540 Adelsverleihung
1559 kauft in Wilna ein Haus, das
1566 verwüstet wird
Flucht aus Polen, Reisen durch Frankreich, Italien und Deutschland
1566 "Luttenist" Kaiser Maximilian II.

Schr: (Lehrwerke)
1552 1. Lautenbuch gedruckt
1565 Krakauer Lautenbuch

Lautenisten gleichen Namens: Daniel B., Johannes B.

x - x - x - x - x - x - x - x - x

NEWSIDLER Hans (Neusidler Neysidler)

/dt Lautenist/

* 1508 Preßburg
† 2.2.1563 Nürnberg
in 2 Ehen 16 Kinder
Bruder: Konrad 1564 in Augsburg nachweisbar
Melchior (1507-1590)

seit 1530 in Nürnberg

Schr: (Lehrwerke)
1536 Ein newgeordnet künstlich Lautenbuch/In zwen theyl getheylt; Nürnberg
1540 Ein neues Lautenbüchlein;Nürnberg
1544 2tes Buch
Ein drittes Tabulaturbuch nachgewiesen mit Psalmen und Motetten

Ausg: 1891 hgg v Cholesotti: Lautenspieler des 16.Jhs; Lpzg
o J hgg v H.Neemann: Alte Meister der Laute; Bln
Schering Beispiel 93
1934 hgg v W.Apel: Musik aus früher Zeit; Mainz
Davison-Apel Anthologie I/105

Lit: 1891 E.Radecke: Das deutsche weltliche Lied in der Lautenmusik; VfMw VII
1894 O.Chilesotti: H.N.; RMI
1902 O.Körte: Laute und Lautenmusik; BIMG I/3
1929/30 R.Wagner; ZfMw XII/508

x - x - x - x - x - x - x - x - x

NEWSIDLER Melchior
/dt Lautenist/

* 1507 Preßburg
† 1590 Nürnberg
Bruder v Hans N.

seit 1552 in Augsburg
seit 1565 in Italien

Schr: 2 Lautenbücher

Bd 38 Jg XIX Erste Hälfte

SECHS TRIENTER CODICES

GEISTLICHE UND WELTLICHE KOMPOSITIONEN DES XV. JHS
Dritte Auswahl
Mit 47 Reproduktionen

/II. = Bd 22
IV. = Bd 53/

Bt v Oswald Koller, Margarethe Loew, Erwin Luntz, Franz Schegar

Einleitung I v Guido Adler S VII-XXXVIII
II Franz Schegar
III Margarethe Loew

II a) der Tenor des Kyrie aus d Missa "Caput" v Dufay
b) die Liedweise "Le Serviteur" als c.f. in 32-facher Gestalt
c) das Kyrie aus d Caput-Messe v Dufay: Analyse d Diskantstimme
d) der Diskant des Gloria aus d Caput-Messe v Dufay
e) der Credo
f) der Sanctus
g) der Agnus

III Missa Cod 88 Nr 482-486 "grüne Linden"

A. Dufay: Missa "Caput": facs. 16 Seiten
: Übertragung

B. Okeghem: Missa "Caput": facs. 9 Seiten
: Übertragung

C. Okeghem: Missa "Le Serviteur": facs 12 Seiten
: Übertragung

D. Anonymus: Missa "Le Serviteur": facs. 9 Seiten
: Übertragung

E. Anonymus: Messe "Grüne Linden" ohne facs
Übertragung (3stg!)

Revb

x - x - x - x - x - x - x - x - x

OKEGHEM (Ockeghem, Ockenheim, Okenghem u etwa 40 andere Schreibweisen), Johannes

/franko-fläm.Komponist/

* um 1420 (30) Termonde?
† um 1495 Tours

Ll: 1443/4 Chorsänger an d Kathedrale in Antwerpen
/um 1450 Schüler Dufays in Cambrai?/

1448 in d Kapelle des Herzogs Charles IV Bourbon
in Moulins
1452/3 - 1495 in hochangesehenen Stellungen als Kapellsänger u erster Kapm am frz Königshof
1470 in Spanien
1484 in Flandern

Stilkr: O. prägte den Stil der franko-fläm Polyphonie um 1460 u vertiefte deren Ausdruckskraft

W: vollständige Meßordinarien
Requiem /früheste erhaltene mehrstimmige Totenmesse/
Motetten: Trauergesang auf den Tod Binchois'
Gaude Maria (5stges hervorragendes Werk)
Ut heremita salus (Rätseltenor)
eine 36stge Motette: Wunderwerk
Chansons

Lit: 1864 E.Thoinan: Deploration de G.Cretin sur le trépas de J.O.; Paris
1879 dass. dt in MfM XI
1895 M.Brenet: J.de O.; Paris
1918 A.Schering: Ein Rätseltenor O's; Lpzg
1928 Dr.Plamenac: Autour d'O; RM IX
1937 W.Stephan: Die burgundisch-niederländ Motette zur Zeit O's; Kassel
1951 A.Krings: Die Bearbeitung der gregorian Melodien in d Meßkompositionen v O. bis Josquin des Prez; KmJb XXV
1953 G.Krenek: J.O.; Ldn

Diss: 1925 Dr.Plamenac: J.O, als Motetten- u Chansonkomponist; Diss - Wien

Bd 39 Jg XIX Zweite Hälfte

W I E N E R I N S T R U M E N T A L M U S I K
V O R U N D U M 1750

Vorläufer der Wiener Klassiker.
Zweite Auswahl [I. = Bd 31]

MATTHIAS GEORG MONN u JOHANN CHRISTOPH MANN

Bt v Wilhelm Fischer

Vorwort

Einleitung S VII-XXIV

Thematisches Verzeichnis der Werke v Monn und Mann XXV-XXXIX

Matthias Georg Monn:

Symphonia in D-Dur

Allegro
Andante
Presto — 2 Vli Vcl, Cemb, 2 Coi

Symphonia in G-Dur

Allegro
Andante
Presto — 2 Vli Va obl, Basso, Cemb

Symphonia in D-Dur

Allegro
Larghetto
Allegro — 2 Vli, Va, Basso, Cemb

Symphonia a Quattro in A-Dur

Larghetto
Allegro moderato
Andante (Sätze: Segue subito) — 2 Vli, Va, Basso Cemb

Symphonia a Quattro in B-Dur

Adagio
Allegro
Largo
Allegro assai (Sätze: segue subito) — 2 Vli Va, Basso Cemb

Concerto per Violoncello o Cembalo in g-moll

Allegro
Adagio
Allegro non tanto — Vcl, conc, 2 Vli, Va, Basso, Cemb

Bd 39

Concerto per Clavicembalo 1746

Allegro
Andante
Tempo di Menuetto

2 Vli, Va, Basso
Cemb conc, Cemb cont

Johann Christoph Mann:

Divertimento

Andante molto cantabile
Allegro
Menuet
Finale. Allegro molto

2 Vli, Basso, Cemb

Revb

Vorl: Wien: Ges der Musikfreunde
Archiv des Minoritenklosters
kk Hofbibl
Bln: Kgl Bibl

x - x - x - x - x - x - x - x - x -

MANN, Johann Christoph

[österr.Komponist]

* 1726 Wien
† 24.6.1782 Wien
Bruder des Matthias Monn

Ll: 1750 Musiklehrer in Prag (Graf Kinsky)
ab 1766 Wien

W: 11 Divertimenti f Streichinstrumente, 8 Sonaten u
21 Menuette f Cemb

Bd 40 Jg XX Erste Hälfte

JACOB HANDL (GALLUS)

OPUS MUSICUM

Motettenwerk f das ganze Kirchenjahr
IV. Teil enthaltend d dritte Buch des
Opus musicum: vom Dreifaltigkeitsfest
bis zum Advent (exclusive)

[III. = Bd 30
V. = Bd 48]

Bt v Emil Bezecny u Josef Mantuani

Inhaltsverzeichnis

Alphabet Index

Titel, Widmung u Inhaltsverzeichnis der Vorlage

x) Anzahl der Stimmen

Bd 40

BEGINN DER MOTETTE	x)	SEITE
Ego sum panis vitae	6	37
Ego sum panis vivus	5	48
Eripe me ab inimicis meis (II.pars zu: Auditam)	2	144
Et nunc, Domine, tu scis (II.pars zu: Domine Deus patrum nostrorum)	5	141
Et panis, quam ego dabo (II.pars zu: Ego sum panis vivus)	5	50
Exsultate Deo adiutori nostro	5	146
Fundata est domus Domini	6	118
Gloria tibi Trinitas	8	4
Gloria tibi Trinitas	5	44
Gratia Dei sum id	6	123
Homo quidam fecit coenam	6	32
Jesu dulcis memoria	6	120
Impetum inimicorum ne timueritis	12	104
Ingemuit Susanna et dixit	4	162
In voce exsultationis resonent	6	35
Jubilate Deo omnis terra	4	149
Indica me Deus et discerne	4	160
Laudate Dominum in sanctis eius	4	155
Laus et perennis glrria	8	182
Laus et perennis gloria	6	25
O beata Trinitas, coaequalis	4	54
O beata Trinitas, te invocamus	8	7
O beata Trinitas tibi laus	5	39
O quam metuendus est locus iste	8	77
Orantibus in loco iste (II.pars zu: O quam...)	8	80
O sacrum convivium	6	29
O sacrum convivium	4	59
O salutaris hostia	4	61
O veneranda Trinitas	4	57
Planxit David rex Absalon	8	91
Praeparate corda nostra	4	112
Providebam Dominum	6	127
Quam dielcta tabernacula tua	8	83
Qui manducat meam carnem	5	52
Quoniam non derelinques animam (II.pars zu: Providebam...)	6	129
Sancta Trinitas, unus Deus	6	22
Similiter et calicem (II.pars zu: Jesus, in qua nocte)	8	74
Spiritus tuus bonus (II,pars zu: Auditam fac...)	3	144
Super flumina Babylonis	4	152
Sustinuimus pacem	6	13
Te Deum laudamus	7	9
Te Deum laudamus	4	63
Te Deum patrem ingenitum	6	27
Te ergo quaesumus (III.pars zu:Te Deum laudamus)	7	15
Tu rex gloriae Christe (III.pars zu:Te Deum laudamus)	7	13
Veniet tempus in quo salvabitur	8	110
Verbum caro panem verum	5	46
Vir linguosus non dirigetur	4	157

x) Anzahl der Stimmen

Bd 41 Jg XX Zweite Hälfte

GESÄNGE VON FRAUENLOB, REINMAR VON ZWETER, UND ALEXANDER

nebst einem anonymen Bruchstück der Hs 2701 der Wiener Hofbibliothek

Bt v Heinrich Rietsch

Einleitung S VII-XI

Die Handschrift facs !!! /got Schrift u Neumen auf Linien/
S. 1 - 53

Übertragung

/Aus "Unser Frouwen leich" Frauenlobs/ einstimmig !
/Leich Reinmar v Zweter/
Das ist vrouwinlobis in der grunen wyse
/Fünf Sprüche Frauenlobs/
Das ist heylygyn cruecys leych.
Das ist der Minnekliche leych
Das ist des wildyn allexanders leych
/Lied des wilden Alexanders/
/In der grünen Wiese Frauenlobs/
Meister Walter

Revb

Vorl: Wien: Hofbibliothek

x - x - x - x - x - x - x - x - x

FRAUENLOB (eig. Heinrich v.Meißen)

/Minnesänger/

* Meißen
† 29.11.1318 Mainz
Grab: Dom v Mainz (nach der Sage v Frauen zu Grabe getragen)

Gründer der ersten Meistersingschule in Mainz

Stilkr: stark konservatige Züge, die auf den klass Minnesang hinweisen

W: überliefert in Hs Wien 2701
Liederhs v Jena, Colmar u Donaueschingen
u Singbuch v Adam Puschmann

Ausg: Texte:
1843 L.Ettmüller: H.v.M., des Frauenlobs Leiche. Sprüche, Streitgedichte u Lieder in Bibl d ges dt National-Lit XVI Quedlinburg

Melodien:
1901 G.Holz, Fr.Saran, G.Bernonilli: Die Jenaer Liederhandschrift 3 Bde; Lpzg
1896 P.Runge: Die Sangesweisen der Colmarer-Hs u die Liederhs Donaueschingen; Lpzg
1906 G.Münzer: Das Singbuch des Adam Puschmann; Lpzg

Lit: 1933 H.Kretzschmann: Der Stil Frauenlobs; Jena
1950 A.Reich: Der vergessene Ton Frauenlobs; Mf III
1951 H.Enke: Der vergessene Ton Frauenlobs; Mf IV

x - x - x - x - x - x - x - x - x

REINMAR von ZWETER
/dt Minnesänger/

* am Rhein
† nach 1252 Eßfeld b Ochsenfurt

Spruchdichter, lebte am böhmischen Hofe Wenzels I. von 1235 bis 1241; bezeichnete sich als unmittelbaren Schüler Walthers von der Vogelweide

x - x - x - x - x - x - x - x - x

ALEXANDER, Meister (der wilde)
/dt Minnesänger/

Ende des 13.Jh.

v seinen Melodien sind 4 vollständig u eine fragmentarisch erhalten

Ausg: sämtliche Melodien s Holz, Saran, Bernonilli aaO
1951 hgg v Fr.Gennrich in Troubadours, Trouverès ... Das Musikwerk; Köln

Lit: 1831-39 Fr.J.v. der Hagen: Minnesänger; 5 Bde Lpzg Nendr. 1926
1920 Fr.Loewenthal: Das Rätsel des wilden Alexanders; Zs f dt Altertum LVII
1922 Fr.Ludwig: Anzeiger für das Altertum XLI
1935 R.Haller: Der wilde A.; Würzburg

Diss: 1920 G.Hase: Der Minneleich Meister Alexanders u seine Stellung in der mittelalterlichen Musik; Lpzg. Halle, Niemeyer 1921. In Sächs Forschungsinstitute in Lpzg Jahrb d Phil Fakultät, Lpzg 1920 I, S.6

Bd 42 - 44 Jg XXI

FLORIAN LEOPOLD GASSMANN

LA CONTESSINA (Die junge Gräfin)

Dramma giocosa per Musica in 3 Akten. Textlich nach Carlo Goldoni v Marco Coltellini. Dt Übersetzung der Arien v Johann Adam Heiller

Bt v Robert Haas

Bild Gassmanns (Joan Baltzer sc.Praga)

Einleitung S IX-XIII

Personen-Verzeichnis u Scenentafel

Textbuch nebst dt Übersetzung

Dt Text eines Dresdner-Logenbuchs 1771

La Contessina (Szenenbild)

Orch-Besetzung: 2 Obi Fgi 2 Coi. - 2 Vli Va Vcl e Basso
ohne Cembalo - jedoch mit Klavierauszug

I. Akt:

Sinfonia
Nr 1 Terzett: Lindoro, Gazzetta, Pancrazio
2 Terzett: Lindoro, Gazzetta, Pancrazio
3 Arie: Pancrazio
4 Kavatine: Contessina
5 Kavatine: zu zweit: Lindoro, Contessina
6 Arie: Gazzetta
7 Arie: Vespina
8 Arie: Lindoro
9 Arie: Contessina
10 Arie: Baccellone
11 Finale:

II. Akt:

Nr 12 Terzett: Lindoro, Gazzetta, Pancrazio
13 Arie: Lindoro
14 Rezitativ u Arie: Pancrazio
15 Arie: Baccellone
17 Arie: Contessina
18 Arie: Vespina
19 Terzett: Gazzetta, Pancraziom Baccellone
20 Finale

Bd 42-44

III. Akt:

Nr 21 Arie: Baccellone
22 Chanson: Gazzetta
23 Arie: Vespina
24 Terzett: Contessina, Gazzetta, Lindoro
25 Marsch (Zwischenmusik)
26 Quartett: Contessina, Lindoro, Gazzetta, Baccellone
27 Arie: Pancrazio
28 Quartett: Contessina, Lindoro, Pancrazio, Baccellone
29 Finale

Anhang

A Arie: Contessina
B Arie: Lindoro
C Arie: Contessina

Revb

Vorl: Wien: Hofbibl
Krummau: Fürstl Schwarzenbergsches Zentralarchiv
Brüssel: Bibl d Kgl Konservatoriums
Wolfenbüttel: Herzogl Bibl

x - x - x - x - x - x - x - x - x

GASSMANN, Florian Leopold

/böhm Komponist/

* 3.5.1729 Brüx
† 2o.1.1774 Wien
Töchter: Maria Anna (1771-1852)
Therese (1774-1837)
Opernsängerinnen in Wien

Ll: Anfangsgründe in Brüx
1742-45 verlässt d Elternhaus
? Studien bei Padre Martini in Bologna
1757 Mädchenkonservatorium in Venedig
Komponiert f Venedig die Oper "Merope"
bis 1762 Komponiert f Venedig eine Oper "Der Karneval"
ab 1763 Ballettkomp in Wien
1764 Kammerkompositeur
1772 Hofkapm nach dem Ableben Reutters des Jüngeren
1766 Italien: "Achille in Sciro", Oper in Venedig
1769/70 Italien: "Ezio", Oper in Rom
brachte Schüler A.Salieri nach Wien mit
1771 Gründung der "Musikal Sozietät der Witwen u Waisen"
1772 29.3. erste Akademie der "Tonkünstlersozietät"

Stilkr: als Hofkapm Reorganisator der Hofkapelle. Kirchen-, Kammer- u Orchesterwerke wurzeln tief in der Kontrapunktik des Spätbarocks.
Neigung zu liedhafter Melodik.
In den Kirchenwerken Einfluß Caldaras u Reutters.
Auf dem Gebiete der Oper: Werke v bleibendem Wert, obwohl erst "Ezio" den Anschluß an Glucks Opera seria findet.
Ein genialer Wurf ist "La Contessina" - komische Wirkungen für d gegensätzlichen Welten des kaufmännischen u adeligen Standes.

W: 25 Opern
Kantaten
50 Kirchenwerke
Triosonaten, Quartette
54 Symphonien, teils aus Opern stammend

Ausg: DTÖ 1914 Bd 42-44 La Contessina (Haas)
1938 83 Kirchenwerke (Kosch)
1934 hgg v Geiringer: Sinfonia h; Wien
1937 hgg v G.Kint: Trio; Lpzg
1953 hgg v E.Schenk: Divertimento 2 Vl B.c.;Wien

Lit: 1775 F.M.Pelzel: Abbildungen böhm u mähr Gelehrter u Künstler II; Prag
1908 G.Steinhard: Deutsche Arbeit VII; Prag
1949 MGG K.M. Komma u J.La Rue: Artikel G. u ausführliches Werkverzeichnis
1955 J.Némeček: Natri ćeśke hudby XVIII stol Prag

StMw 2:
1795 Wr Theater-Almanach 1795. Aufzeichnung v L.Sonnleithner
E.L.Gerber: Histor-biograph Lexikon; Lpzg 1791-92
Neues histor-biograph L; Lpzg 1812-14
1815 J.G.Dlabacz: Allg histor Künstlerlexikon f Böhmen; Prag
Riegers Statistik f Böhmen
Wurzbach-Lexikon V. S 96
Köchel: Die Kaiserl Hofmusikkapelle
1885 J.M.Brauner: Ein Brüxer Tonkünstler; Brüx

Diss: 1904 G.Donath: F.L.Gassmann als Opernkomponist; Wien StMw 2/34 (1914)
1924 F.Kosch: F.L.G. als Kirchenkomponist; Wien, StMw 14/213 (1927)
1926 E.Leuchter: Die Kammermusikwerke F.L.G's; Wien

Bd 44a   Jg XXI   Serie II

CHRISTOPH WILLIBALD GLUCK

Werke I. Bd   [II.=Bd 60]

ORFEO ED EURIDICE

Originalpartitur der Wr Fassung v 1762.
Mit neuer deutscher Übersetzung u ausgesetztem Basso continuo

Bt v Hermann Abert
Vorbemerkung
Reproduktion (Scenenbild)
Einleitung S XI-XIX
Titelblatt
Argomento (Inhalt)
Vorl: 1. hs Partitur (Kopie des Originals?) Wr kk Hofbibl Ms 17783
2. erste gestochene Part. Gravé par Chambon In Parigi
3. zwei hs Part - British Museum, London

(Rie[12]:) Von den beiden Fassungen O.' sind kurze Bruchstücke in Urschrift erhalten. Die Urschriften der beiden Iphigenie-Opern verschollen. Von Iphigenie en Tauris längeres Menuetto - Bruchstück mit dt Übersetzung (1781) erhalten.

Orch-Besetzung: 2 Fli Fl traverso Solo 2 Coi 2 Cornetti
2 Trbe 3 Trombi Tymp Fg
2 Vli Va Vcl Basso Cemb Harpa
2 Corni inglesi Chalumeaux

Ouvertüre

I. Aufzug
1. Scene [Chor-Tanz-Chor-Orpheus]
2. Scene [Arie: Amor]

II. Aufzug
1. Scene [Chor-Tanz-Orpheus-Chor]
2. Scene [Arie: Orpheus-Chor-Tanz]

III. Aufzug
1. Scene [Duett-Arie: Euridice-Orpheus]
2. Scene [Amor u die Vorigen]
3. Scene [Tanz-Chor]

Revb
Vorl: Wien: kk Hofbibl
London: British Museum

x - x - x - x - x - x - x - x - x

Bd 44a

GLUCK, Christoph Willibald (Ritter von)

/dt Komponist/ * 2.7.1714 Erasbach b.Berching (Oberpfalz)
† 15.11.1787 Wien

Ll: 1731 G verläßt heimlich d Elternhaus (Vater: Forstmeister bei Fürst Lobkowitz)
Studiert an d Universität Prag, Musik
1735/6 Wien: wird bei einer Soirée im Palais Lobkowitz vom lombard Fürsten Melzi entdeckt. Gluck folgt diesem nach Mailand, studiert 4 Jahre bei Sammartini
1741 "Artaserse" in Mailand
1746 London: La caduta dei giganti" u "Artamene" mit Händel in Berührung (gemeinsames Konzert!)
1747 Schloß Pillnitz bei Dresden "Le nozze d'Ercole e d'Ebe" Serenata teatrale
1748 14.5. Wien Burgtheater: "Semiramide riconscita"
1748 Hamburg: als Kapm der Truppe Minsotti
1749 9.4. Kopenhagen (Schloß Charlottenburg): "La Contesa de Numi" Serenata teatrale. - Gluck als Virtuose auf der Glasharmonika - auch später in London
1750 Prag: "Ezio" - "Issipile" - Truppe Locatelli
1752 Neapel: La Clemenza di Tito
ab 1752 läßt sich Gluck in Wien nieder - vorher:
1750 Heirat mit Marianne Pergin (Tochter eines Großkaufmannes)
1754-56 "herzogl Kapm" des Prinzen v.Sachsen - Hildburghausen
1754 "Le Cinesi" - Buffo-Einakter im Schloßhof des Prinzen aufgeführt - ist der Auftakt v Glucks Wirken am Wr Hofe: Ära Durazzo
1774 kk Hofkompositeur (Oktober)
1762 5.10. Urauff: "Orfeo ed Euridice" - "azione teatrale" /Calzabigi/
1764 Erstdruck der Partitur
1774 19.4. "Iphigénie en Aulide" Gr Oper Paris (unter Leitung des Komponisten) /Le Blanc Du Roullet bearbeitete Racines Tragödie als Libretto; Attaché der frz Gesandtschaft in Wien/ auf Anregung Marie Antoinette's, ehemalige Schülerin v Gluck. - Streit der Gluckisten u Piccinisten
1777 23.9. "Armide"
1779 18.5. "Iphigenie en Tauride" /Guillard u Du Roullet/
1781 in Wien übers v J.B.v.Alxinger
1785/6 Wien gedr: "Klopstocks Oden u Lieder beym Clavier zu singen in Musik gesetzt v Herrn Ritter Gluck" /der Meister liebte es, sie selbst am Clavichord zu singen/

Stilkr: Erneuerer der ernsten Oper im Zeichen der Wahrheit des Ausdruckes, der Einfachheit u der dramat Einheitlichkeit. -
Überwinder it u frz Opernkonvention
Hauptziele der Reform: Musik im Dienste der dramat Idee.
Psycholog Durchdringung des Rezitatives bei Ausschaltung des Seccos. Erneuerung der Chorszene im Sinne d antiken Dramas. - Ouvertüre als Handlungsprolog.

W: 1741 Artaserse (Mailand)
1742 Cleonice (=Demetrio) Venedig
Demofoonte (Mailand)
1743 Tigrane (Crema)
1744 Arsace (Mailand)
Sofonisba (Mailand) teilweise erhalten
La finta schiova (Venedig) Pasticcio
Ipermestra (Venedig)
Alessandro nelle Indie (=Poro) (Turin)
1745 Ippolito (Mailand) als einziges Werk aus der Frühzeit vollständig erhalten!
1746 La caduta dei giganti (London)
Artamene (London)
1747 Le nozze d'Ercole e d'Ebe (Schloß Pillnitz)
1748 Semiramide (Wien, Burgtheater)
La Contesa de Numi (Kopenhagen) Serenata teatrale
1750 Ezio (Prag)
1751/2 Issipile (Prag)
1752 La Clemenza di Tito (Neapel)
1754 Le Cinesi (Wien)
1755 La Danza (Wien, Laxenburg) Pastoral a due
1756 Antigone (Rom)
Il re pastore (Wien)
1760 Tetide (Wien) Serenata
1758 L'Isle de Merlin (Wien)-Vauderille-Komödien
(Kontakt mit Dichter Favart, Paris)
1759 Le diable a quatre (Wien) -"-
Cythère assiégée (Wien)
L'arbre enchanté (Wien)
1760 L'ivrogne corrigé ("Der bekehrte Trunkenbold") (Wien)
1761 Le cadi dupé (Wien)
1764 La rencontre miprévue (Wien) 1776 Kopenhagen
1761 Le festin de Pierre (=Don Juan) (Wien) - Tanzdrama (Chor: G.Angiolini, Buch: R.Calzabigi)
1765 Semiramis (Wien) - Tanzdrama (Chor: G.Angiolini, Buch: R.Calzabigi)
1767 Alessandro (Moskau) - Tanzdrama (Chor: s.o.)
(?=Alexandre et Roxane 1765 Laxenburg)
1774 L'orfano della China (Wien)
1762 Orfeo ed Euridice (Wien), Paris 1774
1763 Alceste (Wien), gedr: 1769 ! Paris 1774
1770 Paride ed Elena (Wien) gedr: 1770!

1763 Il trionfo di Clelia (Bologna), x)
1765 Il parnasso confuso (Schönbrunn, Hochzeitsserenade v.Metastasio) x)
Telemacco (Wien; Zauberoper) x)
La corona (nicht aufgeführt) x)
1767 Prologo (Florenz, zu spielen vor Traettas Iphigenie en Tauride) x)
1769 Le feste d'Apollo (Parma) x)
1774 Iphigenie en Aulide (Paris)
1777 Armide (Paris)
1779 Iphigénie en Tauride (Paris) 1781 Wien (1807)

Ausg: Alle Partituren der sog Reformopern wurden noch zu Glucks Lebzeiten gedruckt

Opern:

1873-96 Pelletan-Ausgaben der Pariser Opern:
Iphigenie en Aulide, - en Tauride, Orphée et Euridice, Alceste, Armide, Echo et Narcisse; Lpzg u Paris
hgg v F.Pelletan, B.Damcke, C.Saint-Saens, J.Tiersot.

DTÖ	1914	Bd 44a	Orfeo ed Euridice (Abert)
	1923	60	Don Juan (Haas)
	1937	82	L'Innocenza Giustificata (Einstein)
DTB		XIV,2	Le Nozze d'Ercole e d'Ebe (Abert)
GA		IV,1	L'Isle de Merlin (Hausswald)
		IV,5	Der bekehrte Trunkenbold (Ruthmann)
GA	1910	I	La Rencontre miprévue (Arend)
	1891		Il Prologo (Waldersee) Lpzg
GA		I,4	Paride ed Elena (Gerber)
		I,10	Echo et Narcisse (Gerber)

Lieder u Gesänge

1917 Glopstock-Oden, Singst u Klavier; hgg v G.Beckmann Gluck-Ges
1792) 1911) Ode an den Tod, hgg v J.Liebeskind, Lpzg
o.J. Lieder u Arien, hgg v M.Friedländer, Lpzg
1908 I lamenti d'amore, Kantate nach Alceste, v Gluck selbst zusammengestellt, hgg v M.Friedländer, Lpzg

Kirchenmusik

o.J. De profundis, für gem Chor u Org, hgg v M.Arend; Hameln

x) nicht von Calzabigi

Instrumentalmusik

1918 7 Triosonaten, hgg v H.Riemann
o.J. Symph F-Dur u Ouvertüre in D-Dur, hgg v Gerber, Kassel
o.J. Symph F-Dur, hgg v H.Scherchen; Zürich
o.J. Symph F-Dur, hgg v H.Gal; Wien
1937 Symph G-Dur, hgg v A.Hoffmann; Wolfenbüttel
o.J. Flötenkonzert (zweifelhaft), hgg v H.Scherchen; Zürich
o.J. 4 Sätze aus Don Juan, hgg v H.Kretzschmar; Lpzg
o.J. Ballettstücke für Orchester aus Opern, hgg v F.Mottl; Lpzg

Lit: Siehe die Vorreden zu den Partituren v Orphée u Paride et Elena; Drucke v 1769 bzw 1770

StMw 1.H. E.Kurth: Jugendopern Glucks bis Orfeo
10.H. R.Haas: Die Wr Ballettpantomime im 18.Jh. u Glucks Don Juan

1904 A.Wotquenne: Cat thematique des oevres de Chr. W.G.; Lpzg, mit dt Übersetzung v J.Liebeskind
1911 J.Liebeskind: Ergänzungen u Nachträge zu A.Wotquenne; Lpzg, mit frz Übersetzung v L.Frankenstein
1958 W.Boettcher: Über Entwicklung u gegenwärtigen Stand der Gluck-Edition; MMl XXX
1913/14 O.Keller: Gl-Bibliographie; Mk XIII
1913-18 Gluck-Jahrbuch hgg v M.Abert; Lpzg

Einzelarbeiten in Riemann u MGG

Biographien:

1854 A.Schmid: Ch.W.R.v.Gluck; Lpzg
1863 A.B.Marx: Gl. u die Oper; 2 Bde, Bln
1882 M.Barbedette: Gluck; Paris
A.Reissmann: Ch.W.Gl.; Bln u Lpzg
1888 M.Welti: Gl.; Lpzg, Reclam u Bibl 2421
1895 G.Newman: Gluck and the opera; London
1906 J.d'Udine: Gluck; Paris
1910 J.Tiersot: Gluck; Paris
1919^4 M.Arend: Gluck; Bln u Lpzg
1934 D.Fr.Tovey: The Heritage of Music II; hgg v Foss, Oxford
1935 M.Cooper: Gluck; London
1936 ders.: Gluck; New York
A.Einstein: Gluck; London u New York
1940 H.J.Moser: Chr.W.Gl.; Sttg
1941, 1950 (2.Aufl.): R.Gerber: Chr.W.Gl.; Potsdam
1948 W.Brandl: Chr.W.R.v.Gl.; Wiesbaden
A.della Corte: Gl.; Florenz
J.G.Prodhomme: Gl.; Paris
1951 R.Tenschert: Chr.W.Gl.; Olten u Freiburg i Br

Bd 44a

Diss:

1908 E.Kurth: Der Stil der opera seria v Ch.W.Gl. bis zum Orfeo; Wien, StMw 1/193 (1913)

1914 St.Wortsmann: Die dt Gluck-Lit 1714-1787; Lpzg, Nürnberg, nach 1914

1919 R.Mayer: Die Behandlung des Rezitativs in Glucks it Reformopern; Halle, Gluck-Jahrb IV S.1 (1919)

1920 H.W.Vetter: Die Arie bei Gluck; Lpzg, Jahrb d phil Fakultät Leipzig; in ZfMw unter dem Titel: Stilkritische Bemerkungen zur Arienmelodik in Glucks "Orfeo" IV S.22 (1921/22)

1922 H.D.Brüger: Glucks dramatische Instrumentationskunst u ihre geschichtl Grundlagen; Teil 1: It Werke (einschließl der Wr Reformopern) Heidelberg, Jahrb d Phil Fakultät Heidelberg (1921/22)

1925 L.Holzer: Die komischen Opern Glucks; Wien, StMw 13/3 (1926)

1926 P.Brück: Orpheus u Eurydike ... Stilkritischer Vergleich d Wr Fassung v 1762 u der Pariser Fassung v 1774; Köln In. AfMw VII S 436 (1925)

1937 H.Goerges: Das Klangsymbol des Todes im dramatischen Werk Mozarts. Studien über ein klangsymbolisches Problem u seine musikal Gestaltung durch Bach, Händel, Gluck u Mozart. - Kiel, Wolfenbüttel, Kallmeyer 1937 (Kieler Beiträge zur MW_5)

Bd 45 Jg XXII

J O H A N N M I C H A E L H A Y D N

MESSEN

Bt v Anton Maria Klafsky

Vorwort

Missa St.Francisci (16.August 1803)
2 Obi, 2 Coi, 2 Clarini in D, Tymp, 2 Vl, Va
Org col Basso, Vcl e Fg
Chor: Canto, Alto, Tenore, Basso
(sehr umfangreich, S. 1 - 110)

Missa in Dominica Palmarum secundum cantum choralem
(Salzburg 1794)
Canto, Alto, Tenore, Basso, Organo (kurze Sätze)

Missa tempore Quadragesimae (Salzburg 1794)
4 voci in pieno col'Organo
(wie oben)

Revb

Vorl: Bln: Kgl Bibl

Bd 46 Jg XXIII 1. Teil

ANTONIO DRAGHI

KIRCHENWERKE

enthaltend 2 Messen, 1 Sequenz, 2 Hymnen

/Bt v Guido Adler/

Vorwort

Missa à 9 (1684)

Vl primo concertato, Vl secondo concertato, Va prima concertato, Va seconda concertato, Org e Violone
Chor: Canto I II Alto Tenore Basso

Missa assumptioni (1684)

2 Cornetti 4 Trombi
2 Vli 4 Ve Org e Violone
Chor: wie oben

Stabat mater à 4 Per la Processione

/Canto, Alto, Tenore, Basso/

Hymnus de communi Apostolorum tempore Paschali

"Tristes erant Apostoli"

Org, Vcl e Violone
Sopr Alto Basso

Hymnus "Vexilla regis"

Organo, Tiorba e Violone
Canto, Alto, Basso

Revb

Vorl: Kremsmünster: Stiftsbibl
Wien: Hofbibl

x - x - x - x - x - x - x - x - x

Bd 46

DRAGHI, Antonio

/it Opern- u Oratorienkomponist/

* 1635 Rimini
† 16.1.1700 Wien
Sohn: Carlo Domenico (1667-1711) Organist, schrieb Einlagen zu den Opern seines Vaters

Ll:	1657	Bassist in Venedig
	1658	in Wien, Hofmusiker der Kaiserinwitwe Eleonore
	1669	Kapm
	1673	Intendente delle Musiche teatrale des Kaisers Leopold I
	1682	Hofkapm

Stilkr: Nachbildung des Stiles Cesti. - Kurze, strophisch gegliederte Arien u tonmalende Wendungen
Texte zumeist v Nicolò Minato, doch verfasste Draghi selbst 1661-69 ein Oratorium- u Opernlibretti

W: 1663-99 172 Opern u Kleinere Bühnenwerke, 1 Stabat Mater u einige Hymnen

Ausg: Schering, Beispiele 226
Riemann, Beispiele 115-116

Lit:	1901	M.v.Weilen: Zur Wr Theatergeschichte; Wien
	1916	G.Adler: Zur Geschichte der Wr Meßkomposition; StMw 4

Diss: 1913 M.Neuhaus: A.D.; Wien, StMw 1/142 mit Werkverzeichnis

Bd 47 Jg XXIII 2. Teil

JOHANN JOSEF FUX

CONCENTUS MUSICO-INSTRUMENTALIS

enthaltend 7 Partiten u zwar: 4 Ouvertüren, zwei Sinfonien, eine Serenade

Bt v Heinrich Rietsch

Vorwort

Titel

Widmung (dedicatus Josepho Primo Romanorum Regi)

Ad musicum

Catalogo

I. Serenada à8

2 Trbe, 2 Obi, Fgi, 2 Vli, Va, Basso e Cemb

Marche
Gigue 6/8 Prestissimo
Menuet
Aria 4/4
Ouvertüre ¢
Menuet
Gigue 6/8 Prestissimo
Aria 3/4
Aria 3/2
Boureé Première
Bourée secondo
Intrada C (längster Satz)
Rigaudon ¢
Ciacona 3
Gigue 6/8
Menuet
Finale ¢

II. Sinfonia [in Catalogo: Ouvertüre]

2 Obi (col) 2 Vli, Va, Fgt e Basso, Cemb

Allegro assai C
Libertein 3/4
Entrée ¢
Menuet
Passepied 3
Ciacona 3 (längster Satz)

III. Ouvertüre

2 Vli Va Basso Cemb

[Adagio] Allegro ¢ -
Aire 3/4
Menuet
Follie 3/2 (Allegro)
Bourée ¢
Gigue 6/8 Prestissimo

IV. Ouvertüre

∅ Rigaudon ∅ Trio Bouré ∅ Aire la Double 3 Menuet Aria in Canone 3 Passacaille (längster Satz) 3	2 Obi (col) 2 Vli Va Fgt e Basso Cemb

V. Ouvertüre

∅ Aria 3/4 Menuet Aire la Volage 6/8 (Allegro) Marche des Ecuriens ∅ (Presto) L'ingealité ∅ (lentement wechselt mit Prestissimo)	2 Vli Va Basso Cemb

VI. Ouvertüre

∅ Aria 3 Menuet. Sarabande 3 Gigue en Rondeau Finale. Adagio/Allegro C	2 Vli Va Basso e Cemb

VII. Sinfonia

Adagio/Andante C 3/4
La joye des fides sujets 3/4 Allegro
Aria Italiana 6/8 (komb mit Aire française)
Les énemis confus 3/4

Thematisches Nachschlageverzeichnis

Revb

Vorl: Bln: Kgl Bibl
Marburg: Prof. Richard Wagener

Bd 48 Jg XXIV

J A C O B H A N D L (G A L L U S)

OPUS MUSICUM

Motettenwerk für d ganze Kirchenjahr
V. Teil:
enthaltend den ersten Teil des IV.Buches von Opus musicum: Gesänge für die Feste der Heiligen

/IV. = Bd.40
VI. = Bd.51/

Bt v Emil Bezecny u Josef Mantuani

Parte zur Erinnerung an den Tod Kaiser Franz Josefs I.
18.8.1830 - 21.11.1916

Alphabet Index

Titel, Druckprivilegium, Widmung u Inhaltsverzeichnis der Vorlage (des IV. Bandes nach Stimmenzahl u zusammenfassenden Gruppen mit Titel, wie I. Gr: De Gloriosissima Virgine Dei Genitrice Maria).

Alphabet Index

x) Anzahl der Stimmen

Bd 48

BEGINN DER MOTETTE	x)	SEITE
Haec est vera fraternitas	8	69
Hoc est praeceptum meum	8	54
Ibant apostoli gaudentes	8	52
In hac die Christophorus	8	60
Innuebant autem patri eius (=II.pars zu: Elisabethae)	8	79
Isti sunt triumphatores	8	49
Nativitas gloriosae virginis Mariae	8	21
Nativitatem beatae Mariae	6	135
Nympha refer, quae sit vox	8	87
Ornatam monilibus filiam Jerusalem	6	131
Quae est ista, quae ascendit	6	133
Quam pulchra es, anima mea	8	15
Quasi cedrus exaltata sum	6	140
Salve, nobilis virga Iesse	8	10
Sancta et immaculata virginitas	6	143
Sapientiam omnium antiquorum	12	99
Surge, propria amica mea	8	1
Vidi speciosam, sicut columbam	6	137
Virgines prudentes, aptate lampades	8	124
Vox tonitrui tui	8	58

Revb

x) Anzahl der Stimmen

Bd 49 Jg XXV 1. Teil

MESSEN VON HEINRICH BIBER, HEINRICH SCHMELTZER, JOHANN CASPAR KERLL

Bt v Guido Adler
Vorwort S VII-IX

F.H.Biber: Missa Sti Henrici (1701)
2 Vli 3 Va Vne e Organo Chor
2 Clarini 3 Trombi Tymp

H.Schmeltzer: Missa nuptialis
2 Vli Org e Vne Chor (u Soli)
2 Trbe concertate

J.C.Kerll: Missa cujus toni (1687)
2 Vli Fgt o Va Org e Vne
3 Trombi Chor

Missa a tre cori (1687)
2 Vli 3 Ve Org e Vne
2 Clarini 2 Cornetti 3 Tromb
3 Chöre (u Soli)

Revb
4. Beiheft der DTÖ: G.Adler: Zur Geschichte der Wr Meßkomposition in der 2.Hälfte des 17.Jhs.

Vorl: Kremsmünster: Stiftsbibl

x - x - x - x - x - x - x - x - x

SCHMELTZER v. Ehrenruff, Johann Heinrich
[österr Violinist u Komponist]

* um 1623
† 30.6.1680 Wien
Sohn: Andreas Anton (26.11.1650, †13.10.1701) Violinist der Wr Hofkapelle 1671-1700)

Ll: ab 1649 Kammermusiker Hofkapelle Wien
1671 Vizekapellmeister
1679 Hofkapm. als erster Österreicher nach der niederländischen u inmitten der it Zeit am Kaiserhof

Stilkr: bekannt durch Aufzugssuiten u Komponist v Balletten für d Opern Draghis u für Bertalis "La contesa dell' aria e dell'acqua" (gedr als "Arie per il balletto à Cavallo ..." 1671, Wien)

W: 1662 Sacro-profanus Concentus musicus, Nürnberg (2-8stge Sonaten f Vl, Va u Pos)
1664 Sonatae imarum fidium seu a Violino Solo, Nürnberg (der 1.dt Druck v Sonaten f Solo-Violine mit B.c. - Ostinato-Variationen)
1669 Duodena selectarum Sonatarum, Nürnberg (12 Triosonaten)

hs Vokal- u Instrumentalwerke in den Bibl Wien, Kremsier u Uppsala

Ausg: DTÖ 1918 Bd 49 Missa nuptialis (Adler)
1921 56 Balletti (Nettl)
1958 93 Sonate unarum fidium (Schenk)
1963 105 Duodena Selectarum Sonatarum (Schenk)
1965 111/112 Sacro-profanus concentus musicus (Schenk)

1941 3 Stücke z Pferdeballett hgg v H.Schultz RD XVI

Lit: 1914 E.Wellesz: Die Ballett-Suiten v J.H. u A.A. Schmeltzer; Sitzungsbericht Wien CLXXXVI, 5
1921 P.Nettl: Wr Tanzkomp; StMw 8

Diss: 1916 G.Beckmann: Das Violinspiel in Deutschland vor 1700; Bln 1916, ersch 1948

x - x - x - x - x - x- x - x - x

KERLL, Johann Caspar von (Kerl, Kherl, Cherle)

/dt Komponist/

* 9.4.1627 Adorf (Vogtland)
† 13.2.1693 München
Sohn des Orgelmachers u Organisten Kaspar Kerll

Ll: angestellt bei Erzherzog Wilhelm (Brüssel)
Wien: Schüler v Valentini
Rom: Schüler v Carissimi u Frescobaldi
1656 kurfürstl Vizekapm in München
1659 kurfürstl Rat
bis 1674 kurfürstl Hofkapm

Bd 49

1664 geadelt v Kaiser Leopold I
1677 Wien: Organist am Stephansdom
1684 wieder in München

Stilkr: Schüler: Pachelbel
Anregungen v Frescobaldischem Klavierstil, brachte diesen nach Süd-Deutschland;
locker gefügte Formen bis einheitlich durchgebildete Kompositionen

W: 1657-1672 in München aufgeführt d Opern:
Oronte, La pretensione del sole, Erinto, L'amor della patria, I colori geniali, torniamento di luce u Amor tiranno
erhalten nur d Jesuitendrama: Pia et fortis mulier 1677 (aufgeführt in Wien)

1686 Modulatio organica super Magnificat octo tonis (Vor-, Zwischen u Nachspiele f Orgel)
Klaviersuiten u Toccaten, Trio-Sonate

1669 2 Bücher Messen 2-5stg, München
1689 " " 4-6stg
Requiem auf Kaiser Leopold I

Ausg: DTÖ 1918 Bd 49 Messen (Adler)
1923 59 Requiem (Adler)
DTB II,2 Ausgewählte Werke (Sandberger)

Lit: 1899 M.Seiffert: Geschichte der Klaviermusik (=3.Auflage v C.F.Weitzmanns "Geschichte der Klaviermusik); Lpzg
1916 G.Adler: Zur Geschichte der Wr Meßkomponisten... StMw 4
1930 G.Valentin: Die Entwicklung der Tokkate ...; Univ.-Archiv mw Abtg VI, Münster
1935 S.Frotscher: Geschichte des Orgelspiels u der Orgelkomposition I; Bln

Bd 50 Jg XXV 2. Teil

ÖSTERR. LAUTENMUSIK ZWISCHEN 1650 UND 1720

Bt v Adolf Koczirz
Inhaltsverzeichnis
4 photographische Wiedergaben
Vorwort S VIII-XII
Übersicht über den technischen Stand der Laute

I. Johann Gotthard Peyer: (um 1670)
Lusus testudine tenores gallici teutonico labore textus, für Laute allein
Allemande ¢
Courante 3
Sarabande suivante 3
Gigue 3
Caprize 3
Double 3

II. Ferdinand Ignaz Hinterleithner: (1659-1710)
Lauten-Concert mit Violin u Baß (1699)
Präludium
Lauten-Concert IX Allemande ¢
Courante 3/4
Gavotte ¢
Menuett 3/4

III. Johann Georg Weichenberger: (1677-1740)
Lauthen-Concert (Laute, Vl u Baß)
Ouvertüre
Entrée C
Courante 3/4
Sarabande 3
Paesana ¢
Gigue 6/8

IV. Graf Logi:
(Laute allein)
a) Partie: Ouvertüre C, 6/8
Allemande ¢
Courante Carriglon 3̸
Sarabande 3̸
Menuette
Gigue 3/4
Double ¢
Gigue 12/8

b) Courante Extraordinaire

c) Inventions I. Gigue qui imite Coucou 3
II.Echo 3̸

V. Wenzel Ludwig Freiherr v.Radolt: (1667-1716)

Die Aller Treüeste Freindin (1701):

Concert für Laute, Geige u Baß:
Aria C
Parthie - Allemande C
Courante 3
Sarabande 3
Gavotte ¢
Bourrée C
Menuette
Gigue 6/8

Contra-Parthie (2 Lauten, Geige u Baß)
Ouvertüre c, 6/8
Aria Pastorale C
La querelle des Amantes C
La mesme C
Menuette en Canon
Capricio en Canon 3
Gigue 6/8
Menuett 3/4
Menuett â Sola

VI. Johann Theodor Herold: für Laute allein (um 1700)

Harmonia quadripartita (1702):
Partita secondo: Air ¢
Gigue 3̸
Double 3̸
Air 3̸
Double 3̸
Gigue 3̸
Gavotte ¢
Menuette en Rondeau 3̸
Air 3̸
Menuette
Bourée ¢
Echo 12/8
Ciaconne 3̸

VII. Jacques de Saint Luc:

Prélude en Rondeau
Menuet du Tambour de Basque
Tambeau de Mr Francois Ginter

Stücke für Laute mit Violin u Baß:

Bd 50

I. L'arivée du Prince Eugenè
   Allemande C
   Air 3
   Chaconne 3
   Gigue 6/8
   Ballet ₵
   Gillotin dançant au Bal ₵ /Bransle/

II. La feste du non de Son Altesse Msgr. le Prince de Lobkowitz (Marche ₵)

III. La Reyne de Prusse (Sarabande 3̸)

IV. Le Cocg (Gigue 6/8)

V. Carillon d'Anvers ₵

Anhang

A. Heinrich /Ignaz ?/ Johann Franz Biber
   Passacaglia

B. Georg Muffat
   Passacaglia

C. Graf Tallard (frz Heerführer, + 1652)
   La Prise 3
   L'Entreé 3
   Gavotte ₵
   Menuet
   Air en Echo ₵
   Chaconne 3

D. Rochus Berhandizki
   Tambeau du feu Son Exc. Monsgr le Générale Sereni (Allemande ₵)

Revb

Vorl: Wien: Hofbibl
Raigern in Mähren: Musikalienbibl d Benediktinerstiftes
Raudnitz an d Elbe: Fürst Lobkowitz'sches Familienarchiv

x - x - x - x - x - x - x - x - x

PEYER, Johann Gotthard

Ll: v 1.7.1672 bis 1678 war P. Hofkaplan des Kaisers Leopold I an d Wr Hofburgkapelle
3.8.1678 entlassen - 1672 an d Wr Universität immatrikuliert

Die Lautenpartie Peyers erweist, daß die neue frz Manier der Gautiers u ihrer Schule in Österreich schon vor 1760 geläufig war u hier gepflegt wurde (Zuth).

x - x - x - x - x - x - x - x - x

Bd 50

HINTERLEITHNER, Ferdinand Ignaz

* 16.11.1659 Penzing
† 4.12.1710 Wien

starb in Wien als Rechnungsrat der Kaiserl Hofkammer-Buchhalterei,
51 Jahre alt

Bibliographie in StMw 5/50 f

x - x - x - x - x - x - x - x - x

WEICHENBERGER, Johann Georg

* 1677 Wien
† 1740 Wien

Beamter der Kaiserl Hofkammer in Wien
Seine künstlerische Wirksamkeit ist zwischen 1700 u 1720 anzusetzen
63 Jahre alt

Bibliographie in StMw 5/63 f

x - x - x - x - x - x - x - x - x

GRAF LOGI, Johann Anton Graf Losy v.Losintal

* zw.1643 u 1647 bei Prag
† 1721 Prag

Kämmerer der r.-k.Majestät u Kammerrat im Königreich Böhmen, zuletzt Geh.Rat

geb auf einem Familiengut bei Prag, besaß ein "Gartengebäude" in der Leopoldstadt (um 1705)

Bibliographie: StMw 5/82 f

Werke: Partie mit 11 Sätzen für d Laute, Wien - N-Bibl
"Pièces par le comte Logis" Guitarre-Tabulaturbuch in Raudnitz,
Lautenstücke in Kremsmünster, Stiftsbibl und im Chorherrnstift Klosterneuburg

Ausg: 1919 J.Zuth: Guitarre-Komp des Grafen Logo; Wien
1920 P.Nettl: Musicalia ...; Mitteilungen des Bundes der Deutschen in Böhmen

x - x - x - x - x - x - x - x - x

Bd 50

WENZEL LUDWIG Freiherr v.Radolt

* 18.12.1667 St.Michael
† 1716 Wien,
49 Jahre alt

verh. 16.1.1708 mit Maria Susanne Freiin v Grundemann

Bibliographie: StMw 5/56 f
Musica divina I (4-5)

x - x - x - x - x - x - x - x - x

JACQUES de Saint Luc

ca. 1650 - 1700

aus dem Artois gebürtig
Instrumentist der Kgl Kapelle in Brüssel (1673-1684)
Ende des 17.Jhs Kammerlautenist des Königs v Frankreich,
dann in Diensten des Prinzen Eugen v.Savoyen in Wien

Er bestritt ganz allein Tafelkonzerte auf der Theorbe,
Laute u Guitarre

in Wien bis 1708 (erwiesen) - bedeutender Künstler
Hofvirtuose!

Bibliographie: StMw 5/64 f

Bd 51-52 Jg XXVI

JACOB HANDL (GALLUS)

OPUS MUSICUM

Motettenwerk für d ganze Kirchenjahr

IV. (Schluß-)Teil: enthaltend den zweiten u letzten Teil des IV.Buches v Opus Musicum, Gesänge für die Feste der Heiligen) /V. = Bd 48/

Bt v Emil Bezecny u Josef Mantuani

Inhaltsverzeichnis: Motetten für die Feste der Heiligen

Alphabet Index

BEGINN DER MOTETTE	x)	SEITE
Absterget Deus omnem lacrimam	6	20
Accipient iusti regnum	4	195
Ad festa sanctorum ecclesiae patrum	5	126
Amavit eum Dominus	6	34
Audi filia et vide	4	204
Ave Maria, gratia plena	5	79
Beata es, virgo Maria	5	66
Beati estis, cum maledixerunt	4	162
Beatus Andreas expansis manibus	5	92
Beatus Laurentius orabat	5	116
Beatus Nicolaus pontificatus infulis	4	196
Beatus vir, qui in lege Domini	4	188
Beatus vir, qui inventus est	5	124
Beatus vir, qui suffert	6	25
Caecilia valedicens fratribus (II.pars zu: Dum aurora finem daret)	6	64
Cantate Domino canticum novum	2 4	224
Congratulamini mihi omnes	4	151
Consurgat, Domine, Michael	5	142
Corona aurea super caput eius	6	42
Costi regis tenerrima	4	212
Dederunt apostoli sortes	5	96
Descendit angelus Domini	5	110
Deus, qui nos per beatos	4	172
Diffusa est gratia	5	136
Domine, praevenisti eum	4	190
Domine quinque talenta	5	120
Dum aurora finem daret	6	62
Dum steteritis ante reges	6	6

x) Anzahl der Stimmen

Bd 51-52

x) Anzahl der Stimmen

BEGINN DER MOTETTE	x)	SEITE
Magnus inter magnos	4	202
Michael coeli signifer	4	213
Misit Herodes rex manus	4	166
Mulierem fortem quis inveniet	4	208
Multae filiae congregaverunt	6	52
Multae tribulationes iustorum	5	104
Nativitas tua, Dei genetrix	5	76
Nigra sum, sed formosa	5	81
Non vos me elegistis	6	16
O Michael, coeli signifer (II.pars zu: Consurgat, Domine, Michael)	5	144
Petre, amas me ?	6	12
Posui adiutorium	4	199
Propter testamentum Domini	4	182
Quia vidisti me, Thoma	5	94
Qui gloriatur, in Domino glorietur	4	206
Qui me confessus fuerit	4	174
Qui operatus, est Petro	6	14
Qui vult venire post me (II.pars zu: Qui me confessus fuerit)	4	176
Quod chorus vatum	4	153
Regali ex progenie	4	155
Regnum mundi et omnem ornatum	4	210
Revertere, Sunamitis	6	60
Sancti et iusti in Domine gaudete	5	86
Sancti mei, qui in carne	4	178
Sancti per fidem vicerunt	5	84
Sanctus Bartholomaeus, qui princeps	4	168
Sebastianus Dei cultor	4	184
Sedentem in telonio	4	170
Simile est regnum coelorum	5	133
Si quis mihi ministraverit	6	44
Specie tua et pulchritudine (II.pars zu: Veni electa mea)	6	56
Stola iucunditatis induit	5	102
Surge, propera amica mea et veni	4	148
Surge, propera amica mea, speciosa (II.pars zu: Surge, propera amica mea et veni)	4	149
Tanto tempore vobiscum sum	5	98
Tollite iugum meum	4	160
Tota pulchra es, amica mea	5	68
Trahe me post te	5	140

x) Anzahl der Stimmen

BEGINN DER MOTETTE	x)	SEITE
Valde honorandus est	6	10
Veni electa mea	6	54
Veni sponsa Christi	5	134
Virgo prudentissima	4	146
Viri sancti gloriosum sanguinem	6	27
Vitam petiit (II.pars zu: Domino praevenisti eum)	4	191
Vos amici mei estis	4	158
Vos, qui reliquistis omnia	6	4
Vulnerasti cor meum (II.pars zu: Tota pulchra es, amica mea)	5	70

Revb: I. Texte u Cantus firmi
II. Musik

x) Anzahl der Stimmen

Bd 53 Jg XXVII Erste Hälfte

SECHS TRIENTER CODICES

GEISTLICHE UND WELTLICHE KOMPOSITIONEN DES XV. JHS

Vierte Auswahl /III. = Bd 38
V. = Bd 61/

Bt v Rudolf Ficker u Alfred Orel
Vorbemerkung

Reginaldus Liebert: Missa

Introitus "Salve sancta parens" - Kyrie-Gloria-Graduale "Benedicta et venerabilis" - Alleluja "Ora pro nobis" Prosa "Ave mundum gaudium" - Tractus - Credo - Offertorium "Ave Maria" - Sanctus - Agnus - Communio "Beata viscera"

Guillaume Dufay:

Alma redemptoris - Anima mea lignefacta est - Ave maris stella - Ave virgo - Benedicamus - Nuper rosarium flores - Pange lingua - Veni sanctus spiritus - Basilissa ergo gaude.

MARIANISCHE ANTIPHONEN

Alma redemptoris

Nr 1 Leonel (Dunstable)
2 Anonym
3 "
4 "

Salve regina

Nr 1 Dunstable
2-13 Anonym

HYMNEN

Ave maris stella

Nr 1 Leonel
2-8 Anonym

Christe redemptor

Nr 1-5 Anonym

Pange lingua

Nr 1 Mergues
2 Touront
3-7 Anonym

Veni creator

Nr	1	Battre
	2	Binchois
	3-5	Anonym

Revb	S 92-94	Reginaldus Liebert: Missa
	S 95-100	d Verarbeitung des Chorals in d Oberstimme der Missa v Liebert (v.R.Ficker)
	S 101-102	Dufay
	S 102-105	Marianische Antiphonen
	S 105-107	Hymnen (Dr.A Orel)

x - x - x - x - x - x - x - x - x

LIEBERT, Reginaldus (Libert)

Komponist d 15.Jhs
über d Leben nichts bekannt
ab 1428 päpstl Kapellsänger

W: Marienmesse in 11 Sätzen (3stg)
Chansons

Bd 54 Jg XXVII Zweite Hälfte

DAS WIENER LIED VON 1778 BIS MOZARTS TOD

Bt v Margarete Ansion (Text) u Irene Schlaffenberg (Musik)
Einleitung S VII-X

Josef Anton Steffan (1726-1797)

Nr 1 Das Veilchen im Hornung (Joh.Wilh.Ludwig Gleim)
2 Philis an Damor (Edwald v.Kleist)
3 Phidile (Matth.Claudius)
4 Amynt (G.v.Kleist)
5 Die Cidly (F.Gottlieb Klopstock)
6 Doris (Albrecht v.Haller)
7 Das Veilchen auf der Wiese (Goethe)
8 Dein süßes Bild (F.G.Klopstock)
9 Er, dem ich einst alles war (Joh.Martin Miller)
10 Seid mir gegrüßt, ihr Täler der Gebeine (o A)
11 O liebes Mädchen, höre mich! (o A)
12 Klagen (Christian Felux Weisse)
13 Ja, ja, ich schweige, liebste Seele (o A)
14 Gold'ne Freiheit ! (o.A.)
15 Der Soldat (Chr.F.Weisse)
16 Der Frühling (J.M.Miller)
17 Die Alte (Friedr.v.Hagedorn)
18 Philander u Pedrille (Heinr.Aug.Ossenfelder)
19 Das Mädchen am Ufer (Joh.Gottfried Herder)
20 Landlied (ders.)
21 Lust am Liebchen (Gottfr. A.Bürger)
22 Schwanenlied (ders.)
23 Edward u seine Mutter (J.G.Herder)
24 Das strickende Mädchen (ders.)
25 Liebesbund (Joh.Georg Jacobi)
26 Chloe an Thyrsis (Marianne v.Ziegler)
27 Das zärtliche Mädchen (o A)
28 Der Mädchenlehrer (o A)
29 An Minna (o A)
30 Die schwarze Erde trinket (19.Ode d Anakreon)
31 Schlachtgesang(Karl Mastalier)

Carl Friberth (1736-1812)

32 An den Mond (Gottlieb Leon)
33 An Chloen (Joh.Peter Uz)
34 Als er seinem Tode entgegensah (Leop.Friedr.Günther v.Goekingh)
35 Das schlafende Mädchen (Just.Friedr.Wilh.Zacharias)
36 Das ungetreue Mädchen (Graf v.Schlieben od Putbus ?)

37 Die unglückliche Liebe (o A)
38 Warnung an die Mädchen (In Ramlers Blumenlese)
39 Sehnsucht nach dem Frühling (Jsakscher Falkensohn Behr)
40 Abschied an Adelinen (o A)

Leopold Hofmann (1738-1793)

41 Die Nacht (o A)
42 An Thyrsis (Chr. Marianne v.Ziegler)

Johann Holzer (um 1779)

43 Der verschwiegene Schäfer (Christ.Heinrich Boie)
44 An Chloe (Joh.Georg Jacobi)
45 Der Kaiser (Wilh.Ludwig Gleim)
46 Das Leiden der Liebe (Aus den literar.Monaten)
47 In Abwesenheit des Geliebten zu singen (Alois Blumauer)
48 Liebeszauber (G.A.Bürger)
49 Zwei Augen (A.Blumauer)
50 Bei Übersendung eines Blumenstraußes (Sophie Albrecht)
51 Trennungslied (Jos.Franz Ratschky)
52 Die gute Stunde (Klamer Eberhardt Karl Schmidt)
53 Abschied eines Seefahrers (Adolf Julius Laur)
54 Der Wandrer (In "Brieftasche aus den Alpen")
55 Kupido (Gottlieb Leon)
56 Liebeslied (ders.)

Wilhelm Pohl (um 1780)

57 Die Echo (Aus Herders Alpenliedern)
58 Das Lied vom Schmetterling (ders.)
59 Amor im Tanz (Heinrich Albert)
60 Das Mädchen am Ufer (Herders Volkslieder)

Martin Ruprecht (1758-1800)

61 Lotte bei Werther's Grabe (Joh.Heinrich Freiherr v. Reitzenstein)
62 Werther's Geist an Lotte (Georg Ernst Rüling)
63 Romanze (o A)

Leopold Koželuch (1748-1818)

64 An die kleine Schöne (G.E.Lessing)
65 Die Mitternacht (Gottlieb Fuchs)
66 Vogelstellerlied (Moritz Aug.v.Thümmel)
67 Stutzerlied (A.Blumauer)
68 An Chloen (J.G.Jacobi)
69 Der Langmut Lohn (Friedr.Wilh.Gotter)

J.J.Grünwald (um 1780)

70 Der Frühling (Karl v.Lackner)
71 Nach einem alten Liede (J.G.Jacobi)
72 Herr Bachus (G.A.Bürger)

73 Suschen (o A)
74 Das Todtengräberlied (Christ.Heinr.Hölty)
75 Der Schmetterling und die Biene (o A)
76 Die tote Nachtigall (Joh.Nepomuk Ritter v.Kalchberg)

Marie Therese Paradis (1759-1824)

77 Das Gärtnerliedchen a.d.Siegwart (J.M.Miller)
78 Morgenlied eines armen Mannes (Joh.Timotheus Hermes)

Johann Christoph Hackel (1758-1814)

79 Die Schäferin (Joh.Nikolaus Götz)
80 Die Zufriedenheit (Heinr.Christian Leberecht Senf)
81 An die Mitternacht (Gottlieb Fuchs)

Anton Hoffmeister Franz (1754-1812)

82 Der Entschluss (o A)
83 An den Mond (Joh.Tim.Hermes)
84 An die Nachtigall (Caroline Rudolphi)
85 Am Fenster, bei Mondenschein (H.Chr.L.Senf)
86 Ariette (o A)

Revb

Vorl: Wien: Hofbibl
Bibl der Gesellschaft der Musikfreunde
Mchn: Staatsbibl
Königsberg: Universitäts-Bibl

x - x - x - x - x - x - x - x - x

STEFFAN, Joseph Anton (Štepán)

/böhmischer Komponist/ * 14.3.1726 Kopidlno (Böhmen)
† 12.4.1797 Wien

Ll: Schüler Wagenseils
Hofklaviermeister, unterrichtete die Erzherzogin Marie Antoinette, Elisabeth Marie Karoline

Stilkr: seine Sammlung deutscher Lieder ist d Ausgangspunkt des dt Wr Liedes
Von Bedeutung sind seine Klaviersonaten, besonders d zahlreichen, in Kremsier erhaltenen handschriftlichen, in denen St. weniger traditionsgebunden erscheint

W: Sammlung deutscher Lieder für das Klavier
1778 I. Abteilung
1779 II
1780 III (v K.Friberth u L.Hofmann)
1782 IV

1756 Sonaten für Klavier op 1-3
um 1759 VI Divertimenti da Cimbalo; Wien
1771-76 3 Klaviersonaten; Wien
1762 40 Preludi per diversi Tuoni; Wien
1782 Kadenzen u Variationen f Cemb.
Stabat Mater; Prag-Wien
Lieder in verschiedenen Sammlungen
Klavier-Konzerte u Concertini

Ausg: 1902 M.Friedländer: Das dt Lied im 18.Jh
2 Bde; Stuttg-Bln

Lit: 1782 J.N.Forkel: Mus.Almanach; Lpzg
1815 G.Dlabacz: Allg.hist.Künstlerlexikon III; Prag
1844 K.Pichler: Denkwürdigkeiten I, hgg v.F.Wolf; Wien
1918 J.Pollak-Schlaffenberg: Die Wr Liedmusik 1778-1789; StMw 5

x - x - x - x - x - x - x - x - x

FRIBERTH, Karl

/österr.Sänger/

* 7.6.1736 Wullersdorf N.Ö.
† 6.8.1816 Wien

Ll: Schüler v Bonno u Gaßmann
1759 v Esterhazy in Eisenstadt engagiert
Textdichter f Haydn
1776 Kapm der Jesuitenkirchen u Minoritenkirche

W: Messen, Offertorien, Gradualien, Lieder

Lit: 1878 C.F.Pohl: J. Haydn; Lpzg

Diss: 1914 J.Pollak-Schlaffenberg: Die Wr Liedmusik v 1778-1800; Wien StMw 5
5/97 (1918)

x - x - x - x - x - x - x - x - x

Bd 54

HOFFMANN Leopold /Riemann: Hoffmann
Mendel: Hofmann/

/österr Komponist/

* um 1738
† 17.3.1793 Wien

Ll: 1772 Kapm am Stephansdom (1791 mit Mozart als Adjunkt)

Stilkr: sehr fruchtbarer u seinerzeit hochgeschätzter Kirchenkomponist. - Gilt als einer der ersten, die den neuen Orchesterstil des 18.Jhs. aufnahmen. Instrumentalwerke waren wegen der flüssigen Melodik sehr beliebt, sie standen der Haydns im Wege.

W: Messen, Gradualien, Offertorien, Requiem
Symphonien, Konzerte u Trios
wenige Werke im Druck erschienen

Lit: 1882 C.F.Pohl: J.H.; II.Bd, S 189

Diss: 1956 H.Prohászka: L.H. als Messenkomponist; Wien, 2 Teile
1958 V.Kreiner: L.H. als Sinfoniker; Wien

x - x - x - x - x - x - x - x - x

HOLZER, Johann

ca 1760-1820/30

über d Leben ist nichts bekannt
Hinweise: StMw 5/102
Liedersammlung ersch 1779 u 1787

x - x - x - x - x - x - x - x - x

KOŽELUCH, Leopold Anton

/böhm Komponist/

* 26.6.1747 Welwarn
† 7.5.1818 Wien
Tochter: Cibine (Kammerfrau d Kaiserin), Pianistin

Ll: studierte zuerst Jurisprudenz
1771 erster Erfolg mit einem Ballett
1778 in Wien - Musiklehrer d Erzherzogin Elisabeth
1791 Kaiserl Kammerkomponist (Nachfolger Mozarts)

W: Opern: Didone abbandonato
Judith
Deborah
Oratorium: Moisè in Egitto
30 Symphonien, Kantaten, Chöre, Lieder
13 Klavierkonzerte, 6 Cello-, 2 Klarinetten-, 2 Bassetthornkonzerte
87 Klaviertrios, Sonaten f Klavier ua

Lit: 1950 K-Bibliographie v A.Weinmann

1891 J.Srb Dehrnow: Dějiny hudby v Čechach; Prag
1922 A.Hnilička: Portréty české hudby ...; Prag
1911 Thayer-Deiters-Riemann: L.v.Beethoven. III Bd
1918 L.Pollak-Schlaffenberg: Die Wr Liedmusik v 1778-1789; StMw 5
1946 G.de Saint-Foix: About a Ballett by K; ML XXVII

Diss: 1937 G.Löbl: Die Klaviersonate b L.K.; Wien

x - x - x - x - x - x - x - x - x

GRÜNWALD, J.J.

nichts bekannt

Gerber: 1812 G.Prof. beim Theresiano
sehr beliebter Klaviermeister um 1796
Liedersammlung ersch 1785, Wien

x - x - x - x - x - x - x - x - x

PARADIS, Marie Therese

/österr Komponistin u Pianistin/ * 15.5.1759 Wien
† 1.2.1824 Wien

Ll: in früher Kindheit erblindet
Schülerin v L.Koželuch, Salieri u Righini, Friberth u Abbé Vogler
1784/5 Konzertreise nach Paris, London, Brüssel, deutsche Höfe - gründete in Wien eine Musikschule
Mozart schrieb f sie ein Klavierkonzert (KV 456)

W: Bühnenwerke: 1791 Ariadne u Bacchus (Melodram)
1792 Der Schulkandidat (Singspiel)
1797 Rinaldino u Alcina (Zauberoper)

Trauerode auf den Tod Ludwig XVI
Klaviertrio, Sonaten, Variationen, Lieder

Lit: 1918 J.Pollak-Schlaffenberg: Die Wr Liedmusik; StMw 5
1946 A.Ullrich: M.Th.P. and Mozart; ML XXVII
1949 auch in ÖMZ Jg 4
1952 E.Komorzynski: Mozart u M.Th.P.; in Mozart-Jb 1952

x - x - x - x - x - x - x - x - x

HACKEL, Johann Christoph

* 1o.1.1758 Klein-Pocken (Böhmen)
† 26.5.1814
Sohn: Anton H. 1799-1846 Liederkomponist

Ll: Gymnasium in Laibach
Chorregent in Laibach
Doktor der Medizin prom in Wien - Arzt am Stadtkonvikt u am Taubstummeninstitut

W: Liedersammlung ersch 1786

x - x - x - x - x - x - x - x - x

HOFFMEISTER, Anton

[dt Komponist, Kirchenkapm u Musikalienhändler]

* 12.5.1754 Rottenburg a Neckar
† 9.2.1812 Wien

Ll: ab 1783 Musikalienhändler in Wien
1800 " in Lpzg (Bureau de musique, ab 1813 Peters)
1805 " in Wien bis 1807

W: 9 Opern
hunderte Werke f Flöte
42 Streichquartette, 5 Klavierqu., 11 Klaviertrios
18 Streichtrios, Klaviersonate
Symphonien, Serenaden, Lieder

Ausg: Symphonie in Sammlung Sondheimer XXXIII

Lit: 1853 W.H.Riehl: Musikal Charakterköpfe, Stuttgt
1800 Catalogue thèmatique de tous les oevres pour la flûte ...
1937 E.F.Schmid: F.A.H. u die Göttweiger Sonaten; ZfM CIV

x - x - x - x - x - x - x - x - x

POHL, Wilhelm

* ?
† vor 1807

Dr. der Medizin, lebte in Wien, später möglicherweise in Breslau
Kompositionen ersch in Wien 1790-1800 f Pft u Violine, Lieder
Zwei Liedsammlungen ersch 1785 u 1786

Bd 55 Jg XXVIII Erste Hälfte

JOHANN ERNST EBERLIN

[1702 - 1762]

ORATORIUM
DER BLUTSCHWITZENDE JESUS

nebst Anhang: Stücke aus anderen Oratorien

Bt v Robert Haas

Inhaltsverzeichnis

Der blutschwitzende Jesus

Sinfonia (2 Vli Va Basso Cemb 2 Trombi)

Anhang:

Der büßende heilige Sigismund - Arie der Algundis aus dem 1. Teil ("es bebt der Leib")

Der verurteilte Jesus - Arie der Tochter Zion ("Fließ, o heißer Thränenbach")

Der verlorene Sohn - Arie des Vaters aus dem 3. Teil ("Menschen sagt, was ist das Leben?")
Lobgesang aus dem 3.Teil - Vater,Mutter,Sohn

Schuldrama Sigismundus - Eingangsszene, Melodram des S.
Melodramatische Echoarie der Sigici umbra
Scena Musica in 2.actu; Scena 5, melodramat.

Revb Beihefte Bd VIII

Vorl: Regensburg: Bischöfl Bibl (Proske)

x - x - x - x - x - x - x - x - x

Bd 55

EBERLIN, Johann Ernst (Eberle)

/Organist, Komponist, Kapm/

* 27.3.1702 Jettnigen (bayr.Schwaben)
† 21.6.1762 Salzburg

Ll: 1724 Salzburg
1729 Hof- u Domorganist
1749 Hof- u Domkapm bei Erzbischof Sigismund III v.Salzburg

Stilkr: fruchtbarer Komponist v "barocker Stärke des Ausdrucks".
Leopold Mozart stellte ihn neben A.Scarlatti u Telemann.
Gerber rühmt E. wegen seiner "Gründlichkeit ... Leichtigkeit u Behendigkeit, mit der er komponierte".

W: 1747 Orgeltokkaten (gedruckt, Augsburg) u -fugen (eine galt lange für v J.S.Bach)
hs 50 Messen, 12 Requiem, große Zahl Psalmen, Offertorien usw
Oratorien: Christus verurteilt
Augustinus
Der blutschwitzende Jesus

Ausg: DTÖ 1921 Bd 51 Der blutschwitzende Jesus (Haas)
1936 80 2 Motetten (Rosenthal, Schneider)

Lit: 1921 R.Haas: E's Schuldramen u Oratorien /Habschr/ StMw 8/9
1935 C.Schneider: Gesch der Musik in Salzburg; Salzburg
1955 M.M.Cuway: Beiträge zur Lebensgeschichte des Salzburger Hofkpm. Johann Eberlin in: "Mitteilungen der Ges.f.Salzburger Landeskunde", 95.Jg.

Bd 56 Jg XXVIII Zweite Hälfte

WIENER TANZMUSIK IN DER 2.HÄLFTE DES 17. JAHRHUNDERT'S

JOH.HEINR.SCHMELZER - JOH.JOS.HOFFER - ALESS.POGLIETTI

nebst Anhang

Bt v Paul Nettl

Johann Heinrich Schmelzer

Nr. 1 Balletti francesi (Ballettmusik zu M.A.Cestis "Nottuna e Flora festeggianti" 1669)
Allemanda - Aria - Courante - Margarita /2 Clarini u Streicher/ - Sarabanda - Retirada
/2 Vli Va Basso con Cemb/

2 Zwei Ballette aus d Ballettmusik zu M.A.Cestis "Il pomo d'oro" 1667
Balletto I: Courante - Allemanda - Aria - Viennense - Gigue - Retirada
Balletto II: Gran ballo - Aria - Branle di Morsetti - Sarabanda per la terra - Balletto - Trezza - Aria Viennense - Gigue

3 Balletti duplices:
Balletto I di Zingari: Aria I (Borea) - Aria II (Ciaconna detta la bella zingara) - Aria III
Balletto di matti: Aria I - Aria II (Bergamasco, Canario, Gavotte, Sarabanda) - Aria III

4 Serenata con altre arie:
Serenata - Erlicino - Adagio - Allegro - Ciaconna - Campanella - Lamento
/2 Vli 2 Ve Basso e Cemb/

5 Sonata con arie zu der Kaiserl Serenada (1672)
Sonatina - Intrada - Aria - Canario - Aria
/3 Trombe in C 2 Vli 2 Ve Vne Tymp Organo/

6 Balletto di spiritelli
Sonatina - Intrada - Aria - Retirada
/Vl Pifferato 2 Cornetti o V Pifferato Fgt 2 Vli Ve Basso e Cemb/

Nr 7 Zwei Ballette aus d Ballettmusik zu A.Draghis "La Laterna di Diogene" 1674
Balletto di capitanu: Aria I, Aria II - Courante
Balletto di filosofi: Aria I - Aria II - Aria III
/2 Vli Ve_7

8 Balletto di centauri, ninfe e salvatici per la festa a Schönbrunn:
Aria di c - Aria delle n - Aria di salvatice e ninfe /Piffaro I, II, III/ - Aria di tutti /3 Piffari Fgt, 2 Cornetti muti, 3 Trombe/
/2 Vli 2 Ve I, II, Basso e Cemb/

9 4 Balletti a 5 (Ballettmusik zu Draghis "Creso" 1678)
Balletto I : di spoglia di pagagi: Intrada - Saltarello - Scaramuccia
II : di giuocchi di Guinone: Intrada - Aria - Retirada
III: di Capitani: Intrada - Aria II - Gagliarda
IV: di 7 pianeti: Allemanda - Aria 2 di Venere - Aria III per la retirada
/nichts vorgeschrieben/

10 Balletti triplices a 5 (Ballettmusik zu Draghis "Baldracca" 1679)
Balletto I: Von schwäbischen Mädeln: Intrada - Aria - Gavotte
II: Von schwäbischen Bauern: Aria I,II,III
III: di Salvatori: Saltarella per la intrada corrente - Buona riformata per la retirada

11 Balletto della Serenessima de more:
Aria I, II, III
/3 Vl Pifferati!/

12 Fechtschule:
Arie I,II - Sarabande - Courante - Fechtschule - Bader Aria

13 Arie von la mattacina:
Sonatina - Balletto I,II
Mattacina - Balletto I,II

14 Balletti a 4 (Pastorella)
Intrada - Pastorella - Hötzer seú Ammener - Gavotta tedesca - Gavotta styriaca - Gavotta anglica - Gavotta bavarica - Gavotta gallica

Johann Josef Hoffer

Nr 15 Balletto:
Aria - Aria - Gavotte - Aria

Alessandro de Poglietti

Nr 16 Balletto a 6:
Entreé - Gavotte - Amener - Allemande - Courante - Sarabande - Gigue - Gavotte - Cadenza
[2 Vli 2 Ve 2 Ve da gamba Basso e Cemb]

Anhang:

Nr 17 Partita ex Vienna: (1681) Anonym (Musikliebhaber)
Branle de village - Courante - Sarabande - Brader Tantz zu Wien - Allegro moderato
[a Hs Klaviertabulatur Univ Bibl Lpzg]

18 Deutsches Lied f Sopr u Ten: "Holdseelige Blum"
v Joh.H.Schmelzer

19 Deutsches Lied f Sopr: "In jenem Gefilde"
v Joh.H.Schmelzer

Revb StMw, Beihefte Bd VIII, S 45-175

Vorl Kremsier: St.Mauriz-Archiv
Wien: Nationalbibl
Lpzg: Universitätsbibl

x - x - x - x - x - x - x - x - x

HOFFER, Johann Josef

* 1666 Wien (?)
† 7.7. 1729 Wien als kaiserl Hofkammerrat

Töchter: Maria Therese, verehel Gräfin Esterházy
Catherina, verehel v.Kleinersmann
Söhne: Columbano, Prof. zu Göttweih
Leopold Adam
Bruder: Johann Jacob, Hofmusiker

Bd 57 Jg XXIX 1. Teil

C L A U D I O M O N T E V E R D I

IL RITORNO D'ULISSE IN PATRIA

Die Heimkehr des Odysseus
v. Giacomo Badoara

Mit deutscher Übersetzung u ausgesetztem Continuo

[EA Februar 1641 Venedig (Loewenberg)]
[EA 1640 Bologna (Riemann)]

Bt v Robert Haas

Titel u Personenverzeichnis nach den hs Textbuch in Venedig
Inhalt der Oper
Partitur u ausgearbeiteter Continuo
Prolog u 3 Akte [2 Vli 2 Ve Cemb Tiorbe Vne]
Inhaltsverzeichnis (sehr umfangreich)
Als Einleitung ...... im Beiheft Bd IX

Revb

Vorl: Wien: Nationalbibl

x - x - x - x - x - x - x - x - x

MONTEVERDI, Claudio

[it Komponist]

get 15.5.1567 Cremona
† 29.11.1643 Venedig
(Grab: Sancta Maria dei Frari-Kirche)

ältester Sohn des Arztes Baldassare

Ll: bis 1590 Schüler des Maestro di Cappella M.A. Ingegneri in Cremona
1582 erstes Werk: Sacrae Centiunculae
1589 Mailand - am Hof des Herzog Vincenzo Gonzaga's in Mantua u Mitglied der Congregazione ad Accademia di Santa Cecilia in Rom

1595 Heirat mit Claudia Cattaneo, Sängerin
Ungarn, Spa u Brüssel mit Vincenzo Gonzaga
1601 Maestro di Cappella
1607 erste Oper "Orfeo" - Mantua: Accademia degl'Invaghiti u am Hof wiederholt
1608 Arianna
Ballo dell'Ingregate
1608 Cremona
1610 Geistl Musik
1613 Maestro di Cappella in Venedig (San Marco)
ca 1640 wird Priester
nach einer Reise nach Mantua u Cremona in Venedig gest.

Stilkr: Ms Werke haben den bedeutendsten Wandel in d Geschichte der Musik vollzogen. - Durch Jahrzehnte komponierte M. nur Madrigale - in diesen schon die musikalische Struktur dramatisiert.
Höchstes Gesetz: Aller Ausdruck der Musik muß auf den Menschen bezogen sein - "wenn es der Sinn der Musik ist, Affekte zu erregen, dann beruhen alle Affekte im Menschenleben".
M. erhob die musikalische Kirchenkomposition zu einer individuellen Exegese religiöser Texte und schuf die Grundlage für die Wortausdeuter barocker Kirchenmusik, auch der protestantischen.

W: Madrigali a cinque voci I 1587, 1607, 1621 (Antwerpen)
" II 1590, 1607, 1609, 1621
" III 1592, 1594, 1600, 1604, 1607, 1611, 1621
" IV 1603, 1605, 1607, 1611, 1615, 1622, 1644
" mit B.c. V 1605, 1608, 1610, 1611, 1613, 1615, 1620

1607 Scherzo musicale a tre voci mit Intrada u B.c.
L'Orfeo, Favola in musica - Libretto
1609 L'Orfeo, Favola in musica - Musik
1608 L'Arianna, gedr 1623
Madrigali VI 1614, 1615, 1620, 1639,
" VII 1619, 1622, 1623, 1628, 1641
1619/20 Andromeda
1624 Il combattimento di Tancredi e Clorinda, Venedig
1631 Messe, Venedig
1638 Madrigale VIII
1641 Il ritorno d'Ulisse in patria; Venedig
1642 L'incoronazione di Poppea; Venedig
1650 Missa a 4 voci 1-8stg
1651 Madrigali..... IX hgg v A.Vincenti

Ausg u Lit unübersehbar, s Rie[12] u MGG

1922 R.Haas: Zur Neuausgabe v Cl.M's "Il ritorno d'Ulisse in patria"; StMw 9
1902/3 H.Goldschmidt: M's Ritorno ... SIMG IV
1907/8 ders.: M's " " IX

Diss: 1887 E.Vogel: C.M., Leben u Wirken im Lichte der zeitgenössischen Kritik u Verzeichnis seiner im Druck erschienenen Werke; In: VfMw III, S.315; Bln
1928 H.Trede: Manirismus u Barock im it Madrigal des 16.Jhs. Dargestellt an den Frühwerken C.M.'s; Erlangen
1930 K.F.Müller: Die Technik der Ausdrucksdarstellung in M's monodischen Frühwerken; Bln ersch 1931
1931 H.F.Redlich: Das Problem des Stilwandels in M's Madrigalwerk. Ein Beitrag zur Formgeschichte des Madrigals; Frankfurt, ersch als"C.M. Ein formengeschichtl Versuch"; Bln, Adler 1932 (später bei Heinrichshofen)
1933 W.Kreidler: H.Schütz u der Stilo concitato von C.M.; Bern, Kassel, Bärenreiter 1934
1935 H.Blömer: Studien zur Kirchenmusik C.M's; Mchn
1943 A.A.Abert: C.M. u d musikal Drama [Habschr]; Kiel - Lippstadt, Kistner & Siegel 1954
1954 W.Osthoff: Das dramat Spätwerk C.M.'s; Heidelberg, München Veröff zur Mgesch 3 (1960)

Bd 58 Jg XXIX 2. Teil

GOTTLIEB MUFFAT

ZWÖLF TOCCATEN UND 72 VERSETL
f Orgel u Klavier

Bt v Guido Adler
Einleitung S V-VII

Titel - Dedikation (an Prälat Blasio, Stift St.Blasii im Schwarzwald) - An den günstigen Leser - Erklärung deren Zeichen oder Manieren durch die Noten (facs.!!)

Inhaltsverzeichnis

Toccata I u 6 Fugen
II
III
IV
V
VI
VII
VIII
IX
X
XI
XII

ohne Revb

Vorl: Wien: Nationalbibl
Bln: Staatsbibl
Regensburg: Proske
Stams in Tirol: Kloster

Bd 59 Jg XXX 1. Teil

DREI REQUIEM

FÜR SOLI, CHOR, ORCHESTER AUS DEN 17. JAHRHUNDERT

hgg v Guido Adler

Widmungsblatt: Gewidmet dem Andenken der Dahingeschiedenen aus der Reihe unserer Förderer, Mitglieder der leitenden Kommission, wirkenden Mitglieder und Subskribenten. Im 30.Jahre des Bestandes der "DTÖ in Österreich".

Inhaltsverzeichnis

Vorwort gezeichnet Guido Adler

1. Missa pro defunctis v Christophorus Straus
   Soli, Chor, Vl I, II, Va I,II,III,IV, Vne, Org
   Symphonia ad imitationem campane (ad placitum) - Introitus - Kyrie - Dies irae - Offertorium: Domine - Sanctus - Agnus Dei - Communio: Lux aeterna

2. Requiem v H.F. Biber
   Soli, Chor, Vl I,II, Va I,II (con Trombone 1), III (con Tromb 2), Basso (con Tromb 3), Organo (Vne e Fgt)
   Introitus - Dies irae - Domine Jesu Christe - Sanctus - Agnus Dei

3. Missa pro defunctis v J.C.Kerll
   Soli, Chor, Va I,II,III (con Cantus, Altus, Tenore 1, Tenore 2), Basso (col Basso o Fagotto nel Ripieno), Organo
   Introitus - Kyrie - Dies irae - Offertorium: Domine - Sanctus - Agnus Dei

Revb

Vorl: Kremsmünster: Stiftsbibl
Salzburg: Domarchiv
Bln: Staatsbibl
Mchn: Staatsbibl

x - x - x - x - x - x - x - x - x

Bd 59

STRAUS, Christophorus

[österr. Organist u Komponist] * um 1580
† Juni 1631

Ll: 1594 im Dienste d Kaiser Matthias als Organist u
1601 als Kammerorganist (Michaelerkirche)
1604 verh mit der Witwe Michael Schröckingers
Mai 1617 Kapellmeisteramtsanwärter u
bis 1619 Kapm der Wr Hofkapelle
1628 "Capellmaister bey St.Stephan"
1631 16 Messen erscheinen in Druck

W: 1613 Nova ac diversi moda Sacrarum Cantionum Compositio
(36 Motetten f 5-10 Stimmen ohne Generalbaß)
1631 16 Messen f 8-20 Stimmen mit Begleitung des
Generalbasses (mehrchörige Messen, nach dem
Parodieverfahren gearbeitet, nach eigenen
Modellen, nämlich den gleichnamigen Motetten
aus dem 1613 komponiertem Werk.

Lit: 1930 K. Geiringer: Ch.Strauß. Ein Wiener Künstler-
dasein am Beginn des 17.Jhs;
ZfMw, Jg 13, Heft 2, S 50-60

Bd 60 Jg XXX 2. Teil

CHRISTOPH WILLIBALD GLUCK

WERKE II.BD ⁄I.=Bd 44a⁄

DON JUAN

Pantomimisches Ballett entworfen v G.Angiolini

Bt v Robert Haas

Sinfonia - 2 Obi 2 Trbe D 2 Vli Va Basso (Fgt e Continuo)
Cembalo

I. Teil: Platz in Madrid mit dem Haus des Komturs

1. Andante grazioso (Auftritt Don Juans mit Diener u Musikanten) ⁄diese Bemerkung nur im Inhaltsverzeichnis⁄
2. Andante (Ständchen an Donna Elvira)
3. Allegro maestoso (Eingreifen des Komturs)
4. Allegro furioso
5. Allegro risoluto (Zweikampf)
6. Risoluto moderato

II. Teil: Fest im Hause Don Juans

7. Gavotta
8. Brillante
9. Allegretto
10. Moderato
11. Giusto
12. Allegro Presto (Pochen an der Türe)
13. Andante grazioso
14. Andante (Auftritt des steinernen Gastes)
15. Presto
16. Allegretto Presto (Flucht der Gäste)
17. Andante
18. Allegro giusto (Einladung Don Juans)
19. Moderato
20. Andante (Einladung der Statue)
21. Grazioso (Abgang der Statue)
22. Allegretto (Wiederkehr der Gäste)

III. Teil: Kirchhof

23. Menuetto, Presto (Auftritt Don Juans)
24. Risoluto e Moderato (der Komtur steigt herab)
25. Allegro (er verlangt Besserung)
26. Andante ⎫
27. Allegro ⎭ (Don Juans Antwort)

Bd 60

28. Allegretto } (Don Juans Antwort)
29. Andante }
30. Larghetto (Tragische Wendung)
31. Allegro non troppo (Furientanz)

größte Orch: 2 Fli 2 Obi 2 Fgti 2 Coi 2 Tbe
Tromboni (Jedoch nur 1 Zeile)

Die Einleitung zu diesem Band nebst den ausführlichen Scenarien im Beiheft (Band X)

Revb

Vorl: Dresden
Bln
Darmstadt
Mchn
Wien

X - X - X - X - X - X - X - X

Erste Aufführung am 17.Oktober 1761 unter dem Titel "Le festin de pierre" nach der Komödie "Le Joueur" im Burgtheater; am 2.u.3.November erfolgten Reprisen am Kärntnerthortheater. Bei der zweiten brach nach der Höllenszene ein Brand aus der das Theater einäscherte. Weitere Aufführungen: 8.2. und 12.11. 1762, 5.u.7.4. 1763.

Lit: 1914 M.Arend: Gl,der Reformator des Tanzes;Die Musik
ders: Zur Kunst Glucks; Regensburg
1924/25: O.Bacher: Ein Frankfurter Szenar zu Gls "Don Juan"; ZfMw VII
1925 R.Haas: Gluck und Durazzo; Wien
1937 ders: Der Wiener Bühnentanz; JbP XLIV
1942 J.Jersild: Le ballat d'action italien du 18e s. au Danemark; AMI XIV

Ausg: Klavierauszug bt v R.Kröller; U.-E.Wien
zu 4 Händen; Heinrichshofens,Magdeburg
4 Sätze f Orch bt v H.Kretzschmar,Breitkopf & H.,Lzg
1 Satz in F.Mottl: Ballett-Suite I, Peters

Bd 61 Jg XXXI

S I E B E N T R I E N T E R C O D I C E S

Geistliche u weltliche Kompositionen des XV. Jhs.

Fünfte Auswahl /IV. = Bd 53
VI. = Bd 76/

Bt v Rudolf Ficker

Vorbemerkung des Leiters der Publikation

Codex Tridentinus 93; thematischer Katalog 1586-1864

I.	Ciconia Johannes:	Gloria
II.	:	Credo
III.	Grossin:	Gloria
IV.	:	Credo
V.	Anonymus:	Gloria
VI.	:	Credo
VII.	Hugo de Lantinis - Dufay:	Gloria
VIII.	Zacharias de Teramo:	Credo
IX.	Anonymus:	Credo
X.	:	Gloria
XI.	Bodoil J.:	Credo
XII.	Bartholomaeus de Bruollis:	Gloria
XIII.	Georgis a Brugis:	Credo
XIV.	Anonymus:	Kyrie
XV.	:	Gloria
XVI.	:	Credo
XVII.	Battre H.:	Gloria
XVIII.	:	Agnus
XIX.	Binchois Gilles:	Gloria
XX.	:	Gloria
XXI.	:	Gloria
XXII.	:	Kyrie angelorum
XXIII.	:	Kyrie apostolorum
XXIV.	:	Kyrie B.Mariae
XXV.	:	Agnus
XXVI.	:	Sanctus
XXVII.	:	Agnus
XXVIII.	:	Sanctus
XXIX.	:	Agnus
XXX.	:	Gloria
XXXI.	:	Credo
XXXII.	Anonymus:	Kyrie
XXXIII.	:	Kyrie
XXXIV.	:	Kyrie
XXXV.	:	Kyrie

Bd 61

XXXVI.	Anonymus:	Kyrie
XXXVII.	:	Kyrie
XXXVIII.	Burgois:	Gloria
XXXIX.	Dufay G.:	Gloria
XL.	:	Credo
XLI.	:	Gloria
XLII.	:	Credo
XLIII.	:	Kyrie de apostolis
XLIV.	:	Gloria
XLV.	Anonymus:	Gloria
XLVI.	Benet:	Gloria
XLVII.	Forest:	Credo
XLVIII.	Anonymus:	Credo
XLIX.	Angelicanus:	Credo
L.	Ricardus Markham:	Credo
LI.	Anglicanus:	Gloria
LII.	Anonymus:	Credo
LIII.	Anglicanus:-Sorbi:	Sanctus
LIV.	Leonellus:	Gloria
LV.	Dunstable Johannes:	Kyrie
LVI.	:	Gloria
LVII.	:	Gloria
LVIII.	:	Sanctus
LIX.	:	Agnus
LX.	:	Gloria "Jesu Christe"
LXI.	:	Credo
LXII.	(Dunstable-Leonellus):	Missa: Gloria
LXIII.		Credo
LXIV.		Sanctus
LXV.		Agnus
LXVI.	Bedingham-Langensteiss:	Missa "Deu il angouissent"; Gloria
LXVII.		Credo
LXVIII.		Sanctus
LXIX.		Agnus

Revb StMw Bd 11

x - x - x - x - x - x - x - x - x

CICONIA, Johannes

/Komponist u Musiktheoretiker/

* um 1335 Lüttich
† Dez. 1411 Padua

Ll: 1350 in Avignon u lernte hier die it ars nova kennen
1359-62 Kanonikus in Cesena
1362 Kanonikus in Lüttich
1370-1402 in Lüttich
seit 1403 Anwesenheit in Padua nachgewiesen
(Custos an d Kathedrale)
Schüler in Padua u Lüttich

Stilkr: verband die Neuerungen der it Ars nova mit dem Stil seiner frz Ausbildung

W: Meßfragmente, Motetten, Virelais, it Balladen, Madrigale, Canons

Schr: Nova musica (in 2 Hss erhalten)

Lit: 1950 H.Besseler: J.C., Begründer der Chorpolyphonie;Rom

x - x - x - x - x - x - x - x - x

<u>ANGLICANUS</u> (De Anglia, Anglicus)

Adler: ein kaum festzustellender Künstler

Dommer-Schering: Joh.Benet Anglicus

Bd 62   Jg XXXII   Erste Hälfte

MICHAEL HAYDN

KIRCHENWERKE

Bt v Anton Maria Klafsky
Inhaltsverzeichnis

Thematisches Verzeichnis d Kirchenwerke M.Haydns

Nr. 1 Antiphon "Ave Regina" f Doppelchor
2 Offertorium "Domine Deus" f Soli Chor Orch u Orgel (2 Fli 2 Obi 2 Coi 2 Clarini Tpt
Gradualien f die 4 Sonntage des Advents
3 Dominica I "Universi" f Chor, 2 Coi u Orgel
4 " II "Ex Sion" f Chor, 2 Streicher, 2 Clarini u Org
5 " III "Qui sedes" ebenso
6 " IV "Prope est" ebenso
Gradualien f die 5 Sonntage der Fastenzeit
7 Dominica I "Angelis" f Chor 2 Streicher u Org
8 " II "Tribulationes" ebenso
9 " III "Exsurge" ebenso
10 " IV "Laetatus sum" f Chor, Org u Orch
11 " V "Eripe me" f Chor u Org
12 Tres sunt, qui testimonium dant" f Soli Chor Orch u Org

Revb

Vorl: Wien: Nationalbibl
Hofkapelle - Archiv
Hofmusik - Archiv
Mchn: Staatsbibl
Heiligenkreuz: Stiftsbibl
Wien: Pfarre St.Augustin

Bd 63 Jg XXXVI Zweite Hälfte

J O H A N N S T R A U S Z S O H N

DREI WALZER

Bt v Hans Gál

Vorbemerkung

/1/ Morgenblätter, W. op.278 (1864)

/2/ An der schönen blauen Donau, W. op.314 (1867)
mit Männerchor u den Texten v Weil u Gernerth

/3/ Neu-Wien, W. op.342 (1870)

Revb

Vorl: Wien: Stadtbibl

/1/ Stimmen nach Cranz (20) u Klav-Ausgabe (Spira)

/2/ a) Partiturband bei Cranz, enthaltend: An d schönen blauen Donau; Wein, Weib u Gesang; Du und Du (nachgedruckt bei Peters)
b) kleine Partiturausgabe bei Eulenburg
c) Stimmen nach Cranz (21)
d) Autograph des Männerchorsatzes (Wr MSV)
e) Männerchorstimmen nach Cranz (T v Gernerth)

/3/ a) Autograph der Partitur (Wr Stadtbibl)
b) Stimmen nach Cranz (22)

x - x - x - x - x - x - x - x - x

STRAUSZ, Johann

/österr Musiker u Komponist/ * 25.1o.1825 Wien
† 3.6.1899 Wien

Ll: Schüler v Josef Drechsler
1844 eigene Kapelle op.1 Sinngedichte W
1854-1870 Reisen nach Rußland
1863-70 Hofbälle
1867 An der schönen blauen Donau, EA 15.2.
1874 Die Fledermaus
1872 USA-Reise

Stilkr: größte Bedeutung Strauß' in den Walzerkompositionen (formale Anlage: Introduktion - 5teilige Walzerkette - Coda; vom Vater u Josef Lanner übernommen u ausgebaut)
u als Operettenkomponist

W: op 1-479 (Tanzkompositionen) auch posth

Operetten:

1871	Indigo
1873	Der Karneval in Rom
1874	Die Fledermaus
1875	Cagliostro in Wien
1877	Prinz Methusalem
1878	Blinde Kuh
1880	Das Spitzentuch der Königin
1881	Der lustige Krieg
1883	Eine Nacht in Venedig
1885	Der Zigeunerbaron
1887	Simplicius
1892	Ritter Pázmán (Oper)
1893	Fürstin Ninetta
1894	Jabuka
1895	Waldmeister
1897	Die Göttin der Vernunft

Ausg: Partituren:

DTÖ 1925 Bd 63 Drei Walzer (Gàl)
Drei Walzer: An d schönen blauen Donau
Wein, Weib u Gesang
Du und Du
Cranz (Peters)
(Pl-Nummern 39/542-39/544)
Eulenburg Kl.P. x) Nr.

1930	Donau W. op.314	822
	Wein, Weib u Gesang op.333	866
	Rosen aus dem Süden op.388	867
	Geschichten aus dem Wienerwald op.325	868
	Frühlingsstimmenwalzer op.410	869
	Künstlerleben op.316	870
	Kaiserwalzer op.437	871
	Wiener Blut op.354	875
	Die Fledermaus, Ouvertüre	1103
	Der Zigeunerbaron, Ouv.	1106

x) rev. Viktor Keldorfer

o.J. An der schönen blauen Donau Br & H Part - Bibl

An der schönen blauen Donau	Nr 3281
Geschichten a d Wienerwald	Nr 3282
Wein, Weib u Gesang	Nr 3283
Wiener Blut	Nr 3284
Du und Du	Nr 3285
Rosen aus dem Süden	Nr 3286
Frühlingsstimmen	Nr 3287
Kaiser-W	Nr 3288
Die Fledermaus, Ouv.	Nr 3280

Bd 63

Die Fledermaus — Ed Eulenburg EE 6359 1968
n d Autograph rev u hgg v
H.Swarosky, engl Text v
Christopher Hassall

An d schönen blauen Donau — aus Serie I Bd 19
Vorabdruck der J.Str-GA
Gestaltung, Text u Notenrevision: Dr.Fritz Racek
hgg v Joh-Str-Ges Wien im Gemeinschaftsverlag
Doblinger

Lit:
1894 L.Eisenberg: J.Str.; Lpzg
1898 C.Flamme: Verzeichnis der sämtlichen im Druck erschienenen Kompositionen v Strauß-Vater, Sohn, Jos. u E.Str.; Lpzg
1900/3^{2} R.v.Procházka: J.Str. (Berühmte Musiker X); Bln
1909 R.Specht: J.Str. (Die Meister XXX); Bln
1912 Fr.Lange: J.Str. 1929^{2}
1920 F.Schnitzer: Meister Johann; 2 Bde, Wien
1922 G.Decsey: J.Str. (Klassiker der Musik XIX); Sttgt
1925 K.Kalbeck: J.Str.; Wien
1925 S.Loewy: Rund um J.Str.; Wien
1937 H.Sündermann: J.Str.; Brixlegg 1949^{3}
1937 H.E.Jacob: J.Str. u d 19.Jh; Amsterdam
1939 W.Jaspert: J.Str.; Bln
1939 M.Kronberg: J.Str.; Paris
1939 A.St.Teetgen: The Waltz Kings of old Vienna; Ldn
1939 A.Witeschnik: Die Dynastie Str.; W Lpzg
1940 E.Schenk: J.Str.; Potsdam
1944 D.Even: Tales from the Vienna Woods; New York
1948 dass. v E.Rieger
1949 Neudr: J.Str.; Lindau
1950 J.Andriessen: J.Str.; Amsterdam
(1951) J.Pastene: Three-Quarter-Time .... New York
1952 P.Kuringer: J.Str.; Haarlem
1953 H.E.Jacob: J.Str.Vater u Sohn; rororo XC; Heidelberg
1940 Ldn u New York
1955 Paris
1956 Verzeichnis sämtlicher Werke v Joh.Str. Vater u Sohn; Wien
1964 M.Schönherr: Str.-Bibliographie; ÖMZ Jg 19, Heft 1
1967 ders.: An d schönen blauen Donau [100 Jahre]; ÖMZ Jg 22, Heft 1
Bibliographie zum Donau-Walzer

Diss: 1919 G.Neumann: Die Operetten J.Str's; Wien

Briefe:
1926 Adele Str.: J.Str. schreibt Briefe; Wien
1950 W.Reich: J.Str.-Brevier ; Zch

Bd 64 Jg XXXIII 1. Teil

DEUTSCHE KOMÖDIENARIEN 1754-1758

ERSTER TEIL

Bt v Robert Haas

I. Bernardon auf der Gelsen-Insul oder Die Spatzen-Zauberei mit der lustigen Regens-Chori-Pantomime. Große Maschinen-Flug u Verwandlungskomödie v Josef Kurz 1754

Nr. 1 Bernardon, an einen Felsen angeschmiedet, die Braut zu vergessen
5 Flamme als Grasermädel "Ach Ihr Gnaden, unverhohlen"
7 Duett, Bernardon als Regenschori u Fiamene als Schulkind
"Hier steh ich arme Katz"
(Vi Va col B.c. u Singstimme)

II. Der aufs neue begeisterte u belebte Bernardon

Komödie v Josef Kurz 1754

Nr.1 Duett. B. liegt tot auf dem Theater Rosalba beweint ihn "Könnt ich mich geliebter Schatten"
5 Bernardon als Bruder des Demokritus "Ach du arme Welt"
7 Bernardon als dummer Jackerl "O jeges potztausend"
9 Duett. Isabella - Hans Wurst "Ich fühle in der Brust"
10 Quartett. Rosalba-Bernardon, der sich tot stellt - Dorinte - Leander "Zweimal hab ich dich verloren"

III. Der Kaufmann zu London

Tragödie v Johann Wilhelm Mayberg nach George Lillo 1754

Nr 1 Colombina "Nichts ist stärker als die Liebe"
3 Bernardon, im Schlafe tanzend "Wir haben drei Diener"

IV. Etwas wider Vermuten oder es ist hohe Zeit

Komödie v Josef Karl Huber 1754

Nr 4 Bernardon "Man glaubt vielleicht, ich bin nicht gscheid"
5 Bernardon als Richterin mit sieben Kindern "Grausamer Wüterich"

V. Die in die höllische Flut Styx getunkte magische Pistolese des Hanns Wurst Komödie 1754

Nr 3 Duett. Bernardon, Pierrot "Wie, träum ich oder ist es wahr?"

VI. Triumpf der Freundschaft

Komödie v Johann Georg Heubel 1753

Nr 1 Bernardon "Zurück, ich sag euch, ach lasset mich doch gehn"
2 Mirile zu Bernardon "Du könntest zwar vor allen il mio caro sein"
6 Duett. Mirile-Bernardon "Böses Weib, zurück"

VII. Die glückliche Verbindung des Bernardon

Komödie v Josef Kurz 1758

Nr 2 Duett. Rosalba als Einsiedlerin, Bernardon "Mir ist die Welt zu klein"

Revb

Beiheft Bd 12, S 3-64 (1925)
R.Haas, Die Musik in der Wiener deutschen Stehgreifkomödie

Vorl: Wien: Nationalbibl

Bd 65 Jg XXXIII 2. Teil

J O S E P H L A N N E R

LÄNDLER U WALZER

Bt v Alfred Orel

Vorbemerkung

Dornbacher-Ländler op 9 (vor 1825)
Terpichore-Walzer op 12 (vor 1825)
Katharinen-Tänze op 26 (um 1828)
zum Benefice komponiert am 23.11.1828
Die Bad'ner Ringl'n op 64 (um 1832)
Pesther Walzer op 93 (1834)
Die Werber op 103 (um 1835)
Steyrische Tänze op 165 (1840)
Die Romantiker op 183 (1841)
Die Schönbrunner op 200 (1842)

Fragmente aus den "Schönbrunnern" nach der Originalpartitur der "Minutenspiele" Nr 11

Anhang: Die Schönbrunner nach d Part f Klavier gesetzt v Ignaz Friedmann

Revb

Vorl: Wien: Stadtbibl

x - x - x - x - x - x - x - x - x

LANNER, Joseph

/österr Musiker u Komponist/

* 12.4.1801 Wien
† 14.4.1843 Wien
Sohn: August
* 23.1.1834 Wien
† 27.9.1855 Wien
(nur opp 1-33!!)

Ll: Autodidakt im Violinspiel u in d Komposition
Konzertierte nur in Wien u in österr Provinzstädten

Stilkr: Walzer nach dem Wr Kongreß (1814/15) wird zur beherrschenden Form im Gesellschaftstanz, erlangt

Weltgeltung als Ausdruck einer neuen Sozialordnung. Lanner u Strauß-Vater brachten Neues in d Instrumentation u Form (Introduktion - Walzerkette - Coda, während bei Schubert, Beethoven die Walzer nur aus 8-16 Takten, mit Reprisen u Trio bestanden)

W: op 1-209 u o op

Ausg: GA 14 Bde hgg v E.Kremser; Wien 1888-89
Sämtliche Walzer 8 Bde hgg v Kremser ab 1889
Part DTÖ

Lit: 1889 H.Sachs: J.L.; Wien
1901 O.Keller: J.L. (Bilder aus dem Leben österr Tonkünstler II)
1904 u 1919[2] Fr.Lange: J.L. u J.Str.; Wien, 2.Aufl Lpzg
(1948) A.Weinmann: Verzeichnis der im Druck erschienenen Werke; Wien
1948 F.Farga: L. u Str; Wien

Bd 66 Jg XXXIV

J O H A N N S C H E N K

DER DORFBABIER

Singspiel in einem Aufzug. Dichtung v Paul Weidmann

Bt v Robert Haas

Einleitung S V-VIII

Partitur

Sinfonia (doppelte **Holzbl Coi Tpt 2Vli Va Basso**)

Nr 1 Introduktion
2 Arie des Luz "Wut, Eifersucht u Rache"
3 Lied des Adam "Jüngst sprach mein Herr, der Bader"
4 Kavatine d Suschen "Wen rühret nicht mein Leiden"
5 Duett Suschen-Luz "Ich bin bewundert"
6 Septett "Gott grüße euch in Ehren"
7 Arie d Rund "Denkt mein Mann mit grauen Haaren"
8 Terzett Suschen-Josef-Rund
"Bald werden die Leiden verschwinden"
9 Lied des Adam "Der Teufel hol' die Schererei"
10 Arie des Luz "Der Kopf ist meine Zierde"
11 Arie d Suschen "Mädchen kann man leicht betören"
12 Arie d Josef "Verzweiflungsvoll ist meine Lage"
13 Duett Josef-Luz "Der Tod sitzt ihm schon auf d Zunge"
14 Lied d Rund "Gedenk o Mensch, du bist aus Staub"
15 Chor "Es lebe Luz"

Anhang
I Arie des Luz (Ersatz f 10) "Vor Freuden lacht mirs Herz im Leib"
II Arie d Suschen (Ersatz f 11) "Mädchen sind leicht zu betören"
III Duett Luz-Adam (später komponiert, Ersatz f 9) "Neulich geh' itzt aus dem Haus"
IV Schlußchor der 200.Aufführung (1816) "Glücklich bist du, Dorfbabier"

Revb

1. Aufführung 30.X.1796 (einmal)
22.VIII - 3.XII 1797 (achtmal)

Vorl: Wien: Ges der Musikfreunde
Nationalbibl (früher kk Hofoperntheater)
Stadtbibl

x - x - x - x - x - x - x - x - x

Bd 66

SCHENK, Johann Baptist

[österr Komponist]

* 30.11.1753 Wr.Neustadt
† 29.12.1836 Wien

Ll: Schüler v J.Chr.Wagenseil
Komponist u Lehrer
ab 1794 Musikdirektor d Fürsten Auersperg in Wien, unterrichtete Beethoven
Als Erben des musikal Nachlasses u Vermögens bestimmte Schenk Hofkapm J.Weigl

Stilkr: Komponist v vielen Singspielen, die sehr populär wurden.
Komponierte aber auch Symphonien, Kammer- u Kirchenmusik; ein Harfenkonzert

W:
1785 Die Weinlese (anonym)
1786 Weihnacht auf dem Lande (anonym)
1790 Das Singspiel ohne Titel
1791 Der Erntekranz
1795 Achmet u Elmanzine
1796 Der Dorfbabier (größter Erfolg)
Der Bettelstudent
1799 Die Jagd
1802 Der Faßbinder
1819 zwei Kantaten: Die Huldigung
Der Mai

Lit: Autobiogr Skizze v 1830 in StMw 11 (1924)

1900 F.Staub: J.Sch.; Wr.Neustadt

Diss: 1921 E.Rosenfeld: J.Sch.als Opernkomponist; Wien

Bd 67 Jg XXXV Erste Hälfte

E M A N U E L A L O Y S F Ö R S T E R

ZWEI QUARTETTE - DREI QUINTETTE

Bt v Karl Weigl

Vorwort

Themat Katalog der Kammermusikwerke

Quartett op	16,4	C-Dur	(2 Vli Va Vcl)
	16,5	f-moll	
Quintett op	19	c-moll	(2 Vli 2 Ve Vcl)
	20	a-moll	
	26	Es-Dur	

Revb

Vorl (auch zum themat Katalog) Wien: Nationalbibl
Ges d Musikfreunde
Bln: Staatsbibl
Brüssel: Kgl Konservatorium
Kremsmünster: Stiftsarchiv
Darmstadt: Hessische Landesbibl

x - x - x - x - x - x - x - x - x

FÖRSTER, Emanuel Aloys (eigentlich Em., Joseph, Antonius)

/österr Komponist/ * 26.1.1748 Niedersteine b Glatz
† 12.11.1823 Wien

Ll: Autodidakt; 1766-68 Militärmusiker Prag
ab 1779 Musiklehrer in Wien
verkehrte mit Beethoven

Stilkr: Beethovens frühe Kammermusik steht Förster nahe.
Beethoven sandte Schüler an F.
In "Anleitung zum Generalbaßspiel" zitiert F.Beethovens Werke

W: 48 Streichquartette, 4 -quintette
Divertimenti f 2 Vli u Vcl
6 Klavierquartette
7 Divertimenti u 5 Sonaten f Klavier, 2 Vli u Vcl
6 Klaviertrios

Sonaten, Divertimenti, Variationen u Konzerte f Klavier Prael u Fugen f Orgel

Schr: 1805 Anleitung zum Generalbaß (auch tschechisch ersch)
1820 Praktische Beispiele als Fortsetzung der Anleitung 3 Hefte

Lit: 1904/5 K.Weigl: E.A.F.; SIMG VI
1908/9 F.Ludwig: Zwei Briefe E.A.F's; SIMG X
1922 H.J.Wedig: Betthovens Streichquartette op 18 Nr 1; in Veröffentl des Beethoven-Hauses II; Bonn

Diss: 1903 K.Weigl: E.A.F.; Wien, in SJMG VI S 27 (1904)
1911 N.Saltscheff: E.A.F.; Mchn. Teilw ersch (1914)

Bd 68 Jg XXXV Zweite Hälfte

JOHANN STRAUSZ VATER

ACHT WALZER

Bt v Hans Gál
Vorbemerkung

Täuberln W op 1 (Autograph Wr Stadtbibl)
Wr Karneval op 3 (" Strauß-Archiv)
Stimmen-Abschrift Wr Stadtbibl

Elisabethen-W op 71 (Part-Abschrift Strauß-Archiv
3 Violinstimmen Wr Stadtbibl)

Philomelen-W op 82 (Part-Abschrift Strauß-Archiv
Orch-Stimmen Wr Stadtbibl)

Myrthen-W op 118 (Orch-Stimmen Wr Stadtbibl)
Maskenlieder, W op 170 (Part-Abschrift Wr Stadtbibl)
Die Adepten, W op 216 (Orch-Stimmen Wr Stadtbibl)
Die Sorgenbrecher W op 230 (Part-Abschrift Wr Stadtbibl)

Revb

Vorl Wien: Stadtbibl

x - x - x - x - x - x - x - x - x

STRAUSZ, Johann (Vater)

/österr Musiker u Komponist/

* 14.3.1804 Wien
† 25.9.1849 Wien
Söhne: Johann (1825-1899)
Joseph (1827-1870)
Eduard (1835-1916)

Ll: Schüler v Seyfried
1824 "Hilfsdirigent" bei Lanner
1825 eigene Kapelle
1826 op 1
1833 Konzertreisen
1834 Kapm des ersten Bürgerregiments
1835 Hofballdirektor

W: op 1-251 (Tanzkompositionen) auch posth

Ausg: GA f Klavier hgg v Joh.Str.-Sohn 7 Bde (1889)

Lit:
1851 L.Scheyrer: J.Str.' musikal Wanderung durch d Leben; Wien
1894 R.Kleinecke: J.Str.; Lpzg
1904 1919[2] Fr.Lange: J.Lanner u J.Str.; Wien bezw. Lpzg
1948 F.Farga: J.Lanner u J.Str.; Wien
1954 M.Schönherr u K.Reinöhl: J.Str.(Vater), ein Werkverzeichnis. Das Jahrhundert des Walzers I; Wien
1956 A.Weinmann: Verzeichnis sämtlicher Werke v J.Str.-Vater u Sohn; Wien

Bd 69 Jg XXXVI Erste Hälfte

S T E F F A N O B E R N A R D I

KIRCHENWERKE

Bt v Karl August Rosenthal
Inhaltsverzeichnis

Missa "Praeparate corda vestra" 4 vocum
Il bianco e dolce cigno 4 "
pro defunctis 6 "
Dies irae 8 "

Offertorium Ad te Dominum levavi (Dominica I[a] Adventus) 8 vocum
Benedixisti (Dominica III[a] Adventus) 8 vocum
Laudate Dominum (Dominica I[a] in Quadragesimae) 8 vocum

Magnificat 4 vocum primi toni
5
6

Revb

15.Bd d StMw

Vorl Salzburg: Wachskammer des Domes

x - x - x - x - x - x - x - x - x

BERNARDI, Steffano

/it Komponist/ * um 1580 Verona
† ? 1637 Salzburg?

Ll: 1610 Kapm in Rom (Madonna dei Monte)
1611-22 Domkapm in Verona u Mitglied d Accademia Filarmonica
1622-24 Breslau, im Dienste des Bischofs
ab 1627 Salzburg, Domkapm

Bd 69

Stilkr: bedeutsame Stellung als Kirchen- u Instrumental-
komp

W: 1616, 1638 2 Bücher, 8stge Messen
1610, 1613 2-, 4- u 5stge Motetten; 4stge Psalmen
1615 4-, 5stge Messen
1624 8stge Psalmen mit B.c.
1637 Salmi concertati a 5 voci
1634 Encomia sacra 2-6 stg

Madrigalsammlungen zu 3, 5 u 6 Stimmen
1621/7 Madrigaletti zu 2 u 3 Stimmen

zahlreiche Kirchenmusikwerke in Hss

Ausg: DTÖ
J.Messner: Alte Salzburger Meister

Lit: 1899 H.Spiess: St.B. in d Salzburger Chronik XXXV
1928 K.A.Rosenthal: St.B's Kirchenwerke; StMw 15
1927 ders.: Zur Stilistik der Salzburger Kirchenmusik des 17.Jhs; in Kongreßbericht der Beethoven-Zentenarfeier; Wien
1935 C.Schneider: Geschichte der Musik in Salzburg; Salzb.

Diss: 1928 F.Posch: St.B's weltliche Vokal- u Instrumentalwerke; Mchn, erschienen 1935

Bd 70 Jg XXXVI Zweite Hälfte

PAUL PEUERL

Neue Paduanen 1611; Weltspiegel 1613
Ganz Neue Paduanen 1625

ISAAC POSCH

Musikalische Tafelfreud 1621

Bt v Karl Geiringer

Paul Peuerl:

Neue Paduanen 1611	S 1-27	(Cantus, Altus, Ten, Bassus)
Weltspiegel 1613	S 29	(Cantus - Quinta vox Altus, Ten, Bassus)

1. O Musica du edle Kunst
2. Kehr wider glück mit freud und wouv

14 Nummern

Ganz neue Paduanen 1625	61-78	

Isaac Posch

Musikal Tafelfreudt 1621	S 79-126	(Cantus I,II, Altus, Tenor, Bassus)

Anhang I
Neun Tänze a d Linzer Orgelcodex A.S.P. des Museums Francisco-Carolinus in Linz (Ms Nr 16 Inv.N.9647 v.A.Koczirz)

Anhang II
Themat Verzeichnis aller Tänze in d Tenorstimme
" " " " der Musical Ehrenfreud nach der Altus-Stimme

Revb

Vorl Göttingen: Universitätsbibl
Berlin: Preußische Staatsbibl
Gymnasium zum Grauen Kloster
Hamburg: Staats- u Universitätsbibl
Liegnitz: Biblioteca Rudolfina

x - x - x - x - x - x - x - x - x

Bd 70

PEUERL, Paul (Bäuerl, Bäwerl)

[österr Komponist] * um 1575
† ? Anfang 1625

Ll: 1602-9 Organist in Horn
bis 1624 Organist an d evang Kirche in Steyr, verlor d Stelle, als d Kirche den Katholiken zurückgegeben wurde.

Stilkr: soweit bisher bekannt, ist P. der erste, der in d österr-dt Ensemblemusik, über den alten Brauch, der Pavane eine motivisch verwandte Gaillarde hinaus, zur Zusammenstellung von 4sätzigen Suiten kam.
P. frühester Meister der dt mehrstimmigen Variationensuite.

W: 1611 (Nürnberg) Newe Paduan / Intrada, Dantz u Galliarda f Streicher
1613 Weltspiegel, 12 5stge Gesänge u 2 instrumentale Canzonen
1620 Ettliche lustige Padovanen ... (40 Tänze und Canzonen, nur Tenor erhalten)
1625 Gantz neue Padovanen ... 30 Stücke, darunter eine 4sätzige u 2 dreisätzige Suiten

Ausg: DTÖ
1931 v.K.Geiringer hgg. Wolfenbüttel

Lit: 1919/20 E.Noack: Ein Beitrag zur Geschichte der älteren Suite; AfMw II
1925 P.Nettl: Zur Lebensgeschichte P's; BUM V,1
1929 K.Geiringer: P.P.; StMw 16 mit Werkverzeichnis u Briefen
1950 O.Wessely: Neues zur Lebensgeschichte P.P's; Jb d österr Musealvereins XCV

Diss: 1915 P.Frankl: P.P., ein österr Vokal- u Instrumentalkomponist; Wien

x - x - x - x - x - x - x - x - x

Bd 70

POSCH, Isaac

/österr Komponist/

* ?
† 1621 (? 22)
Klagenfurt

Ll:	ab 1614 Organist im Dienste der Stände v Kärnten, vermutl in St.Egyd	
W:	1623	Harmonia concertans 1-4stge Concerti mit B.c. (Nürnberg)
	1618	Musicalische Ehrnfreudt - 4stge Suitensammlung
	1621	Musicalische Tafelfreudt neue Auflage 1626
Ausg:	DTÖ	
	1946	A.Liess: Wr Barockmusik, 2 Sätze
Lit:	1930	K.Geiringer: I.P.; in StMw 17
		H.J.Moser: Die Musik im frühevangelischen Österreich; Kassel
	1955	H.Federhofer: Beiträge zur älteren Musikgeschichte Kärntens; Carinthia XLV

Bd 71 Jg XXXVII Erste Hälfte

LIEDER VON NEIDHART (VON REUENTHAL)

Bt v Wolfgang Schmieder
Textrevision Edmund Wiessner
Bild Neidharts
Inhaltsverzeichnis
Register der Liedanfänge
Einleitung
Die Handschriften (Photoreproduktionen) S 29-42

Übertragungen A Hs Berlin ms.germ. 779 (c)
B Hs Wien Suppl 3344 (w)
C Hs Vipiteno (vorm Sterzing) (s)
D Hs Frankfurt (O)
E Hs Kolmar (Ko)

Revb

17.Bd der StMw

Vorl A Bln
B Wien - Nationalbibliothek (früher Kloster Mondsee)
C Vipitenos (vorm Sterzing) - Stadtarchiv
D Frankfurt - Stadtbibl
E Kolmar - (jetzt München Staatsbibl)

Siehe Quellenmaterial in: Adler Handbuch 1.Aufl S 169
2. " S 201

x - x - x - x - x - x - x - x

NEIDHART von REUENTHAL (Nithart)

/österr Minnesänger/ * um 1180
† um 1240

nächst Walther v d Vogelweide der älteste dt Dichter, von dem Lieder mit Melodien erhalten sind

Bd 71

Ende des 14.Jhs frühestes Aufzeichnung in den Frankfurter Bruchstücken
15. Jh. alle anderen Quellen
Berlin Ms.germ.779 (die wichtigste umfangreichste Quelle)
Wien Suppl 3344
Colmar

Stilkr: frische, herbe u unkomplizierte, einstimmige Melodien; N's Kunst bezeichnet das Ende des hochmittelalterlichen Gesanges

Ausg: DTÖ

1938 ND 1926 Fr.H.v.D.Hagen: Minnesinger IV; Lpzg
1927 K.Ameln u W.Rössle: Tanzlieder; Kassel
1958 A.P.Hatto u R.J.Taylor: The Songs of N.v.R.; Manchester

Textausg:

1858 hgg v M.Haupt, Lpzg
1923^{2} hgg v E.Wiessner
1889 hgg v.Fr.Keinz (nach Haupt), Lpzg
1955 hgg v E.Wiessner, Altdt Textbibl XLIV, Tübingen

Lit: 1954 E.Wiessner: Vollständiges Wörterbuch zu Neidharts Liedern; Lpzg
1954 ders.: Kommentar zu Neidharts Liedern; Lpzg
1930^{5} H.J.Moser: Geschichte der dt Musik I; Sttgt u Bln
1920 S.Singer: N.Studien; Tübingen
1931 R.Alewyn: Naturalismus bei N; Zs f dt Philologie LVI
1934 Grünbaum: Probleme der Strophik N's; Arch neophilol I
1960 W.Müller-Blattau: Melodietypen bei N.v.R.; Annales Univ Saraciensis, Phil Fak IX

Diss: 1883 R.M.Meyer: Die Reihenfolge der Lieder N.v.R.; Bln
1913 F.Mohr: Das unhöfische Element ...; Tübingen
1927 W.Schmieder: Zur Melodiebildung in Liedern v N; Heidelberg. In: StMw 17/3 (1930) u DTÖ Bd 71
1928 J.Osterdell: Inhaltliche u stilistische Übereinstimmung der Lieder N's mit den Vagantenliedern der "Carmina burana"; Köln
1928 J.F.Rabbinowitsch: Probleme der N-Forschung; Amsterdam
1931 J.Günther: Die Minneparodie bei R.; Jena
1937 H.W.Bornemann: N.Probleme; Heidelberg
1947 W.Weidmann: Studien zur Entwicklung v N's Lyrik; Basel

Bd 72 Jg XXXVII Zweite Hälfte

DAS DEUTSCHE GESELLSCHAFTS- LIED IN ÖSTERREICH VON 1480 - 1530

Bt v Leopold Nowak
Instrumentalübertragungen (Tabulaturen) v Adolf Koczirz
Textrevision v Anton Pfalz

Bildnisse (Paul Hofhaimer v Albrecht Dürer)
(A.v.Bruck - Gedenkmünze
H.Finck - Gedenkmünze)

Inhaltsverzeichnis:

Bd 72

Wolfgang Grefinger	Stimmen	Seite
Ach Got wem sol ichs Klagen	5	25
Ach meydlein rein	4	26
Es ist gemacht	4	27
Ich stel leicht ab	4	27
Schwer langweilig I	4	28
Schwer langweilig II	4	29
Unfal wil itz und haben recht	4	29
Wol kombt der mey	4	30
Paul Hofhaymer		
Ach edler hort	4	31
Ach lieb mit leyd	4	31
Ade mit leid	4	32
Carmen in re "unschuldiger Ritter"	4	32
Carmen in sol	4	33
Einr junckfraw zart	4	34
Erst weis ich was die liebe ist	3	34
Fro bin ich dein I	3	36
Fro bin ich dein II	4	36
Fro bin ich dein III	4	37
Greyner zanner	3	37
Hertzliebstes bild	4	38
Ich hab heimlich ergeben mich	4	39
Ich Klag und rew	4	39
Mein eynigs A	4	40
Meins trawrens ist	4	41
Nach willen dein	4	42
On freyd verzer	3	42
Tröstliche liab	4	43
Was ich durch glück	4	44
Zrucht eer und lob	4	45
Erasmus Lapicida		
Ach edles N	4	46
Die mich erfrewt	4	47
Es lebt mein hertz	4	47
Gut ding muß haben weil	4	48
Ich hoff es sey vast wol müglich	4	49
Nie grösser lieb	4	50
O hertzigs S	4	51
Tandernaken	3	52
Stephan Mahu		
Ach hilf mich leid	5	54
Es gieng ein wolgezogner Knecht	4	56
Es wolt ein alt man auf die bulschafft gan	5	56
Ich armes Keutzlein Kleine	4	57
Wer edel ist	4	58

Bd 72

Gregor Peschin	Stimmen	Seite
Fraw ich bin euch von hertzen hold	4	59
Glück hoffnung gib stund	4	59
Mag ich zuflucht	4	60
Mein hertz fert bin	5	60
Mich fretzt unglück	4	62
Of wunsch ich jr	4	62
Johann Lies		
Ach lieb was zeichstu mich	4	63
Ich schweig und las versausen	4	63
Mich hat gros leid umbgeben	4	64
Wer sech dich für ein solche an	4	65
Thomas Stoltzer		
Die Welt die hat ein thummen mut	5	66
Entlaubet ist der Walde	4	67
Erst wirdt erfrewt	4	68
Es dringt daher	4	68
Es müt vil lent	4	69
Heimlich bin ich in trewen dein	4	70
Ich Klag den Tag	4	71
Ich stund an einem morgen	2	71
Ich wünsch alln frawen ehr	4	72
Ihresgleichen lebt auff erden nicht	4	73
Man sicht nun wol	4	73
So wünsch ich jin ein gute nacht	4	74

Anhang

Heinrich Isaac: Der hund 3stg (2 Teile)
Sätze a den Bicinien v Rhau, 1542 S 77-78

Tabulaturen

Heinrich Finck	S 78
Wolfgang Grefingen	78-79
Paul Hofhaymer	80-91
Erasmus Lapicida	93
Stephan Mahu	94
Gregor Petschin (Peschin)	94-95
Thomas Holtzer	95-97

Revb

17.Bd StMw Beihefte d DTÖ S 21-52

Vorl Augsburg: Stadtbibl
Basel: Universitätsbibl
Bln: Preußische Staatsbibl
Lpzg: Universitätsbibl
Mchn: Bayr Staatsbibl
Universitätsbibl
Regensb: Proskesche Bibl
St.Gallen: Stiftsbibl
Ulm: Dombibl
Wien: Nationalbibl
Zwickau: Ratsschulbibl

x - x - x - x - x - x - x - x

Bd 72

ARNOLD v. BRUCK

/österr Komponist/ * 1490 Bruck (?)
† 1554 wahrscheinl in Linz

Ll: Schüler v H.Finck
um 1510 in d Kapelle Ferdinands I
1527 als Kapm in d Kapelle Ferdinands I bezeugt
bis 1546 hier tätig

Stilkr: gehört zu den bedeutendsten Komponisten d 16.Jhs
1536 auf A.v.B. geprägte Denkmünze in Wien
Katholik, trotzdem Bearbeitungen Lutherischer Lieder

Ausg: 1908 17 Choräle hgg v J.Wolf; DDT XXXII
1927-31 13 Sätze, hgg v F.Jode; Das Chorbuch 5 Bde, Wolfenbüttel
1911 4 Hymnen hgg v R.Gerber; RD XXI
1911 3 Sätze in A.W.Ambros, Gesch d Musik V, Lpzg

Lit: 1956 O.Wessely: Zur Frage nach d Herkunft A's v.B.; Wien, M.d.Kom f Musikforschung I

x - x - x - x - x - x - x - x - x

FINCK, Heinrich

/dt Komponist/ * 1444 (? 45) Bamberg
† 9.6.1527 Wien
Großneffe: F.Hermann (1527-1558; Practica Musica 1556)

Ll: Beschreibung seines Lebens in Herm.Fincks Musica pr.
Krakauer Hofkapelle
1482 an d Universität Lpzg immatrikuliert
vielleicht in Torgau
1510 Sttgt, Kapm der Hofkapelle
1514 Augsburg und Komp Innsbruck, in d Hofkapelle Maximilian I
1524 Komp des Salzburger Domkapitels
1527 Kapm Ferdinands I
+ im Schottenkloster in Wien

Stilkr: F. erster dt Großmeister der Musik. In seinen Werken Stilwandel v der meist 3stgen Polyphonie mit c.f. - Technik zum vollklingenden meist 7stgen Satz

W: 4 Messen zu 3, 4 u 6 Stimmen
4 stges Magnificat, Hymnen, lat Sätze zu 2 bis 7 Stimmen
4 stges Introitus, dt Lieder u textlose Sätze
1536 Ein Newgeordnet Lautenbuch, Nrnbg

Lit: 1889 R.Eitner: MfM XXI
1893 ders. XXV
1903 ders. XXXV
1905 ders. XXXVII
1908/9 B.Hirzel: SIMG X
1911/12 A.Chybinsky SIMG XIII
1919/20 Z.Jachimecki ZfMw II
T.W.Werner ebenda
1930/31 A.Koczirz ZfMw XIII
1938 G.Pietzsch AfMw III
1948 H.Albrecht Mf I
1952 H.Federhofer Mf V
(1952) H.J.Moser: Mg in 100 Lebensbildern (Paul Hofhaimer) Sttgt)

x - x - x - x - x - x - x - x

GREFINGER, Wolfgang (Wolf Graefinger, Grafinger, Greffinger, auch nur Wolfgang)

/österr Organist/ * wahrsch um 1480 Krems

Ll: Schüler Hofhaymers (viell um 1495 in Innsbruck)
Priester
1505 in Wien am Stephansdom nachgewiesen
1509 in Wien an d Universität immatrikuliert
1515-1525 möglicherweise Organist am ungar Hof

W: 1512 in Wien ersch: Psalterium patauiense
1515 Aurlii Prudentii Cathemerinon = 4stg Hymnensammlung
Geistl Sätze u Lieder in Sammelwerken

Lit: 1877 J.Ritter v.Aschbach: Die Wr Universität u ihre Humanisten
1929 H.J.Moser: P.Hofhaimer I; Sttgt
1930 L.Nowak: Das dt Gesellschaftslied; StMw 17
1937 O.Gombosi: Zur Biographie W.Gr's; AMJ IX
1938 H.Osthoff: Die Niederländer u d dt Lied; n dt Forschungen CXCVII Bln

x - x - x - x - x - x - x - x

Bd 72

HOFHAYMER, Paul(us) (Ritter v.Hoffheimer,
-ai, -ey)

/österr Organist u Komponist/ * 25.1.1459 Radstadt
† 1537 Salzburg

Ll: Vater Organist - Schüler v Lapicida
am Grazer Hof Friedrich III
1480 Hoforganist in Innsbruck b Erzherzog Siegmund
1490 Hoforganist in Innsbruck b Kaiser Maximilian
Reisen der Hofkapelle:
1486 Frankfurter Reichstag
1494 Antwerpen
1502-6 Passau Fürstbischof
1508 bei d Münchner Hofkapelle
1508-18 ohne feste Stellung - aber in Augsburg ansässig
u noch immer in kaiserl Diensten
ab 1824 in Salzburg Domorganist

Stilkr: H.galt in Deutschland als der größte Orgelmeister seiner Zeit - 1515 v Maximilian I u König v.Ungarn in den Adelsstand erhoben - Darstellungen H!s in H.Burgkmair's "Triumpfzug Maximilians" - H.Weichtz "K.M. in Augsburg d Messe hörend"

Erzieher einer Generation bedeutender Vertreter eines "ornamentistischen" Orgelstils, das sind: H.Buchner, Kotter, C.Brumann, Schedinger, Grefinger u H.Oyart; D.Memmo venezianischer Organist
Die 4stgen dt Lieder sind v d spätmittelalterl Tradition durch Herausarbeitung kurzer Abschnitte u übersichtliche Formgebung abgehoben. Texte meist v H. verfaßt

W: (1495) Ave maris stella - 3stg, in Sickers Orgeltabulaturbuch geschrieben 1504-30 in Konstanz u St.Gallen
1512 Salve regina, Tandernack 3 stg
u Ade mit leid 4stg
in Öglins Liederbuch (gedr Augsburg)
1512 Ach lieb mit laid ... in Schlicks Tabulaturen
1513 Was ich durch glück ... in Kotters Orgeltabulatur
1520 Ain frolich wesen ... Hs Mchn
1539 Harmoniae poeticae, Nrnbg

Ausg u Lit siehe Rie 12.Aufl
1930 L.Nowak: Das dt Gesellschaftslied; StMw 17
1955 O.Wessely: Neue Hofhaimeriana" VKMf Nr 3

Diss: 1908 O.Thalberg: H!s künstlerische Persönlichkeit; Wien

x - x - x - x - x - x - x - x

Bd 72

PESCHIN, Gregor (Pesthin, Petschin, Posthimus)

/dt Komponist/

* 1500 in Böhmen
† wahrsch nach 1556

Ll: Schüler Hofhaymers
1530-37 Stadtorganist in Salzburg
Weingarten
1543 Hoforganist in Neuburg a.d.Donau
1546 Hoforganist in Heidelberg

W: 51 dt Lieder im Heidelberger (Neuburger) Kapell-Inventar
12 Sätze in Ochsenkuns Tabulaturbuch
31 Motetten
6 Messen
liturg Sätze, Psalm, Ode

Lit: 1894 R.Eitner: Das alte dt mehrst Lied; MfM XXVI
1956 S.Hermelink: Ein Musikalienverzeichnis ... in Ottheinrich; hgg v G.Prensgen; Heidelberg
G.Pietzsch: Musik u Musikpflege zur Zeit Ottheinrichs; in Pfälz Heimatblätter IV
1959 ders.: Mf XII
1958 A.Lager: Pfalzgraf Ottheinrich u d Musik; AfMw XV

x - x - x - x - x - x - x - x

SIES, Johann

geb in Österreich, in Diensten des Herzogs v.Württemberg

x - x - x - x - x - x - x - x

STOLTZER, Thomas

/dt Komponist/

* wahrsch zw 1480 u 1485 in Schweidnitz (Schlesien)
† 1526 Ofen (?) gefallen in der Schlacht bei Mohács (?)

Ll: 1519 Vicarius am Breslauer Domkapitel
1522 8.5. magister Capellage der ung Hofkapelle in Ofen auf Empfehlung der ung Königin Maria u König Ludwigs
1526 23.2. einzig erhaltener Brief

Stilkr: Schüler Fincks - neben Senfl bedeutendster dt Komponist seiner Zeit.
Knappe Formen der größtenteils kirchl Werke - archaische Stileigentümlichkeiten

W: 26 Motetten oder Motetten-Zyklen zum Proprium Missae
10 Responsorien
15 Antiphonen
43 mehrstimmige Hymnen
5 Vesperpsalmen
15 lat, 4 dt Psalm-Motetten
14 weltl u geistl dt Lieder
5 Magnificat Te Deum
textlose Instrumentalsätze

Dt Lieder über Hofweisen-Tenores komponiert
19 3-stge meist c.f.-lose Psalmenmotetten
1524 4 dt Psalvertonungen nach Luthers Übersetzung (37. u 68.Psalm ragen durch Umfang u Gestaltungskraft hervor)

Ausg: DTÖ
RD
DDT (Gombosi u H.Albrecht)

Lit: 1876 R.Eitner: MfW VIII
1876 O.Kade " VIII
1927 Gombosi in Crescendo I
1954, 1960[2] ders., G.Reese: The music in the Renaissance
1931/2 H.J.Moser: ZfMw XIV
1957 L.Hoffmann-Erbrecht [Habschr], Frankfurt AfMw XIV

Diss: 1943 H.L.Hampe: Die dt Psalmen d Th.St.; Posen

x - x - x - x - x - x - x - x

LAPICIDA, Erasmus

[Komponist mutmaßl deutschsprachiger Abkunft]

Lebensdaten unbekannt
ungefähr 1465-1550
(soll 100 Jahre alt geworden sein)

Schaffen nur durch Drucke (Petrucci 1503-1508) u Hss belegt

Gehörte zur Hofkantorei Heidelberg, Kurfürst Ludwig V.

1536 übersandte L. eine Motette an Ferdinand I.

Lit: 1868 A.W.Ambros: Gesch der Musik III
1930 L.Nowak: Das dt Gesellschaftslied
1952 H.Federhofer: Biograph Beiträge zu E.L. u St.Mahu; Mf V
1954/5 O.Wessely: Ein unbekannter Brief v E.L.; Musikerziehung VIII
1955 ders: Neues zur Lebensgeschichte v E.L.; Mf Nr 2
Mitt d Kommf. Mf II
1957 ders: Neue Beiträge zur Lebensgeschichte v E.L.; KmJb XLI

x - x - x - x - x - x - x - x

MAHU, Stephan

/österr Komponist/

16.Jh. vielleicht franko-fläm Herkunft

Ll: 1528-41 Posaunist bei Ferdinand I
ab 1532 Vizekapm bei Ferdinand I

Stilkr: Kompositionen in spätniederländ Stil H.Isaacs
Schüler: J.Zanger

Ausg: Kompositionen in Sammelwerken 1536-68

Lit: wie Lapicida

Bd 73 Jg XXXVIII Erste Hälfte

B L A S I U S A M O N CA 1560 - 1590

KIRCHENWERKE I

Bt v P. Caecilianus Huigens

Liber cantionem (Introitus 5 v) 1582

Sacrae cantiones (Moteta) 1590

Revb

18.Bd StMw - Beihefte der DTÖ

Vorl	Bln:	Preuß Staatsbibl
	Breslau:	Stadtbibl
	Ldn:	British Museum
	Laibach:	Lyceum-Bibl (Studienbibl Ljubljana)
	Köln:	Stadtbibl
	Liegnitz:	Biblioteca Rudolfina
	Regensb:	Proskische Sammlung
	Grimma:	Landesschule
	Lpzg:	Stadtbibl
	Mchn:	Bayr Staatsbibl
	Zwickau:	Ratsschulbibl
	Wien:	Minoritenkloster
	Salzb:	Wachskammer des Domes

x - x - x - x - x - x - x - x

AMON, Blasius

/österr Komponist/

* um 1560 Imst
† Juni 1590 Wien
Bruder: Stephan Amon

Ll:	Diskantist in d Hofkapelle Erzherzog Ferdinands in Innsbruck	
	1574-77	ausgebildet in Venedig
		Kantor in Heiligenkreuz (b Baden b Wien)
	1587	Franziskanermönch in Wien
W:	1582	5stges Introitus, gedr in Wien
	1588	4stge Messe, gedr in Wien
	1590	4-6stge Messe, gedr in Mchn
	nach 1590	4stge Messe im Patrocinium musices (1591)
	1593	4-6 stge Motetten
	1601	4-6stge Motetten 2.Bd hgg v Bruder Stephan Amon
Diss:	1914	C.Huigens: B.A., sein Leben und seine Werke; Wien StMw 18 (1931)

Bd 74 Jg XXXVIII Zweite Hälfte

J O S E F S T R A U S Z
DREI WALZER NEBST ANHANG

Bt v Hugo Botstiber
Vorbemerkung

Walzer [1] Dorfschwalben aus Österreich op 164
[2] Sphärenklänge op 235
[3] Mein Lebenslauf ist Lieb' u Lust op 263
Anhang [4] Frauenherz, P-M. op 166

Revb

Quellen [1] 20 Orchesterstimmen - Spina u Part-Abschrift - Benedikt Pfleger

[2] 26 - u Part-Abschrift v Franz Flatscher

[3] 24 - u Part-Abschrift v Benedikt Pfleger

[4] 20 - Cranz u Part-Abschrift v Franz Flatscher

Vorl Wien: Stadtbibl

x - x - x - x - x - x - x - x - x

STRAUSZ, Joseph

[österr Musiker u Komponist]

* 22.8.1827 Wien
† 21.7.1870 Wien
Bruder v Joh.u Eduard Strauß

Ll: Ingenieur, dann Kapm

W: op 1-283 (Tanzkompositionen) auch posth

Lit: 1967 A.Weinmann: Verzeichnis sämtlicher Werke v Josef u Ed.Strauß

Bd 75 Jg XXXIX

ANTONIO CALDARA 1670 - 1736

KAMMERMUSIK F GESANG:

Kantaten, Madrigale, Kanons

Bt v Eusebius Mandiczewsky

Vorbemerkung

Inhaltsverzeichnis

Einleitung (v Dr.Karl Geiringer)

Kantaten:

1. Sopran "È qual chosà"
2. "La Rosa"
3. "Che prodigis"
4. "Io crudele?"
5. Alt "Astri"
6. "D'improvviso"
7. "Soffri mi caro Alcino"
8. Baß "Titano all'Interno"
9. "Che dite"
10. Alt (Vl, Vcl) "Vicino a un rivoletto"
11. 4 Sopr (mit versch Instrumenten) "Il Giucco del Quadriglio" (L'hombre)

Madrigale:

1. Sp A T B "Vola il tempi"
2. 2Sp A T B "Fra poggie novi"
3. 2Sp A T B "Di piaceri fariera"

Kanons:

1. Questi son canoni
2. Comincio solo
3. Perchè vezzosi
4. Mia Clori a dio
5. Si penso a voi
6. Son stanco
7. Se viver non poss'io
8. Crudel, del
9. Son poverel
10. Saldo! Toni!
11. Per voi mi struggo
12. Filen, mio bene
13. La sorte tiranna
14. Sù cantemo

15. Caro bel idol mio
16. Penso e ripenso
17. Alla maniera Turca
18. No vogio
19. Ancor non son contento
20. Al povero d'amore
21. Chi viver vuol
22. Se tu d'amor
23. Se un vero amante
24. Desto licor
25. È la fedi
26. Sciogilerò
27. Non più catene
28. Che bel contento
29. La mia gallina
30. È bello il pensio
31. Io son benissimo
32. Impara a scriver
33. Tu sei l'unico
34. Tu sei l'anima
35. Cantè, sonè, bellè

Revb

Vorl Wien: Ges d Musikfreunde
Dresden: Sächsische Landesbibl

Bd 76 Jg XL

S I E B E N   T R I E N T E R   C O D I C E S

Geistliche und weltliche Kompositionen des
XIV u XV Jhs 6. Auswahl /V. = Bd 61
VII.= Bd 120/

Bt v Rudolf Ficker

Vorbemerkung

Staatsmotetten des 14.Jhs

Anonymus: Olivor - Inter amenitatis - Revertenti
: (Phil. de Vitry?) Garrit gallus - In nova fert
Philipp de Vitry: Hugo princeps - Cum structura
Anonymus: Ha fratres - Rachel plorat

Motetten des 15.Jhs

Christoforus de Monte: Plaude decus mundi (auf den Dogen Francesco Foscari 1423)
Johannes Alanus: Fons citharizancinum
Sub Arturo
In omnem terram (Musikermotette)
Anonymus: Maria mare
O Maria celi
Ludbicus du Arimino: Salvaecara Deo tellus (auf Italien)
Anonymus: Elizabet Zachariae (St.Johannes Baptista)
Johannes Franchos: Ave virgo (S.Maria)
Guillaume Dufay: Apostolo glorioso
Cum tua doctrina
Andreas (S.Andreas Apost.)
Dufay: Supremum est mortalibus (auf den Frieden zwischen Papst Eugen IV u König Sigismund 1433)
Dufay: Ecclesie militantis
Sanctorum arbitrio
Bella canunt (auf Papst Eugen IV)
Anonymus: O sacrum manna
Ecce panis (de Ss.Sacramento)

Johannes Dunstable: 21 Motetten

1. Albanus roseo - Quoque ferendus (S.Albanus)
2. Christe sanctorum - Tibi Christe (zum Feste S.Michaelis Archangelo)
3. Ave regina - Ave mater - Ave mundi
4. Dies dignus - Demon dolens - Iste confessus (S.Germanis)
5. Gaude felix - Gaude mater - Anna parem (S.Anna)
6. Gaude virgo - Virgo mater

7. Salve scema - Salve salus - Cantant celi (S.Catherina)
8. Preco prehominencie - Precursor - Inter natos (J.Johannes Baptista)
9. Regina celi
10. Ave regina
11. Alma redemptoris
12. Ascendit Christus (zum Feste Assumptio B.M.V.)
13. Specialis virgo
14. Sancta dei genitrix
15. Salve regina mater mire
16. Salve mater Salvatoris
17. Gaude virgo Katerina
18. Beata dei genitrix
19. Sancta Maria sucurre
20. Speciosa facta est
21. Gloria Sanctorium

Anonymus: Lamberte vir inclite (S.Lambertus)
" : Christi natu sublimato (S.Lambertus)
Johannes Verben: O domina gloriosa (S.Maria)
Anonymus: Gaudeat ecclesia (S.Antonius Pater)
" : Gregatim grex audet (S.Gregorius - S.Nicolaus)
: (G.Dufay?) O sidus Yspanie (S.Antonius Pater)
: Adoretur - In ultimo - Dies datur - Lilia nunc flores - Pacem (Übergabe v Bordeaux an Karl VII, 1451)
Forest: Tota pulchra es
De Anglia: Benedicta es celorum
Anonymus: O sanctissime presul - O Christi pietas (S.Doratianus)
Johannes Brasart: Te dignitas presularis (S.Martinus)
Merques: Castrum pudicicio - Virgo videt - Benedicamus
Anonymus: Hac clara die - Nova efferens
: Anima mea liquetacta est
H.Battre: 1. Gaudens exulta (S.Maternus)
2. Gaude virgo
3. Dulcissime frater
4. Stirps regia
5. De qua natus
6. Chomos condrosi
Anonymus: Ecce panis
: Laudo vinum

Revb

Die zu diesem Band gehörende Einleitung erscheint im 21.Bd der StMw - Beihefte d DTÖ

x - x - x - x - x - x - x - x

Bd 76

VITRY, Philipp de (Philippus de Vitriaco,
Victriaco)

/frz Geistlicher, Musiktheoretiker u Komponist/ * 31.1o.1291
† 9. 6.1361

Ll: Ende d 13.Jhs u Anfang d 14.Jhs als Notarius d Königl Kanzlei nachgewiesen
1327, 1336, 1342, 1350 u 1351 in Avignon (Briefe v Petrarca)

1351 Bischof v Meaux

W: 14 Motetten, Lais, Balladen, Rondeaux

Schr: Ars nova
2 Dichtungen: Chapel des trois fleurs de Lis (Aufruf zu einem Kreuzzug)
Dict de Franc Goutier
Text zu einer Ballade u zu seinen (nicht erhaltenen) Motetten

Stilkr: In d Motette neue Struktur: Isorhythmik!

Lit: siehe Rie /nicht im Them Katalog der Tr C/

Bd 77 Jg XLI

ITALIENISCHE MUSIKER UND DAS KAISERHAUS

1567 - 1625

Dedikationsstücke und Werke von Musikern im Dienste des Kaiserhauses

Bt v Alfred Einstein

I. Dedikationsstücke

Filippo di Monte (1521-1603)

1. Carlo ch'en tenerella acerba etade; 5stg (1567)

Francesco Portinaro (ca 1517 - ?)

2. Ove, sacre sorelle; 7stg (1568)

Andrea Gabrieli (ca 1510-1586)

3. Felici d'Adria, e dilettose rive; 8stg (1570)
4. La bella pargoletta; 6stg (1580)
5. Quel dolce suono e quel suave canto; 6stg (1580)

Camillo Zanotti (? - ?)

6. O di Progenitori Ecclesi Augusti; 6stg (1589)

II. Werke v Musikern im Dienste des Kaiserhauses

Annibale Padoano (1527-1575)

7. Dolce mio caro e precioso regno; 5stg (1564)
8. Cantai un tempo, et se fu dolc' il canto; 5stg (1564)

Matteo Flecha (1530-1604)

9. Dal superbo furor de l'onde audace; 5stg (1568)
10. Del porfi mano a l'affannat'ingegno; 6stg (1568)
(Dichter: Francesco Petrarca)

Carlo Luython (ca 1536-1620)

11. Erano i capei d'oro e l'aura sparsi; 5stg (1582)
(Dichter: Fr.Petrarca)
12. Sacro monte mio dolce almo soggiorno; 5stg (1582)
13. Perch'io tabbia guardate di menzogna; 5stg (1582)
(Dichter: Fr.Petrarca)

Lamberto di Sayve (1549-1614)

14. Donna bell'et crudel mi fa morire; 5stg (1582)
15. Da poi che tu crudel mi desto morte; 5stg (1582)
16. Altro ci vuole che balargalante; 5stg (1582)

Giacomo Regnart (1540-1599)

17. Ardo si, ma non t'amo; 5stg (1585)

Francesco Rovigo (1531-1597)

18. Ardo si, ma non t'amo; 5stg (1582)
    (Dichter: Torquato Tasso)

Alessandro Orologio (? - ?)

19. Occhi miei, che vedeste; 5stg (1586)

Camillo Zanotti

20. Giacea la mia virtù vinta e smarita; 5stg (1587)
    (Dichter: Torqu.Tasso)
21. Tirsi morir volea; 5stg (1587)
22. Donò Licor à Bato; 5stg (1590)
    (Dichter: Battista Guarini)

Filippo di Monte

23. Già fu chi   hebbe cara; 7stg (1599)
    (Dichter: Giovanni Boccaccio)
24. Quella fera son'io; 7stg (1599)

Giovanni Priuli (? [1575] - 1629)

25. Presso un fume tranquillo; 9stg (1625)
    (Dichter: Giambattista Marino)
26. Chiudete l'orecchie; 10stg (1625)

Revb B.c. v Dr.Hans Gál
Übersetzung ins Deutsche v Dr.Alfred Grünfeld
dazu StMw 21 - Beihefte d DTÖ S 3-52

Vorl nicht angegeben, durchwegs Drucke

x - x - x - x - x - x - x - x

Bd 77

MONTE, Filippo di

/franko-fläm Komponist/

* 1521 Mecheln
† 4.7.1603 Prag

Ll: 1541-54 in Neapel, bekannt mit R.de Lassus
1535 Rom - Antwerpen - England
Mitglied der Kapelle der Königin Mary
1567 in Rom nachgewiesen
1568 Kapm Maximilians II als Nachfolger Vaet's
Kapm Rudolf II (in Wien u Prag)

Stilkr: mit M. beginnt d Vorherrschaft d it Musik in den österr Erblanden. Gehört zu den fruchtbarsten u hervorragendsten Komponisten des a Capella-Zeitalters. Steht vielleicht hinter Lassus zurück, aber nicht in Gediegenheit u Kunstmäßigkeit des Satzes

W: 1073 3-10stge weltl Madrigale
144 5-7 stge geistl Madrigale
45 4-7 stge Chansons
319 5-12 stge Motetten
38 4-8 stge Messen

Drucke ab 1554
19 Bücher Individualdrucke

1598 7stge Madrigale: La fiammetta
1600 (weltl) Musica sopra Il pastor fido
ab 1572 geistl Madrigale: eine Auswahl v Büchern

Lit: 1894 A.Sandberger: Beiträge zur Gesch d bayr Hofkapelle I
1895 G.van Doorslaer: Ph. de M.; Mecheln, Lpzg
1921 ders.: La vie et les oeuvres de Ph.d.M; Brüssel darin Werkverzeichnis u Vorrede
1921 P.Bergmans: 14 lettres ....; Brüssel
1930 A.Einstein: F.de M als Madrigalkomponist; Lüttich
1934 ders.: It Musik u Musiker am Kaiserhof; StMw 21
1949 Ch.van den Borren: Geschiedenis ...; Amsterdam
1954 G.Reese: Music in the Renaissance; New York

Diss: 1912 V.Ebenstein: Die Messen Ph.de M. mit besonderer Berücksichtigung seiner Parodietechnik; Wien
1951 M.Antonowytsch: Die Motette Benedicta es v J.de Prezau d Messen super B.es v Willaert, Palestrina, de la Hale u de Monte; Utrecht. Ersch Utrecht 1951

x - x - x - x - x - x - x - x

Bd 77

PORTINARO, Francesco (Portenario)

/it Komponist, Lautenist/

* 1516 Padua
† nach 1578 Padua

Ll: 1556 Dir d Accademia dei Costanti
1557 Maestro di musica in Padua
Vorstand der Accademia dei Costanti in Vicenza
1568-71 im Dienste des Kardinals Ippolito d'Este in Tivoli
1573 Maestro der Accademia dei Rinascenti

W: 1548-73 3 Bücher Motetten u 6 Bücher Madrigale
viele Gelegenheitskompositionen
Widmungen an hochgestellte Persönlichkeiten

x - x - x - x - x - x - x - x

GABRIELI, Andrea (G.da Canareggio, weil im Stadtteil Canareggio geb)

/it Komponist/

* um 1510 Venedig
† Ende 1586 Venedig
Neffe: Giovanni G. (1557-1613)

Ll: wahrsch Schüler Willaerts
1536 Kapellsänger a d Martinskirche
um 1540 Verona (V.Puffo)
um 1550 Organist in Venedig (St.Geremia)
1564 2.Organist, Nachfolger Merulos
1585 1. Organist

Stilkr: einer der einflußreichstenu größten Meister der Renaissance überhaupt.
Hat am meisten dazu beigetragen, einem harmonisch flüssigeren Stil zum Siege zu verhelfen, Dur- u Moll-Harmonik im modernen Sinne zu festigen.
Mehrchörigkeit in d Kirchenmusik
Madrigale u heitere Lieder waren stark beachtet
Ebenso Instrumentalmusik: Orgel u Instrumentalensembles.
Auf allen Gebieten richtungsgebend.
Bedeutende Schüler: Neffe Giovanni Gabrieli, H.L. Haßler u Aichinger

W: alle in Venedig erschienen:
1565 Sacrae cantiones; 5stg
1566)
1570) 3 Bücher Madrigale, 5 stg
1589)

1571 Greghesche et Iustiniano, 3 stg
1572 Messen, 6stg
1574 u 1580 2 Bücher Madrigale, 6 stg
1575 Madrigale 3 stg
1576 Ecclesiasticarum cantionum, 4 stg
1583 Psalmi Davidici, 6stg
1587 6-16stge Concerti di Andrea et di Giov.G.
1588 Chori in musica .... della Tragedia di Edipo Tiranno, 3-6stg
1589 Madrigali et Recercari, 4stg
1593 Intonationi d'organo mit 4 Toccaten
1595-96 Instrumentalstücke in Büchern, Ricercari
1605 Cunzoni alla francese et Ricercari

Vieles in Sammelwerken, wie:
1593 P.Phalèse's: Harmonia celeste
1594 Symphonia angelica
1595 Musica divina
1586 Zuccarini's: Carona di dodeci sonetti
1574 Gardonòs: Concerti die A. et G.G.; doppelchörige Festgesänge f den Empfang Heinrichs III v.Frankreich

Viele Motetten in dt Sammlungen

Lit:
1878 W.J.v.Wasielewsky: Gesch d Instrumentalmusik; Bln
1935 Ritter-Frotscher: Zur Gesch des Orgelspiels; Bln
1908 H.Leichtentritt: Gesch der Motette
1931/2 G.Benvenuti: A.e G.G. e la musica strumentale in San Marco; Milano (1.Bd Thematische Liste)
1934 A.Einstein: It Musik ... am Kaiserhof; StMw 21
1949 ders.: The Italian Madrigal, 3 Bde; Princetown

Diss:
1927 R.Gress: Die Entwicklung der Klaviervariation v G. bis J.S.Bach; Tübingen, Kassel, Bärenreiter (1929) Veröff d Musikint d Univ Tübingen 6
1933 J.Zerr: Studien zu A.G.; Prag
1939 H.Schultz: Das Madrigal als Formideal. Eine stilkundl Untersuchung mit Belegen a.d. Schaffen A.G.; Lpzg /Habschr/ Publikation d Abtlg zur Herausgabe älterer Musik ... X, 13,2

x - x - x - x - x - x - x - x

ZANOTTI, Camillo Don

* gegen 1545
Cesene

Ll:
1586 Vizekapm a d Kaiserl Hofkapelle
1589 1.Madrigalbuch, dem Kaiser gewidmet
widmet it u lat Madrigale dem Geheimrat des Kaisers Wilhelm Ursus v.Rosenberg
ab 1591 v.Z. nichts mehr bekannt

x - x - x - x - x - x - x - x .

Bd 77

ANNIBALE PADOANO (-ovano)

/it Organist/ * 1527 Padua
† 15. März 1575 Graz

Ll: 1552-64 Venedig, Organist a d Martinskirche
ab 1566 Hoforganist bei Erzherzog Karl, Graz
1567 "obrister musicus"
ab 1570 Kapm

W: 1573 5stge Messen
1567 5-6stge Motetten
1556 4stge Ricercari (in Stimmen)
1604 Toccate e Ricercari (Part)

Lit: 1930 A.Einstein: A.P's Madrigalbuch (St zur Musikgesch, hgg v Adler, Wien)

x - x - x - x - x - x - x - x - x

FLECHA, Matteo (Flexa, Fleccia)

/span Komponist/ * 1530 Prades (Tarragona)
† 2o.2.16o4 im Kloster La Portella (Spanien)
Onkel: Flecha Matteo (1481-1553)

Ll: in Diensten der Infantin Maria (1548 Gemahlin Maximilian II)
Karmeliter im Kloster zu Valencia u möglicherweise in d Hofkapelle in Madrid
1561 6.12. EA der 1.span Oper "El Parnaso", ihm zugeschrieben
1579 Titularakt d Klosters Tihany (am Plattensee)
1599 Abt des Benediktinerklosters La Portella (in d Provinz Lerida)

W: 1581 gab in Prag Kompositionen heraus: von sich, seinem Onkel u v Chacón u P.A.Vila
1568 4-5stge Madrigale bei Gardano in Venedig
1581 Divinarum completarum Psalmi ...; Prag
1593 Gedichtsammlung in Prag ersch, auf den Tod der Witwe Carls IX v Frankreich

x - x - x - x - x - x - x - x - x

LUYTHON Carlo

* 1556 ? in Antwerpen
† 1620 Prag

Ll: berühmter Kapell-Organist
1576 Messe Kaiser Maximilian III gewidmet
1582 Buch mit 5stgen Madrigalen, Johann Fugger in Augsburg gewidmet
Messe gew F. Monte

Diss: 1917 A.Smijers: K.L. als Motettenkomponist; Wien
Amsterdam, Alsbach 1923. Tijds d Vereenig..XI

x - x - x - x - x - x - x - x - x

SAYVE Lamberto di

* 1549 Lüttich
† 1614 Febr

1582 1.Buch 5stge Canzone: Musikus d Erzherzogs Carl Graz
wird Nachfolger des Filippo di Monte
bis 1602 Kapm d Erzherzogs u Kaisers Matthias

x - x - x - x - x - x - x - x - x

REGNART, Giacomo (Jakob)

/Sänger u Komponist/

* um 1540 Douai
† 16.1o.1599 Prag
4 Brüder: Franz, Karl u Pascasius

Ll: Sängerknabe unter Vaet in d Kaiserl Hofkapelle
1568-70 in Italien
1576 2.Kapm
1582-95 Innsbruck, Kapm Erzherzogs Ferdinand

W: 1575-1611 ersch: 30 Messen (8-10stg), 150 Motetten (3-12stg)
Matthäuspassion
it Canzonen
dt Lieder

1576-79 3stge Kurtzweilige Teutsche Lieder nach
Art ...; Nürnberg, in 3 Teilen

Diss: 1919 A.Wassermann: Die weltl Werke J.R's; Rostock.
Die Musik VIII 1909/10 I. S 76

x - x - x - x - x - x - x - x - x

ROVIGO, Francesco

* 1531 (?)in Mantua
† 7.1o.1597 Mantua

um 1580 im Dienst des Herzogs v Mantua als Sänger
1582 in Graz, Mantua u Mchn - aber hauptsächlich in Graz als Organist
gelegentlich in Innsbruck u München

x - x - x - x - x - x - x - x - x

OROLOGIO, Alessandro (= Prager Orologio!)

Ll: 1580 Violinist in d Prager Hofkapelle
1586 1. Madrigalbuch zu 5 Stimmen
1616 3. Madrigalbuch zu 5 u 6 Stimmen

/1595 2. Madrigalbuch dem Landgrafen v Hessen gewidmet (aber nicht vom Prager Orologio sondern von "O.A." = Orologio Alessandro) = Dresdener O./
1603 Vicekapm unter Lambert de Sayve
ab 1613 im Ruhestand - Hofkomponist bis um 1630

x - x - x - x - x - x - x - x - x

PRIULI Giovanni (Prioli)

* 1575 ?
† 1629

Anfang d 17.Jhs Kpm d Kaiser Ferdinand II. in Wien

W: 1604 Sammlung 5stger Madrigale "Musiche concertate"
1607 , 2.Buch
1612 , 3.Buch
tätig in Graz u Wien
1618 2 Bücher Motetten (u 2 Sonaten)
1621 8stge Psalmen Davids
1624 4-, 6-, 8- u 9stge Messen
1622 4.Buch der "Musiche concertate"
1625 Avvertimento, 1.Auff f den Kaiserhof komponiert (= großes Vokal- u Instrumentalkonzert)

Bd 78 Jg XLII 1. Teil

JACOB HANDL (GALLUS)

1530 - 1591

SECHS MESSEN

Bt v Paul Amadeus Pisk

Einleitung

Missa super	"Elisabethae impletum est tempus"	8 vocum
	"Cesta novenarum"	8
	"Im Mayen"	5
	"Ich stund an einem Morgen"	5
	"Ob ich schon arm und elend bin"	4
	"Un gay bergier"	4

I.V.B. (Jost v.Brand) "Ob ich schon arm und elend bin"

Tabulatur super "Im Mayen"
"Ob ich schon arm und elend bin"
"Un gay bergier"

Revb

Vorl Drucke a d Jahre 1580 bei Georg Nigrinus; Prag

Bd 79 Jg XLII 2. Teil

DAS WIENER LIED 1792-1815

f Gesang u Klavier

Bt v Hermann Maschek (Text) u Hedwig Kraus (Musik)

Einleitung

Anton Teyber
Nr 1 Liebesschmerz (Alois Blumauer)

Anton Eberl
Nr 2 Der Fischer (Goethe)
3 Die Liebe (Friedr.Wilh.Gotter)

Emilian Gottfried v.Jacquin
Nr 4 Liebeszauber (Gottfried August Bürger)

Moriz v.Dietrichstein
Nr 5 Meine Wünsche (Graf Moriz v.D.)
6 Schäfers Klagelied (Goethe)

Johann Fuss
Nr 7 Die Verlassne an ihr Kind (Karl Müchler)

Sigmund Neukomm
Nr 8 Die Trennung, Romanze (Julius Wilh.Zinkgraf)

Niklas v.Krufft
Nr 9 An Emma (Schiller)
10 Der arme Thomas (J.D.Falk)
11 Die Elfenkönigin (Friedrich Matthisson)
12 Die Erwartung (Schiller)
13 Des Mädchens Klage (Schiller)
14 Serenade (Christian Ludwig Reissig)

Conradin Kreutzer
Nr 15 Wehmut (Chr.L.Reissig)

Revb

Vorl: Wien: Ges d Musikfreunde

x - x - x - x - x - x - x - x - x

Bd 79

TEYBER Anton

/österr Komponist/

* 8.9.1754 Wien
† 8.11.1822 Wien
Bruder: Franz (1756-1810) Dirigent
Schwestern: Elisabeth (1746-) Sängerin
Therese (1760-1830) Sängerin

Ll: Schüler Padre Martinis
1788-91 Dresdener Hofoper
1792 Wiener Hofoper: Cembalist
Hofkompositeur
ab 1793 unterrichtet junge Erzherzöge

W: 2 Oratorien, Messen, Melodramen, Symphonien, Konzerte

Schr: Lehrbücher ungedruckt

x - x - x - x - x - x - x - x - x

EBERL, Anton

/österr Pianist u Komponist/

* 13.6.1765 Wien
† 11.3.1807 Wien

Ll: Konzertreisen durch Deutschland (1795 mit Mozarts Witwe)
1796-1800 St.Petersburg

W: 7 Opern 1794 Pyramus u Thisbe, Wien
1801 Die Königin der schwarzen Inseln, Wien
Symphonien, Kantaten, Klavierkonzerte
Kammermusik, Streichqu (op 13)
Es-Dur Symph zus mit Eroica aufgeführt

Lit: 1927 Fr.J.Ewens: A.E. Mit them Katalog; Drdn
1952 R.Haas: A.E.; In Mozart-Jb

Diss: 1923 Fr.J.Ewens: A.E.; Kölner Beiträge z Mf 7; Limpert, Drdn 1955

x - x - x - x - x - x - x - x - x

Bd 79

DIETRICHSTEIN, Moritz Graf

* 19.2.1775 Wien
† 27.8.1864 Wien

Ll: 1819 Hofmusikgraf
1821 Hoftheater - Intendant
1826 Hofbibl-Dir
1845-48 Oberstkämmerer

W: Lieder, Tänze

x - x - x - x - x - x - x - x - x

FUSS, Johann

/Komponist/

* 1777 Tolna
† 9.3.1819 Wien
(19.3. = Mendel)

Ll: Sängerknabe
Hofmeister auf einem Gut in Ungarn
Musikmeister in Preßburg
studiert in Wien bei Albrechtsberger
Kapm am Theater in Preßburg
Musiklehrer in Wien
schreibt Correspondenzartikel f Leipziger AZfM

W: Quartette u Duos f. Blasinstr - Duos f Klav. u Vl - Sonaten - 2-u.4-händige Klavierkomp - Messe, Kirchenkomp - Ouvertüre "Braut von Messina" (Schiller) - Duo und Melodramen, Operette "Der Käfig" n Gelegenheitskantaten

x - x - x - x - x - x - x - x - x

NEUKOMM, Siegismund (Ritter v.)

/österr Dirigent, Organist u Komponist/

* 1o.7.1778 Salzb.
† 3.4.1858 Paris
Neffe: Edmond N. (184o-19o3) frz Musikschriftsteller

Ll: Schüler v Michael u Joseph Haydn
1806 Stockholm - St.Petersburg

1809 kurz in Wien, dann Paris (Cherubini, Grétry)
Pianist Talleyrand's, begleitete ihn
1814/15 zum Wr.Kongreß
1816 Rio de Janeiro - Hofkapm d Kaisers v.Brasilien
1821 Lissabon
letzte Jahre in Paris u London

W: 8 Oratorien, 15 Messen, 5 Te Deum, 5 Kirchenkantaten
Psalmen u viele kleine Kirchenwerke
10 dt Opern, 3 it dramatische Szenen
1 Symphonie, 7 Orchesterphantasien, 5 Ouvertüren
Militärmärsche u Tänze
Kammermusik, Sonaten
Orgelmusik

Schr: Aufsätze in "Revue et Gazette musicale de Paris"
posth: Esquisses biographiques de Sigismond N.;"
Paris 1859

Lit: 1830 Fr.Rochlitz: S.N. u seine Grablegung Christi;
in: Für Freunde d Tonkunst III, Lpzg

Diss: 1936 G.Pellegrini: S.Ritter v N. Ein vergessener Salzburger Musiker; Mchn, Mitteilungen d Ges f Salzburg, Landeskunde 76, S 1

x - x - x - x - x - x - x - x - x

KRUFFT, Niklas v.

* 1.2.1779 Wien
† 16.4.1818

Jurist im Staatsdienst
Schüler v Albrechtsberger

W: Streichquartette, Klaviermusik, Lieder

Lit: Wurzbach

x - x - x - x - x - x - x - x - x

Bd 79

KREUTZER, Conradin

/dt Komponist/

* 22.11.1780 Meßkirch
† 14.12.1849 Riga
Tochter:
Cäcilia (Sängerin)

Ll: Sohn eines Müllers
1799 studierte Jus in Freiburg i Breisgau
1800-1803 Konstanz
1804 Wien, Schüler Albrechtsbergers
1812 Württemb, Hofkapm
1816/7 Schaffhausen
1817 Donaueschingen, Kapm bei Fürst zu Fürstenberg
1822-27 Kapm am Kärntnerthortheater
1837-40 Kapm am Kärntnerthortheater
1833-39 Kapm am Josefstädtertheater
1840-46 Kapm in Köln
1846-49 in Wien, als Vertreter v O.Nicolai
1849 zieht zur Tochter C. nach Riga

W: f.d.Bühne:
1800 1.Singspiel: Die lächerliche Werbung (Freiburg)
1810 Jery u Bätely, Wien
1812 Konradin, Sttgt
1822 Libussa, Wien
1833 Melusine (Grillparzer), Verschwender-Musik, Wien
1834 Das Nachtlager v Granada; Wien

30 Opern, Oratorium: Die Sendung Mosis
Männerchöre (Die Kapelle, Der Tag d Herrn)
3 Klavierkonzerte
Kammermusik

Lit: 1853 (spätere Aufl) W.H.Riehl: Musikal.Charakterköpfe I; Sttgt
1930/1 A.Landau: Die Klaviermusik C.K's; ZfMw XIII
1930 ders.: Das einstimmige Kunstlied C.K's; Lpzg

Diss: 1928 R.Rossmayr: Kr. als dramat Komponist; Wien
1930 A.Landau: Das einstimmige Kunstlied C.K's u seine Stellung zum zeitgenöss Lied in Schwaben; Bln. Lpzg Br & H, Slg musikw Einzeldarstellungen 13

Bd 80 Jg XLIII Erste Hälfte

SALZBURGER KIRCHENKOMPONISTEN

CARL H.BIBER (1681-1745), M.S.BIECHTELER (gest 1744)
J.ERNST EBERLIN (1702-1762), A.C.ADLGASSER (1729-1777)

Eine Messe, sechs Motetten

Bt v Karl August Rosenthal u Const.Schneider

Vorwort

Carl Heinrich Biber
Missa brevis sanctorum septem dolorum B.V.M. 1731
Canto Alto (Trombone 1) Tenore (Trombone 2)
Basso (Trombone 3)
Vl I II Vne Fgt Org

Matthias Sigismund Biechteler
Motette "Ad cantus, ad choro" dazu 2 Clarini
"Intonuit ad coelo"

Johann Ernst Eberlin
Motette "Universi"
"Quae est ista"

Anton Cajetan Adlgasser
Motette "Ave Maria"
"Dicite in gentibus"

Revb B.c. (Organo) v Dr.Hans Gàl

Vorl Salzb.

Lit: K.A.Rosenthal: Zur Stilistik der Salzb Kirchenmusik v 1600 bis 1770; StMw 17 (S 77-94) u StMw 19 (S 3-32)

C.Schneider: Geschichte der Musik in Salzbg; Salzbg 1935

x - x - x - x - x - x - x - x - x

Bd 80

BIBER, Karl Heinrich

* 1681
† 1749

Ll: seit 1741 Vizekapm
1726-1744 Gesanglehrer der Sängerknaben
1743-1749 Kapm
Nachfolger ist J.E.Eberlin

x - x - x - x - x - x - x - x - x

BIECHTELER, Matthias Sigismund

*
† 1744

M.S.Biechteler v.Greiffental

Ll: 1684-1720 Gesanglehrer d Salzburger Domsängerknaben
1690-1712 Hofkapm
1712-1743 Domkapm
Nachfolger ist K.H.Biber

x - x - x - x - x - x - x - x - x

ADLGASSER, Anton Cajetan (Adelgasser)

[Organist u Komponist]

* 1.10.1729 Inzell b.Traunstein
† 21.12.1777 Salzburg

Ll: Schüler u Schwiegersohn v J.E.Eberlin
ab 1750 1.Domorganist in Salzb
1764/65 Reise nach Italien

W: Kirchenkompositionen sehr geschätzt, Schuldramen, Oratorien, Instrumentalwerke, Klaviersonaten, Konzerte, Symphonien

1762 komponierten Mozart (KV 35), M.Haydn u A. je einen Akt des Schuldramas "Die Schuldigkeit des ersten Gebots"

Diss: 1923 C.Schneider: Die Oratorien u Schuldramen A's; Wien, StMw 18/36 (1923)

x - x - x - x - x - x - x - x - x

Bd 81 Jg XLIII Zweite Hälfte

CARL DITTERS von DITTERSDORF

1739 - 1799

DREI SINFONIEN, EINE SERENATA

Bt v Victor Luithlen

Vorwort

1.Sinfonia in C
- Allegro moderato 3/4
- Andante 2/4
- Menuet moderato
- Presto 2/4

2 Vli Va Vcl e Basso, 2 Ob 2 Coi

2.Sinfonia in D
- Allegro vivace Ø
- Andantino 3/8
- Minuetto
- Rondo. Allegro Ø

2 Vli 2 Ve Vcl e Basso, Ob I II 2 Coi 2 Tbe I II Tymp

3.Sinfonia in a-moll
- Vivace C
- Larghetto (+ Vcl obligato)
- Minuetto I
- Minuetto II
- Finale. Prestissimo 6/8

2 Vli Ve Vcl e Basso 2 Ob 2 Fgt 2 Coi in C Co in A

4.Serenata
- Allegro C
- Menuetto
- Adagio 2/4
- Menuetto
- Finale, Andante Trio I - Trio II - Coda

2 Vli Va Basso 2 Coi

Revb

Vorl Schwerin: Mecklenburg Landesbibl
Bln: Preuß Staatsbibl u Schloßbibl
Melk: Stiftsbibl
Breslau: Stadtbibl
Ldn: British Museum
Drdn: Sächs Landesbibl

x - x - x - x - x - x - x - x - x

Bd 81

DITTERSDORF, Carl Ditters v.

/österr Komponist/ * 2.11.1739 Wien
† 24.1o.1799 Neuhof (Böhmen)

Ll: Page bei Prinz Josef v.Hildburghausen
Schüler v. Bonno

1761 Hofopernorchester
1763 mit Gluck in Italien, als Violinvirtuose
1765 Kapm des Bischofs v.Großwardein, als Nachfolger Haydns
1769 Johannisberg b Graf Schaffgotsch (Fürstbischof v.Breslau)
1773 Amtshauptmann in Freiwaldau
Adelsbrief "v.Dittersdorf"
1796 auf Schloß Rothlhotta bei Ignaz v.Stillfried

Stilkr: gesunder, volkstümlicher u komischer Humorfrische, natürliche Erfindung - korrekter u fließender Satz - geht mehr v Wagenseil u der lokalen Wr. Tradition aus, als v den Mannheimern - einer der wichtigsten Begründer d dt komischen Oper.

W: Messen, Opern, Oratorien, Orchester- u Kammermusikwerke, Oratorien: Esther, Isaak u Hiob
Opern: 1786 Doktor u Apotheker
Betrug durch Aberglauben
1787 Liebe im Narrenhaus
Hieronymus Knicker
1788 Das rote Käppchen

100 Symphonien, zahlr Divertimenti, Solokonzerte, 12 Streichquintette, 6 Streichquartette, 18 Trios

Schr: 1798 Über d Grenzen des Komischen u Heroischen in d Musik
Über d Behandlung it Texte bei d Komposition; Lpzg AmZ
1799 Lebensbeschreibung, seinem Sohne in d Feder diktiert; hgg v E.Istel, Reclam NB (1908) u hgg v E.Schmitz, Regensb 1940 u hgg v B.Loets, Lpzg 1940

Lit: 1900 C.Krebs: Dittersdorfiana, mit Werkverzeichnis; Bln
1902/3 E.Istel: Dittersdorfiana; ZIMG IV

1911 H.Kretzschmar: Vom alten Dittersdorf; in: Gesammelte Aufsätze I, Lpzg
1927 G.Rigler: Die Kammermusik D's; StMw 14
1930 W.Altmann: Die Streichquintette D's; in Fs f G. Adler; Wien
F.Souper: The Music of D.; ML XI
1936 A.Carse: Stamitz, Toëschi u D.; MMR LXVI
1899 J.T.Hermes: Analyse der 12 Metamorphosen-Symph; übers u hgg v G.Thouret; Bln

Diss: 1913 K.Holl: C.D. v D's Opern f d wiederhergestellte Johannisberger Theater; Bonn, Heidelberg
H.Kralik: C.D. v D's Symphonien u Konzerte; Wien
L.Riedinger: C.D. v. D. als Opernkomponist; Wien, StMw 2/212 (1914)
1926 G.Rigler: Die Kammermusik D's; Wien, StMw 14/179 (1927)

Bd 82 Jg XLIV

CHRISTOPH WILLIBALD GLUCK

L'INNOCENZA GIUSTIFICATA

(Der Triumph der Unschuld)
Festa Teatrale 1755

Bt v Alfred Einstein
Vorwort

Sinfonia - (Vl I II Va B.c. 2 Ob 2 Coi)

Scena I
Arie des Flavius "D'atre nubi" (Finstrer Nebel)

Scena II
Arie d Valerius "Sempre e maggior del vero" (Viel ärger sind die Qualen)

Scena III
Arie d Claudia "Guarda pria" (Schaue lieber)

Scena IV
Arie d Flaminia "A'giorni suci la sorte" (Es hat fürwahr auf immer)

Scena V
Duett Claudia u Flavius "Va, ti comola, addio!" (Auf, überwinde, fahr' wohl denn)

Scena VI

Scena VII
Arie d Claudia "Fiamma ignota" (Neue Flamme)

Scena VIII
Arie d Valerius "Quercia amore" (Alte Liebe)

Scena IX
Arie d Claudia "La meritata palma" (Der Götter Gunst belohnet)

Scena X
Arie d Flavius "Nonè la mia speranza" (Was hoffend mich beseelet)

Scena ultima
Coro "Del secondo, ospite Nume" (Sei in Gnaden, hilfreiche Gottheit)
Coro "Noto è il reo" (Klare Schuld)
Arietta d Claudia "Ah rivolgi" (Hör mein Rufen)
Coro "Grazie al ciel" (Preis u Dank)

Revb Ausarbeitung des B.c. v Dr.Hans Gál
Übersetzung v Dr.Alfred Günther

Vorl: Wien: Nationalbibl
Bln: Preuß Nationalbibl

Bd 83 Jg XLV

FLORIAN LEOPOLD GASSMANN

1729 - 1774

KIRCHENWERKE

Bt v Franz Kosch

Vorwort

1. Missa in C — 2 Vli Va Vcl Vne Fgt Org
   2 Ob 2 Clarini 2 Tpt Tymp
   gem Chor
2. Requiem-Fragment
   Introitus - Te decet - Requiem - Kyrie
   2 Vli Va Vcl Vne 2 Ob 2 Tpt
   2 Pos
3. Veni creator spiritus (Hymnus)
   Veni - Accende
4. Regina caeli (Marianische Antiphon)
   2 Vl Vcl Basso
   Fgt Org Chor
5. Viderunt omnes (Graduale)
   Streicher dies 2 Ob
   2 Clarini Tymp
6. Tui sunt coeli (Offertorium)
   dass.
7. Stabat mater (Sequenz) Org Vcl Basso Chor

Revb Ausarbeitung d B.c. v Dr.Hans Gàl

Vorl Wien: Nationalbibl
Domarchiv St.Stephan
Arch d Hofburgkapelle
Arch d Schottenstifts
Klosterneuburg: Stiftsarchiv
Mödling: Arch d Stadtpfarrkirche
Melk: Stiftsarchiv
Göttweig: Stiftsarchiv
Kremsmünster: Stiftsarchiv
Seitenstetten: Stiftsarchiv
Eisenstadt: Arch. Esterhaży
Brüx: Stadtarchiv
Bln: Nationalbibl
Paris: Bibl du Conservatoire

Bd 84 (ab Bd 84 begründet v Guido Adler unter Leitung v Erich Schenk)

WIENER LAUTENMUSIK IM 18. JH

veröffentlicht v Karl Schnürl

mit Materialien v Adolf Koczirz u Josef Klima (vgl "Das Erbe deutscher Musik" Reihe II Bd 10,1)

Vorbemerkung

Inhaltsverzeichnis

Vorwort S VII-VIII

Johann, Anton Josy Graf v.Losintal
Menuet - Menuet - Menuet - Sarabande - Sarabande - Gigue
Menuet - Partie

Johann Georg Weichenberger
Partie

Andreas Bohr v. Bohrenfels
Parthie ex F

Ferdinand Friedrich Fichtel
Partie XXVI
Partie XXXVII

Francesco Conti
Arie d Engels aus dem Oratorium "Il Martirio di San Lorenzo" (1724)
Cantata quinta con Lenti è Chalamaux è Violini

Johann Joseph Fux
Aria des Orfeo aus "Orfeo ed Euridice" (1715)

Johann Friedrich Daube
Trio

Karl Kohaut
Concerto

Revb Revision d Texte v Univ.Prof. Dr.Robert John

Vorl Göttweig: Stiftsbibl
Klosterneuburg: Stiftsbibl
Kremsmünster: Stiftsbibl

Brno:	Hudebni Archiv Moravsky
Salzb:	Studienbibl
Wien:	Nationalbibl
Rostock:	Universitätsbibl
Marb:	Westdeutsche Bibl

x - x - x - x - x - x - x - x - x

BOHR v. Bohrenfels, Andreas

[österr Lautenist]

* 1663 Anfangsmonate d J
† 6.4.1728 Wien (Unter den Tuchlauben)

Ll: 1696 1.Juli angestellt als Lautenist d Kaiserl Hofkapelle
Hof- u Kammervirtuose
letzter Lautenist d Hofkapelle
so gut wie keine Werke erhalten - wenig schöpferisch tätig

Die Parthie ex F ist aus dem Lautencodex der Salzburger Studienbibl

x - x - x - x - x - x - x - x - x

FICHTEL, Ferdinand Friedrich

* 1687
† 1722

x - x - x - x - x - x - x - x - x

KOHAUT, Karl

* 1726 Wien
† 1782

Ll: Sohn eines Musikers
mit Graf Kaunitz in Paris
höherer Beamter in d Staatskanzlei

x - x - x - x - x - x - x - x - x

Bd 84

CONTI, Francesco Bartolommeo

/it Theorbist u Komponist/

* 2o.1.1682 Florenz
† 2o.7.1732 Wien
Sohn: Ignazio
(1699-1759)

Ll: 1701 Hoftheorbist in Wien
1713 Hofkomponist in Wien
besonders angesehen wegen seiner treffsicheren Komik

W: 17 Opern, 1719 Don Chisciotte, Wien
2 Favole pastorale
weitere dramat Werke
10 Oratorien, Kirchenmusik
50 Solokantaten

Diss: 1902 J.Schneider: F.C.; Wien

x - x - x - x - x - x - x - x - x

DAUBE, Johann Friedrich

/dt Theorbist u Musiktheoretiker/

* um 1733 wahrsch Kassel
† 19.9.1797 Wien

Ll: 1744 Hofmusikus in Sttgt
ab 1770 als Sekretär der Augsburger "Franciscischen Akademie der freyen Künste u Wissenschaften" in Wien

W: 2 Symphonien, Trio

Schr: 1756 Generalbaß in drey Accorden; Lpzg
1770-73 Der musikalische Dilettant; Wochenschrift in 3 Jahrg; Wien (enthält Kompositionslehre)
1797-98 Anleitung zum Selbstunterricht in d musikal Composition; Wien

Bd 85

JOHANN JOSEF FUX
WERKE FÜR TASTENINSTRUMENTE

Bt v Erich Schenk

Vorwort

Einleitung S VII-XXVII

Sieben Sonaten:

Sonata prima
seconda
terza
quarta
quinta
sexta
septima

Drei Einzelstücke:
Ciacona
Harpeggio e Fuga
Aria Passegiata

Vier Suiten:

Suite I	Allemande C-Courante 3/4 - Sarabande 3/4 - Menuet - Gigue - Menuet
Suite II	Aria - Rigaudon Ø - Passepied 3/4 - Echeggiata 3/4 - Gigue - Menuet
Suite III	Allemand C - Courante 3/4 - Bourree Ø - Menuet - Gigue
Suite IV	Allemande C - Courante 3/4 - Gavotte - Menuet en Rondeau - Sarabande 3/4 - Gigue

Zwölf Menuette

Vorl Wien: Nationalbibl
Bibl d Minoriten-Konvents
Bln: Staatsbibl

Bd 86

TIROLER INSTRUMENTALMUSIK
IM 18. JAHRHUNDERT

Georg Paul FALK, Johann Elias de SYLVA, Franz Sebastian HAINDL, Nomosus MADLSEDER, Stefan PALUSELLI

Bt v Walter Senn

Einleitung S V-XV

Instrumentalwerke:

1.	G.P.Falk, Partita D-Dur	
	Allegro C	2 Vli Va B.(c.)
	Andante 3/4	2 Ob 2 Coi in D
	Menuetto 3/4	2 Clarini in D
	Allegro assai 2/4	
2.	J.E. de Sylva, Symphonie D-Dur	
	Allegro 4/4	2 Vli Va B.(c.)
	Andante 2/4	2 Clarini in D
	Presto 2/4	
3.	F.S.Haindl, Symphonie G-Dur	
	Allegro assai 3/4	2 Vli Va B.(c.)
	Andante 2/4	2 Coi in G
	Presto 3/8	
4.	N.Madlseder, Symphonie D-Dur	
	Allegro spiritoso 4/4	2 Vli Va B.(c.)
	Andante 2/4	2 Coi in D
5.	St.Paluselli, Divertimento F-Dur	
	Marcia. Adagio maestoso C	2 Vli Va obl B.(ohne cont) Oboe solo 2 Coi in F
	Allegro 3/4	
	Andante 6/8	
	Rondo vivace 3/4	

Revb

Vorl Stams: Stiftsbibl
Innsbr: Museum Ferdinandeum

x - x - x - x - x - x - x - x - x

Bd 86

FALK, Georg Paul

† 26.5.1798

Ll: bayr Abstammung
1738 besucht d Universität Innsbruck
nach 1753 Pfarrorganist in Innsbruck
8 Kinder, Sohn Josef Benedikt (1757-1828), ebenfalls Pfarrorganist
16.12.1769 anläßlich einer Akademie wirkte er als Musiker mit, bei der Mozart anwesend war.
Begutachter neuer Orgeln (1766 Hall, 1773 Stift Stams)

W: in Stams: Messe in D (1778)
eine Partita in D u vier Salve Regina

x - x - x - x - x - x - x - x - x

SYLVA, Johann Elias de (Selva, Sölva)

* 21.6.1716 Innsbruck
† 8.5.1798

Ll: geb in Innsbruck als Sohn eines Regierungskanzlisten
1727 Gymnasium Innsbruck
Theologe, studiert Philosophie
Sänger, Geiger u Organist
1741 Priesterweihe
1739 Chorregent Pfarrkirche Innsbruck

W: in Stams: 7 Messen
9 Symphonien
Kirchenchorkompositionen

x - x - x - x - x - x - x - x - x

HAINDL, Franz Sebastian

* 11.1.1727 Altötting
† 23.4.1812

Ll: Vater Chorregent
1752 Hofkammermusikus in Mchn (Kapelle des Herzogs Clemens v.Bayern)
1777 J.Fr.Reichardt schreibt in seinen Briefen über H.

1785 Primgeiger u Kammerdiener beim Bischof v.Passau bis 1803
1793 Musikdirektor im Theater

W: 2 Messen u Kirchenkompositionen
Oratorium: "David auf dem Ölberg"
Sinfonia (D), Concerto ex G a Flauto traversiere

x - x - x - x - x - x - x - x - x

MADLSEDER, P.Nomosus

* 20.6.1730 Meran
† 3.4.1797 Andechs

Ll: Vater war Kaufmann
Gymnasium in Hall, Kloster Polling (Bayern)
1750 Kloster am Berge Andechs (Ammersee)
1754 Priesterweihe
1767 Chorregent u Musiklehrer

W: Kirchenmusik

x - x - x - x - x - x - x - x - x

PALUSELLI, P.Stefan (aus dem Kloster Stams)

* 9.1.1748 Kurtatsch (Südtirol)
† 27.2.1805

Ll: 1785 unterrichtet Violine im Kirchenseminar
1790 Chorregent - Sprachfehler, daher kein Priesterdienst
war Hauskomponist des Stiftes Stams

W: 5 Messen
53 verschiedene Kirchengesänge
4 Partiten, 3 Divertimenti, Symphonien,
Serenade, Konzert f Oboe
Klavierstücke
Singspiele u Kantaten

Bd 87

NICOLAUS ZANGIUS

GEISTLICHE UND WELTLICHE GESÄNGE

Bt v Hans Sachs

Textrevision v Anton Pfalz

Einleitung S V-XXIV

Geistliche Gesänge: Cantiones Sacrae sex vocum

1. Quaerite primum regnum Dei
2. Ad Te levavi animam meam
3. Sancta Trinitas
4. Domine, Deus meus
5. Domine, non est exaltatum cor meum
6. Tota pulchra es
7. Tullerunt Dominum meum
8. Cantate Domino
9. Angelus ad Pastores ait
10. Recordare, Domine
11. Transeunte Domino
12. Exultate, iusti in Domino
13. Pulchra premens
14. Rorate coeli de super
15. Jesu, dulcis memoria
16. Congratulamini nunc omnes
17. In labore requies
18. Magnificat I.toni
19. Ego flos campi
20. Pater noster

Weltliche Gesänge: Ander Theil Deutscher Lieder mit Drey Stimmen

1. Ein sehr artesisch Fraüelein
2. Das Feuer eingefangen
3. Mit seuffzen und mit Klagen
4. Wo sich ein Krieg erheben thut
5. Der Witz in Liebessachen
6. Viel treiben Pracht
7. Groß Thorheit man begehen thut
8. Mancher Gesell
9. Mancher Discurs thut fallen für
10. O Venus Kind Amor
11. Ein Dame schön
12. Mancher Vasall Cupidinis
13. Ey seind mir das nicht Possen
14. Ist das auch disputierens werth

15. Kein schöner Sach gefunden
16. Mein Seel ohn Hitz nun gäntzlich ist
17. Anfechtung und Bekümmerniß
18. Gleich wie der König Pygmalion

Revb

Vorl Wien: Stadtbibl
Göttingen: Niedersächs Staats- u Universitätsbibl
Wolfenbüttel: Herzog August - Bibl

x - x - x - x - x - x - x - x - x

ZANGIUS, Nicolaus (Zanger)

[dt Organist u Komponist] * um 1750 Waltersdorf b. Königswusterhausen
† vor 1620

Ll: ab 1597 Kapm am Hof Philipp Sigismunds in Iburg
1602-1605 Danzig, Organist a d Marienkirche
Kapm in Prag
1607 wieder in Danzig
1611 in Wien
1612 Kapm in Berlin

W: 1594-1612 Geistl u weltl Lieder ersch Frankfurt, Bln, Wien in mehreren Auflagen

Diss: 1934 H.Sachs: N.Z's weltliche Lieder; Wien

Bd 88

G E O R G R E U T T E R D.J. 1708-1792

KIRCHENWERKE

Bt v P.Norbert Hofer Ord.Bist.Heiligenkreuz

Vorbemerkung

Einleitung S VII-XIII

Missa S.Caroli gem Chor 2 Vli Vcl Vne 2 Clarini Fgt
Tromb Tymp Org

Requiem in e-moll gem Chor 2 Vl Va Vcl Vne 2 Clarini
2 Trbe Org

Salve Regina Basso-Solo 2 Vli Org

Ecce quomodo moritur gem Chor

Revb

Vorl Heiligenkreuz: Stiftsbibl
Wien: Nationalbibl

Bd 89

G E O R G M U F F A T (ca 1645-1704)

"ARMONICO TRIBUTO" 1682

"Exquisitoris Harmoniae Instrumentalis Gravi - Iucundae Selectus Primus" 1701

Concerti grossi II.Teil

Bt v Erich Schenk

Vorbemerkung

Einleitung S VII-XXXI

Armonico tributo (1682)

Sonata I	D-Dur -	Sonata Allemanda.Grave Gavotta Grave Menuet	2 Vli 2 Ve Cemb e Vne
Sonata II	g-moll -	Sonata Grave Aria Grave Sarabande Grave Borea	dass.
Sonata III	A-Dur -	Sonata Courante Adagio Gavotta Rondeau	dass.
Sonata IV	g-moll -	Sonata Balletto Adagio Menuet Adagio Aria	dass.
Sonata V	G-Dur -	Allemanda Adagio Fuga Adagio Passacaglia	dass.

Bd 89

Exquisitoris Harmoniae Instrumentalis Gravi - Iucundae Selectus Primus (1701):

Concerto I d-moll, Bona Nova - Sonata
Ballo
Grave
Aria
Giga

Concerto III B-Dur, Convalescentia - Sonata
Aria
Grave
Giga I
Giga II

Concerto VI a-moll, Quis hic? - Sonata
Aria
Grave
Aria
Borea

Concerto VII E-Dur, Deliciae Regum - Sonata
Aria
Gavotta
Grave
Giga
Menuet

Concerto VIII F-Dur, Coronatio Augusta - Sonata
Allemanda
Grave
Gavotta
Rondeau

Concerto IX c-moll, Victoria Maesta - Sonata
Aria
Grave
Sarabanda
Borea

Revb

Vorl Regensb: Bischöfl Bibl
Mchn: Staatsbibl
Wien: Nationalbibl

Bd 90

N I E D E R L Ä N D I S C H E und I T A L I E - N I S C H E M U S I K E R D E R G R A Z E R H O F K A P E L L E KARLS II. (1564 - 1590)

Bt v Hellmut Federhofer

Literarhistorische Bemerkungen u Textrevision v Robert John

Einleitung S V-XLII

Niederländ Meister:

Johannes de Cleve: (um 1529-1582)
Officium in festo corporis Christi

Lambert de Sayve: (1549-1614)
Missa "Lyram, lyram pulset"

Jacob von Brouck: (um 1540/50 - um 1590)
Motette "Laeta dies"
Chanson "Pleurs et souspirs"
"Une angelette"

Italienische Meister:

Annibale Padovano: (1527-1575)
Magnificat III.toni

Simone Gatto: (um 1540/50 - 1594)
Missa "Scarco di doglia"

Francesco Rovigo: (1530/1 - 1597)
Missa in Dominicis diebus

Giovanni Battista Galeno: (1550/55 - nach 1626)
Madrigal "Elpin baciando la sua cara Alcea"
Madrigal "Ama ben dice Amore"

Pietro Antonio Bianco: (um 1540-1611)
Villanelle "Intorno al bianco tuo petto scherzando"
Villanelle "Fuggite amore"
Madrigal "Piange a cantando"

Matthia Ferrabosco: (1550-1616)
Kanzonette "Che giovarebbe haver bellezza"
Kanzonette "Se si spezzasse sta dura catena"

Revb

Vorl   Graz: Universitätsbibl
        Rein: Stiftsbibl
        Ljubljana: Universitätsbibl
        Wien: Nationalbibl
        Milano: Biblioteca del Conservatorio di Musica "Gius. Verdi"

x - x - x - x - x - x - x - x - x

CLEVE, Johannes de

/franko-fläm Komponist/

* um 1529 (Cleve ?)
† 14.7.1582 Augsburg

Ll: 1553-64 Tenorist d Hofkapelle Kaiser Ferdinands I in Wien
bis 1570 Kapm in Graz am Hofe Erzherzog Karls
1579 in Augsburg nachzuweisen

W: ausschließlich Kirchenmusik
gedr 1559-76 Augsburg: Cantiones sacrae
Motetten in Sammelwerken 1553-86

Lit: 1869 L.v.Köchel: Die kaiserl Hofkapelle in Wien
1941 H.J.Moser: J.de C. als Setzer ... TVer XVI
1949 H.Federhofer: Zur NA der 4stgen A-Capella-Messe v J.de C.; Aus Archiv u Chronik II
1953 ders.: Jugendjahre u Lehrer R.Michaelis; AfMw X

x - x - x - x - x - x - x - x - x

GATTO, Simone

* um 1540/50
† 1594 Graz

Ll: Von Erzherzogin Maria von Venedig an d Münchner Hofkapelle geholt
1574-92 in Graz als "Hoftrompeter u Musicus"

W: 1569 einziges Stück gedruckt in "Musica de virtuosi della florida capella ..." hgg v Massimo Troiano

Bd 91

ANTONIO CALDARA 1670 - 1736

DAFNE

Dramma pastorale per musica 1719

Bt v Constantin Schneider

Textrevision v Robert John

Vorwort v Erich Schenk S VII-XII - 2 Reproduktionen

3 Akte (2 Intermezzi ... ohne überlieferter Musik)

Darsteller: Daphne, Tochter d Peneius
Phoelus, Liebhaber d Daphne
Amyntas, Hirte u Liebhaber d Daphne
Peneius, Vater d Daphne
Chor (Scena ultima)

Orch: 2 Vli Va Bassi - Vl solo di concerto (Scena VI, Aria)
/Va nicht in allen Nummern/
2 Ob 2 Fgt I.Akt, Terzetto (Scena I)
II.Akt, Aria (Scena V) u B.c. (kl Ausg)
2 Coi da caccia, III.Akt (Scena V)
2 Clarini, III. Akt (Scena ultima)
2 Trbe, III. Akt (Scena ultima)

Revb

Vorl: Wien: Ges d Musikfreunde

Bd 92

HEINRICH IGNAZ FRANZ BIBER

1644 - 1704

HARMONIA ARTIFICIOSA - ARIOSA

Diversi mode accordatta

Bt v Paul Nettl u Friedrich Reidinger

Vorbemerkung

Harmonia artificiosa

Partia I	Sonata - Allemanda - Gigue mit 2 Variationen - Aria - Sarabande mit 2 Variationen u Finale Bes: 2 Vli (Scordatur), 2 Vli (heutige Stimmung) Basso (ausges. cont)
Partia II	Praeludium - Allamanda mit Variatio - Balletto - Aria - Gigue Bes: dies.
Partia III	Praeludium - Allamanda - Amenir - Balletto - Gigue - Ciacone Bes: dies.
Partia IV	Sonata - Allamanda - Trezza - Aria - Canario - Gigue - Palicinello Bes: Vl (Scordatur), Va da braccio (Sc.), Vl (heutige Stimmung), Va (heut.Stim.), Basso (ausges cont)
Partia V	Intrada - Aria - Balletto - Gigue - Passacaglia Bes: 2 Vl (Sc.), 2 Vl (heut.Stim), B.(c.)
Partia VI	Praeludium - Aria mit 13 Variationen - Finale (Adagio!) 2 Vli (heut.Stim), B.(c.)
Partia VII	Praeludium - Allamande - Sarabande - Gigue - Aria - Trezza - Arietta variata Bes: 2 Ve d'amore (Sc), 2 Ve d'amore (heut. Stimmung), B.(c.)

Revb v Dr.Helene Wessely

Vorl Göttingen: Niedersächs Staats- u Universitätsbibl
Kremsier: St.Mauritius Archiv

Bd 93

JOHANN HEINRICH SCHMELZER

ca 1623 - 1680

"SONATE UNARUM FIDIUM" 1664

Violinsonaten handschriftlicher Überlieferung

Bt v Erich Schenk

Vorbemerkung - Portrait Carlo Caraffa, Kardinal, Wtr

Sonate unarum fidium
Sonate prima
secunda
tertia
quarta
quinta
sexta

Sonaten handschriftlicher Überlieferung
Sonate in D
in A
"Cucú"
Suite Nr.1 in D
Nr.2 in D

Revb

Vorl Wien: Nationalbibl
Paris: Bibl Nationale
Uppsala: Universitätsbibl
Kremsier: St.Mauritius Archiv

Bd 94/95

J A C O B U S   G A L L U S (1530-1591)

FÜNF MESSEN ZU ACHT UND SIEBEN STIMMEN

Bt v Paul Amadeus Pisk

Einleitung

Missa ad imitationem Pater noster	8 vocum
Missa canonica	4 (8) vocum
Missa super "Maria Magdalena"	8 vocum
Missa super "Jam non dicam"	8 vocum
Missa super "Undique flammatis"	7 vocum

Anhang Orgel-Intavolierung der Missa canonica

Vorl Dresden: Sächs Landesbibl
Warschau: Universitätsbibl

Bd 96

H E I N R I C H   I G N A Z   F R A N Z   B I B E R

MENSA SONORA

Seu Musica Instrumentalis, Sonatis aliquot Liberius Sonantibus ad mensam (1680)

Veröff v Erich Schenk

Vorbemerkung - Portrait: Fürsterzbischof Gandolph v.Kuenberg Wtr

Mensa sonora

Pars I-VI (Vl 2 Ve Vne Cemb)

Pars	I	Sonata - Allamande - Courante - Sarabanda - Gavotte - Gigue
	II	Intrada - Balletto - Sarabande - Balletto - Sarabanda - Balletto
	III	Gagliarda - Sarabanda - Aria - Ciacona - Sonatina
	IV	Sonata - Allamanda - Courante - Balletto - Sarabanda - Gigue
	V	Intrada - Balletto - Trezza - Gigue - Gavotte - Gigue - Retirada
	VI	Sonata - Aria - Canario - Amener - Trezza - Ciacona - Sonatina

Revb

Beihefte d DTÖ: StMw 24 (Wien 1960)

Vorl Kremsier: Schloßmusikarchiv

Bd 97

H E I N R I C H   I G N A Z   F R A N Z   B I B E R

1644 - 1704

FIDICINIUM SACRO - PROFANUM

Tam choro quam foro
Pluribus fidibus Concinnatum
Et Concini Aptum (1689)

Veröff v Erich Schenk

Vorbemerkung - Titelblatt u Portrait

Fidicinium sacro-profanum

Sonata I-VII,(2 Vli 2 Ve Vne B.c.)
Sonata VII-XII, (2 Vli 2 Ve Vne B.c.)

Vorl Zürich: Zentralbibl

Bd 98

J A C O B U S V A E T (ca 1529-1567)

SÄMTLICHE WERKE I - MOTETTEN BD I

[Bd II = Bd 150]

Veröff v Milton Steinhardt

Vorbemerkung

Inhaltsverzeichnis

Vorwort

Zur Ausgabe

Motetten I

Motetten zu 3 Stimmen
1. Crimina laxa pietate multa
2. Novum genus potentiae

Motetten zu 4 Stimmen
3. Ave salus mundi
4. Beata es et venerabilis
5. Christe servorum
6. Domine exaudi
7. Ego Dominus
8. Est sacer nuperio
9. Heu mihi Domine
10. Laetatus sum
11. O quam gloriosum
12. Pastores quidnam vidistis
13. Patris sapientia veritas
14. Qui crediderit
15. Qui gerit Augusti
16. Quid Christum captive
17. Quoties diens

Motetten zu 5 Stimmen
18. Dic ubi ut Jesus
19. Dixerunt Impii
20. Dum complerentur dies
21. Dum steteritis
22. Ecce apperebit Dominus

Anhang
1. Jacobus Vaet, Ecce apparebit Dominus, f Org intavoliert v Johannes Rühling (1589)
2. Jacobus Clemens non Papa, Pastores quidnam viditis

Revb

Alphabet Verzeichnis d Textanfänge

Vorl Wien: Nationalbibl
Augsb: Staats- u Stadtbibl
Drdn: Sächs Landesbibl
Lübeck: Stadtbibl
Mchn: Bayr Staatsbibl
Regensb: Proske'sche Musikbibl
Sttgt: Württemberg Landesbibl
Tenbury: St.Michael's College
Warschau: Stadtbibl

x - x - x - x - x - x - x - x - x

VAET, Jacobus

/franko-fläm Komponist/ * 1529 Courtrai
† 8.1.1567 Wien

Ll: 1543-46 Chorknabe in Courtrai
1554 Kapm im Dienste Erzherzog Maximilians
1564 nach Maximilian's Wahl zum Kaiser: Leitung der Wr Hofkapelle

Stilkr: Nachfolge Josquin's u Gombert's

W: fast ausschließlich Kirchenmusik
20 Messen, 82 Hymnen u Motetten
8 Magnificat
3 Chanson

Lit: 1951 M.Steinhardt: J.V. and his Motets; East Lansing: Michigan State College Press 1951 VII, 68 S
1956 ders.: The Hymnes of J.V.; JAMS IX

Diss: 1929 J.Jancik: Die Messen des J.V.; Wien

Bd 99

ARNOLD VON BRUCK ca 1500-1554

SÄMTLICHE LATEINISCHE MOTETTEN UND ANDERE UNEDIERTE WERKE

Veröff v Othmar Wessely

Anhang

1. Antoine de Févin: Sancta Trinitas unus Deus
2. Arnoldus: Pater peccavi
3. Caspar Copus: Salve Regina

Revb

Alphabet Verzeichnis der Textanfänge

Vorl Wien: Nationalbibl
Budap: Országos Széchenyi Könyvtár
Klosterneub: Stiftsbibl
Kopenh: Kgl Bibl
Lübeck: Bibl d Hansestadt L
Mchn: Bayr Staatsbibl
Regensb: Proske'sche Musikbibl

Bd 100

JACOBUS VAET ca 1529-1567

SÄMTLICHE WERKE II - MOTETTEN BD II

/I. = Bd 98
III. = Bd 103/47

Veröff v Milton Steinhardt
Vorbemerkung
Inhaltsverzeichnis - Titelseite (Reproduktion)

Motetten zu 5 Stimmen (Forts)

23. Euge, serve bone
24. Ex ejus tumba
25. Filiae Jerusalem
26. Filiae Jerusalem
27. Fortitudo mea
28. Gratus in Austriacam
29. Immolabit haedum multitudo
30. Jam pridem exspectant
31. Mater digna Dei
32. Miserere mei, Deus
33. Mint, Herodes
34. Musica dei donum
35. Pascha nostrum
36. Reges terrae congregati sunt
37. Rex Babylonis venit
38. Romuli dum invicti
39. Salve, festa dies
40. Signa fides
41. Simili est regnum
42. Videm Dominus

Anhang: Beata es, Virgo Maria (Bassus)

Zu den Kunstdrucktafeln

Revb

Alphabet Verzeichnis der Textanfänge

Vorl Wien: Nationalbibl
Augsb: Staats- u Stadtbibl
Drsdn: Sächs Landesbibl
Ldn: British Museum
Lübeck: Stadtbibl
Mchn: Bayr Staatsbibl
Warschau: Stadtbibl

Bd 101/102

GEISTLICHE SOLOMOTETTEN DES 18. JAHRHUNDERTS

Veröff v Camillo Schoenbaum
Einleitung
Inhaltsverzeichnis

Marc' Antonio Zioni:
    Alma Redemptoris Mater f Alt, 2 Pos Fgt u B.c.
                           f Alt Vl Vcl Streichorch u B.c
                           f Sopr Vl u B.c.
                           f Alt 2 Ve da gamba u B.c.
    Jesu corona virginum   f Baß 2 Vli u B.c.

Antonio Caldara
    Salve pater Salvatoris f Sopr 2 Vli u B.c.

Francesco Conti
    Alma Redemptoris   f Ten Streichorch B.c.

Johann Joseph Fux
    Laudate pueri   f Baß Streichorch u B.c.
    Alma Redemptoris Mater f Baß 2 Vli u B.c.
    Ecce nunc benedicite   f Ten 2 Vli u B.c.
    Isti qui amicti sunt stollis albis f Ten 2 Vli u B.c.
    Plaudite, sonat tuba   f Ten Tpt in C Streichorch u B.c.

Revb
Vorl Wien: Nationalbibl

x - x - x - x - x - x - x - x - x

ZIANI, Marc'Antonio

[it Komponist u Dirigent]

* 1653 Venedig
† 22.1.1715 Wien
Onkel: Pietro Andrea Z.(162o-84) Organist u Komponist

Ll: 1686 Kapm in Mantua an S.Barbara
    1700 Vizekapm d Kaiserl Hofkapelle in Wien
    1712 Hofkapm

W: Opern, Oratorien u Kirchenwerke hs erhalten

Bd 103/104

J A C O B U S V A E T ca 1529-1567

SÄMTLICHE WERKE III - MOTETTEN BD III /II. = Bd 100
IV. = Bd 108/97

Veröff v Milton Steinhardt

Vorbemerkung

Inhaltsverzeichnis - Reproduktionen 2 S

Motetten zu 6 Stimmen (Forts)

43. Angelus ad pastores ait
44. Ante me non est formatus Deus
45. Ante venis virides
46. Ascendetis post filium
47. Aspice Domino
48. Assumens Jesus
49. Aurea nunc tandem
50. Continuo lacrimas
51. Currite, felices
52. Dulces exuviae
53. Ferdinande imperio
54. Huc me sidereo
55. In tenebris
56. Iste est Joannes
57. Justus germinabit
58. Non reminiscaris Domine
59. Qui operatus est Petro
60. Spiritus Domine
61. Stat felix domus Austriae
62. Vitam quae faciunt beatiorem

Motetten zu 8 Stimmen

63. Miser quiam est
64. O gloriosa Domina
65. Te Deum

Anhang:
1. Jacobus Vaet, Aspices; Intavolierung f Laute
2. Jacet de Mantua, Aspices Domine
3. Jacobus Vaet, Huc me sideris; Intavolierung f Laute
4. Jacobus Vaet, In tenebris; Intavolierung f Laute

Revb

Alphabet Verzeichnis d Textanfänge

Vorl
Wien: Nationalbibl
Heilbronn: Stadtarchiv
Ldn: British Museum
Marb: Westdeutsche Bibl
Tenbury: St.Michael's College
Mchn: Bayr Staatsbibl
Regensb: Proske'sche Musikbibl
Reims: Stiftsbibl
Warschau: Stadtbibl u Universitätsbibl

Bd 105

J O H A N N   H E I N R I C H   S C H M E L Z E R

ca 1623 - 1680

DUODENA SELECTARUM SONATARUM (1659)

Werke handschriftlicher Überlieferung

Veröff v Erich Schenk

Vorbemerkung - Titelblatt u Dedikation - "Sonata a tre" Orgelin-/tavolierung v Gustav Düben

Inhaltsverzeichnis

Duodena selectarum sonatarum
f 2 Vl bzw Va da Gamba mit Organo e Basso

Sonatina I - IV, VI
Sonata V, VII - XII

Werke handschriftlicher Überlieferung
Sonata a due; Violino e fagotto, Organo e Basso
Sonata a due Violini
Sonata a tre (Pastorale); 2 Vli Va da gamba (overo Trombone) Organo
Lamento sopra la morte Ferdinandi III a tre; 2 Vli Va Organo e Basso
Sonata "Lauterly" a tre; 2 Vli Va Organo e Basso

Anhang: Orgel-Intavolierung der Sonata à tre (Pastorale) in G

Revb

Sonatina	I - VI	2 Vli	Organo e Basso
	VII - IX	Vl Va da gamba	Organo e Basso
	X - XII	2 Vli Va da gamba	Organo e Basso

Vorl Kassel: Hessische Landesbibl
Kremsier: St.Mauritius Archiv
Uppsala: Universitätsbibl

Bd 106/107

HEINRICH IGNAZ FRANZ BIBER

1644 - 1704

SONATAE TAM ARIS QUAM AULIS SERVIENTES (1676)

Veröff v Erich Schenk

Vorbemerkung

Titelblatt und Dedikation an Fürsterzbischof Gandolph von Khuenburg

Inhaltsverzeichnis

Sonate	I	a otto
	II	a sei
	III	a sei
	IV	a cinque
	V	a sei
	VI	a cinque
	VII	a cinque
	VIII	
	IX	
	X	
	XI	
	XII	a otto

12 Stücke a due

Rvb

Vorl Kremsier: Schloßmusikarchiv

Bd 108/109

J A C O B U S   V A E T

SÄMTLICHE WERKE IV - MESSEN BD I

/III. = Bd 103/104
V. = Bd 113/114/

Veröff v Milton Steinhardt

Vorbemerkung

Inhaltsverzeichnis - Reproduktion: M.dissimulare

Vorwort

Messe zu 4 Stimmen

1. Missa "Confitemini"

Messen zu 5 Stimmen

2. Missa pro defunctis
3. Missa Quodlibetica

Messen zu 6 Stimmen

4. Missa Dissimulare
5. Missa ego flos campi

Anhang: 1. Jean Mouton: Confitemini Domino
2. Cipriano de Rore: Dissimulare etiam sperati
3. Jacobus Clemens non Papa: Ego flos campi

Zur Kunstdrucktafel

Revb

Vorl	Wien:	Nationalbibl
	Regensb:	Prosek'sche Musikbibl
	Marb:	Westdeutsche Bibl
	Rein:	Stiftsbibl
	Amstd:	Edition Bank
	Graz:	Universitätsbibl
	Nürnb:	Landeskirchliches Archiv
	Ljubljana:	National- u Universitätsbibl
	Mchn:	Bayr Staatsbibl
	Ansbach:	Regierungsbibl
	Warschau:	Universitätsbibl
	Paris:	Bibl Conservatoire

Bd 110

TIBURTIO MASSAINO

ca 1550 - ca 1609

LIBER PRIMUS CANTIONUM ECCLESIASTICARUM (1592)

DREI INSTRUMENTALCANZONEN (1608)

Veröff v Raffaello Monterosso

Vorbemerkung

Inhaltsverzeichnis

Vorwort - Titelblatt u Dedikation an Philippus de Monte

Liber Primus cantionum ecclesiasticarum

1. Ego sum panis vivus
2. Verbum caro factum est
3. Illuminare Jerusalem
4. Levits Laurentinus
5. Stephanus Servus Dei
6. Vidi speciosam
7. Exiit sermo
8. Isti qui amicti sunt
9. Salvatorem exspectamus
10. Quanti mercenarii
11. Hic est praecursor dilectus
12. /13. Cilicia Caecilia membra domabat - Haec est virgo
14. Ne timeas Maria
15. Per lignum servi servi facti sumus
16. Ego pro te rogavi
17. Ite in universum mundum
18. Virtute magna
19. Si ego non aliero
20. Benedicamus patrem
21. O Domine Jesu Christe

Drei Instrumentalcanzonen

Canzona trigesimaterza
trigesimaquarta
trigesimaquinta

Revb

Vorl: Erstdruck

x - x - x - x - x - x - x - x - x - x

Bd 110

MASSAINO (i), Tiburtio

/it Komponist um 1600/

* um 155o Cremona
† um 16o9

Ll: 1587 Kirchenkapm in Salò
1590 in Prag
1591 in Salzburg
1594 in Cremona
1598 in Piacenzia
1600 in Lodi

W: 1569-1573 2 Bücher 4stge Madrigale
1571-94 4 Bücher 5stge Madrigale
1576 1 Buch 5stge Madrigale
1587 8stge Vesperpsalmen u Magnificat
1599 4stge Hymnen u 5stge Lamentationen
1580 Motetten zu 5 gleichen Stimmen u verschiedenen Stimmengruppen (bis 1607)
1608 3 Canzoni da Sonar in Roverij's Sammlung je eine f 8 Posaunen, für 4 Vl mit 4 Lauten u 16 Posaunen

Bd 111/112

JOHANN HEINRICH SCHMELZER

ca 1620 - 1680

SACRO-PROFANUS CONCENTUS MUSICUS

Fidium Aliorumque Instrumentorum (1662)

Veröff v Erich Schenk

Vorbemerkung - Portrait Erzherzog Leopold Wilhelm Wtr - Tbl

Inhaltsverzeichnis

Sonata	I	a otto
	II	a otto - due cori
	III	a sei
	IV	
	V	
	VI	
	VII	a cinque
	VIII	
	IX	
	X	a quattro
	XI	
	XII	a sette
	XIII	a due

Revb

Vorl Paris: Bibl Nationale (vollst Exemplar)
Wien: Nationalbibl (unvollst Exemplar)

Bd 113/114

J A C O B U S   V A E T

ca 1529 - 1567

SÄMTLICHE WERKE V - MESSEN BD II   [IV. = Bd 108/109 VI. = Bd 118]

Veröff v Milton Steinhardt

Vorbemerkung - 2 S Reproduktionen

Inhaltsübersicht

Messen zu 6 Stimmen (Forts)

6. Missa Tityre
7. Missa Vitam quae faciunt beatiorum

Messen zu 8 Stimmen

8. Missa J'ai mis mon coeur
9. Missa Miser qui amat

Anhang: Orlando di Lasso: Tityre, Tu Tatulae

Revb

Vorl Wien: Nationalbibl
Ansbach: Regierungsbibl
Regensb: Proske'sche Musikbibl
Augsb: Staats- u Stadtbibl
Ceský Krumlov: Prälatenbibl
Drdn: Sächs Landesbibl
Warschau: Universitäts- u Stadtbibl
Budapest: Nationalbibl Szechenyi
Bruxelles: Bibl du Conservatoire

Bd 115

SUITEN FÜR TASTENINSTRUMENTE VON UND UM FRANZ MATHIAS TECHELMANN

ca 1649 - 1714

Veröff v Herwig Knaus

Einleitung - Titelblatt u Dedikation an Kaiser Leopold I.

Inhaltsübersicht

F.M.Techelmann

Suite I - Toccata C a-moll
Canzone C
Ricercare C
Aria semplice con trenta Variazioni sequenti C
Alamanda C
Courante 3/4
Sarabanda 3/4
Variatio sopra la Sarabande 3/1
Gigue 6/8

Suite II - Toccata C C-Dur
Canzone C
Ricercare C
Alamanda dell'Allegrette alla Liberazione di Vienna C
Courante 3/1
Sarabanda 3/1 mit 4 Variationen
Menuett a. St.Göttweig

Vorl Wien: Nationalbibl
Göttweig: Stiftsbibl

x - x - x - x - x - x - x - x - x

Bd 115

TECHELMANN, Franz Matthias

[Organist u Komponist]

* um 1649 im Böhmisch-Mährischen Raum
† 26.2.1714 Wien (Mariahilf)

Ll: verheiratet mit Anna Margaretha, Tochter eines Fecht- u Tanzmeisters
ab 1678 Organist an d Wr St.Michael-Kirche u möglicherweise Nachfolger seines Lehrers Carl Günther
1682 A.Draghi u G.B.Pedenzuoli sind Taufpaten seines Sohnes
1685 als Nachfolger Pogliettis in d Kaiserl Hofkapelle
1713 pensioniert mit vollem Gehalt

W: 1683/84 Werke f Tasteninstrumente mit Widmung zum Namenstag Leopold I

Diss: 1959 H.Knaus: F.M.T. Sein Leben u seine Werke; Wien StMw 27/186

Bd 116

J A C O B U S   V A E T

SÄMTLICHE WERKE VI

/V. = Bd 113/114
VII. = Bd 118/

SALVE REGINA - MAGNIFICAT

Veröff v Milton Steinhardt
Vorbemerkung v Erich Schenk

Inhaltsübersicht

Salve Regina (Lautenintavolierung, photorepr) Nr 5

Salve Regina

Nr 1 u 2	4 vocum
3 u 4	5
5 u 6	6
7 u 8	8

Magnificat

1 Magnificat	primi toni
2	secundi toni
3	tertii toni
4	quarti toni
5	quinti toni
6	sexti toni
7	septimi toni
8	octavi toni

Anhang:

1. Jacobus Vaet: Salve Regina (Nr 5), Lautenintavolierung
   a) f Laute u Singstimme
   b) f Laute u 2 Singstimmen
2. Anonymus: J'ay mon cueur; 5stg
3. Johannes Lupi: Dueil, double dueil

Revb A. Alte Drucke:
Berg T x) - Berg u Neuber, Thesaurus musicus; Nrnbg Tonus primus. RISM 1564

Giovanelli N - Giovanelli, Novus thesaurus musicus; Venezia. Liber quartus RISM 1568

x) Sigel des Repertoire international des sources musicales, Recueils imprimés, Bd 1

Susato C - Lusato, Le cincquiesme ligre contenant
trente et deux chansons; Antwerpen
RISM 1544

B. Fundorte der Handschriften

Vorl Graz: Universitätsbibl
Ldn: British Museum
Mchn: Bayr Staatsbibl
Paris: Bibl du Conservatoire
Regensb: Proske'sche Musikbibl
Tenbury: St.Michael's College
Wien: Nationalbibl

Bd 117

JACOBUS GALLUS 1550-1591

DREI MESSEN ZU 6 STIMMEN

Veröff v Paul Amadeus Pisk

Vorbemerkung v Erich Schenk

Inhaltsübersicht

I. Missa super Elisabeth Zachariae

II. Missa super Dorium

III. Missa super "Locutus est Dominus ad Moysen dicens"

Revb

Vorl: J.Gallus, Missarum VI vocum liber II
(Pragae 1580, Nr. 5,6,7)

Modell: J.G.Secundus tonus musici operis
(Pragae 1587 Nr 53 (I) NA - DTÖ Bd 51/52 S 29 ff
80 (III) NA-DTÖ 24 S 51 ff)

Bd 118

JACOBUS VAET

SÄMTLICHE WERKE VII [VI. = Bd 116]

HYMNEN UND CHANSONS

Veröff v Milton Steinhardt

Vorbemerkung v Erich Schenk

Vorwort v M.Steinhardt (Lawrence, Kansas, Winter 1968)

Hymnen

1. A solis ortus cardine	5 stg
2. Aurea luce	5 stg
3. Ave maris stella	3-, 4- u 5stg
4. Conditor alme siderum	4-, 5- u 6stg
5. Deus tuorum militum	4- u 5stg
6. Iste Confessor	4- u 5stg
7. Lauda mater ecclesia	5stg
8. Ut queant laxis	4- u 5stg

Chansons

1. Amour leal	4stg
2. En l'ombre d'ung buissonet	4stg
3. Sans vous ne puis	4stg

Anhang I:
1. J.Vaet: Vater unser im Himmelreich; Bassus
2. J.Vaet: Hymnus, Sancti Michaelis Archangeli; Fragment
3. Jean Crespel: A vous Aymer - 4stg
4. Josquin Desprez: En l'ombre d'ung Buissonet - 4stg

Anhang II:
1. J.Vaet: Qui consonlabatus me; Cantus, 1stg
2. Antonio Galli: Missa Ascendetis - 6stg
3. Johannes de Cleve: Missa Rex Babylonis - 5stg
4. Jacobus Gallus: Vitam quae faciunt Beatiorem - 4stg
5. Jacobus Clemens non Papa: Plorer gemir et Larmoyer my fault - 5stg
6. Jacobus Regnart: Defunctum Charites vaetem; 7stg

Revb A. Alte Drucke

Du Chemin, Tresiesme livre contenant XXIIII Chanson, Paris RISM 1557

Gerlach, Tricinia sacre, Nrnbg RISM 1567
Giovanelli, Novus thesaurus musicus; Venezia liber quintus, RISM 1568
Petrucci, Canti C. No cento cinquante, Venezia 1504
Phalèse, Premier livre des chansons a quartres parties, Louvain RISM 1558
Stephani, Liber secundus suavissimarum ... harmoniarum RISM 1568
Wallrant et Laet, Jardin musiqual ----- le prem livre, Antwerpen RISM 1556
Jacconi, Prattica di musica, Venezia 1596

B. Moderne Ausgaben

C. Fundorte der Handschriften

Bruxelles: Bibl royale de Belgique
Cesky Krumlov: Kaplanské Knokovny
Coimbra: Bibliotek der Universidade
Drdn: Sächs Landesbibl
Graz: Universitätsbibl
Ldn: British Museum
Mchn: Bayr Staatsbibl
Wien: Nationalbibl

Bd 119

JACOBUS GALLUS 1550-1591

FÜNF MESSEN ZU VIER BIS SECHS STIMMEN

Veröff v Paul Amadeus Pisk

Abschluß der GA; bisher Bde 12 24 30 40 48 51/52 78
94/95

Außerdem hgg v Dragotin Gvetko, Ljubljana:
Harmoniae morales 1589/90 1966
Moralia 1596 1968

StMw 5, S 35-48 P.A.Pisk: Das Parodieverfahren in den Messen v Jacobus Gallus

Missa super	"Sancta Maria"	6 vocum
	"Adesto dolori meo"	5 vocum
	"Transeunte Domino"	5 vocum
	"Mixolydium"	4 vocum
	"Apri la fenestra"	6 vocum

Tabulatur Missa super "Adesto dolori meo"

Revb

Vorl:. 1-5: Pragae 1580
6 u Tabulatur: Breslau Stadtbibl

Bd 120

TRIENTER CODICES

Siebente Auswahl /VI. = Bd 76/

MESSEN VON JEAN COUSIN, JOHANNES MARTINI, GUILLAUME LE ROUGE, ANONYMUS

Veröff v Rudolf Flotzinger mit Materialien v Georg Tysowsky u Othmar Wessely

Vorbemerkung Erich Schenk
Inhaltsübersicht - 4 S Reproduktionen
Einleitung

Messen:

Jean Cousin, Missa tubae
Kyrie, 3 Stimmen
Gloria, 3 u 4
Sanctus, 4 u 3
Agnus, 4 u 3

Johannes Martini, Missa Cu-Cu
zu 4 u 2 Stimmen

Guillaume le Rouge, Missa super "Soyez Aprantiz"
zu 3 u 2 Stimmen

Anonymus, Missa super "Du cuer je souspier"
zu 4 Stimmen

Anhang: Guillaume le Rouge: Missa super "Soyez Aprantiz"
(Fassung Rom) zu 3 u 2 Stimmen

Revb

x - x - x - x - x - x - x - x - x

JEAN ESCAFER, dit Cousin

* um 1425
† 1474

Ll: 1446-1448 gemeinsam mit Okeghem, in d Kapelle d Herzogs Karl I v.Bourbon in Moulins nachweisbar
1473 als Autor einer Missa Nigra sum genannt

W: Missa tubae - einzige erhaltene Komposition

x - x - x - x - x - x - x - x - x

Bd 120

MARTINI, Johannes

Zeitgenosse Okeghems
tätig neben Josquin u Compère in d Mailänder Hofkapelle
1474 u 1475 - 92 in Ferrara
möglicherweise Beziehungen zu Innsbruck
nach 1492 nicht mehr nachweisbar

x - x - x - x - x - x - x - x - x

ROUGE, Guillaume le

* um 1385
† um 1451

auch: le Rouge, gen de Rubeis, oder Guillaume Ruby

Ll: 1399 Chorknabe in Rouen
1400 in d Kapelle Karl VI
1415 in d Kapelle Johann's ohne Furcht
1431 am burgundischen Hof

x - x - x - x - x - x - x - x - x

FRYE, Walter (lat Gualterius Liberti)

Ll: 1428 in d päpstl Kapelle nachweisbar
1457 möglicherweise in Ldn
1474 (1475) Testament in Ldn

Lit: Art. Cousin, bt v R.Flotzinger, MGG XV

E.Reeser "Een isomelischemis" uit den tijd von Dufay. Tijdschrift der Vereenigung voor Nederl. Muziekgeschiedenis XVI, Amsterdam 1946, S. 151 - 176
G.Reese: Music in the Renaissance; S 92 ff
H.Chr.Wolff: Die Musik der alten Niederländer; Lpzg 1956
Besseler: Bourdon S 214
Art.G.Rouge bt v P.Gülke, MGG XI Sp.999

VIII.

D A S   E R B E   D E U T S C H E R   M U S I K

hgg. im Auftrage des Staatlichen Instituts
für deutsche Musikforschung

II. Reihe: Landschaftsdenkmale Bd. 1

Alpen- und Donau -Reichsgaue

Veröffentlicht von der Gesellschaft für Musikforschung
in den Alpen- und Donau-Reichsgauen unter Leitung
von
Erich Schenk

Universal-Edition, Dr. Johannes Petschull
Wien - Leipzig
1942

Bd 1

WIENER LAUTENMUSIK IM 18.JH

Bt v Adolf Koczirz
Einführung
Vorwort
Inhaltsübersicht
Faks v 2 Lautentabulaturen

1. Franz Ginter
   Partie: Allemande
   Courante
   Sarabande
   Menuett
   Bourée
   Gigue

2. Graf Logi
   Chaconne in F 3/4
   Sarabande in B 3/4
   Jl marescalco in C 3/4
   2 Menuette in F 3/4
   Adagio in d-moll 3/4

3. Johann Georg Weichenberger
   Partie - 7 Sätze
   Fantasia in g-moll ⌀
   Courante in C, 3/4
   Presto in C, ⌀

4. Georg Zechner
   2 Menuette in G

5. Graf Bergen
   Partie - 7 Sätze in F

6. Fürst Lobkowitz
   Partie - 7 Sätze in B

7. Joseph Porsile
   Partie - 5 Sätze in g-moll

8. Graf Gaisruck
   Menuett in D
   Finale in A, 2/4

9. Ferdinand Seidel
12 Menuette f Laute (1757)
(verschiedene Tonarten: C, G, D, F, g, B, Es)

10. Carl Kohaut
Sonata a Liuto solo in D
Adagio 2/4
Allegro 2/4
Menuett u Trio

Divertimento in B f Vl, Vcl, Liuto obl
L'Amoureux 2/4
Le Badinage C
Menuett u Trio
La Joye 2/4

Divertimento in D f Vl, Vcl, Liuto
Adagio 2/4
Allegro 2/4
Menuett u Trio
Finale. Presto

Divertimento Primo in B f 2 Vl, Basso Liuto obl
Molto Andante C
Allegretto 2/4
Menuett u Trio
Finale ¢

Concerto in A f 2 Vl, Va, Vcl, Liuto concertante
Allegro ma non molte C
Larghetto 2/4
Tempo di Minuetto (Allegro) 3/8

Anhang: Sono amante, e son figlia; Arie der Artenice aus Caldaras "Ormisda" (1721) f Gesang u liuto

Kritischer Bericht

Vorl Wien: Nationalbibl
Göttweig: Stiftsbibl
Bln: Staatsbibl
Augsb: Stadtbibl
Brüssel: Kgl Bibl

IX

S T U D I E N   Z U R

M U S I K W I S S E N S C H A F T

Beihefte der DTÖ

Heft (Band) 1 - 27

IX. Studien zur Musikwissenschaft. Beihefte der DTÖ
unter Leitung von Guido Adler

1. H E F T 1913

x - x - x - x - x - x - x - x - x

St 2/3

2. H E F T 1914

x - x - x - x - x - x - x - x - x

3. H E F T 1915

x - x - x - x - x - x - x - x - x

4. H E F T 1916

x - x - x - x - x - x - x - x - x

5. HEFT 1918

St 5

Musik-Beilage:
I. Johann Berthold Bernhard Bleystein
Adieu de sa maitresse
II. Achatius Casimirus Huelse (= A.C.Hültz)
Ayrs - Sonata

Die Wiener Liedmusik von 1778-1789 v IRENE POLLAK-SCHLAFFENBERG S 97-151

Chronolog Reihenfolge der zu besprechenden Sammlungen.

Kurz-Biographien von:
Joseph Anton Stephan
Johann Holzer
Carl Friberth (Frieberth)
Leopold Hoffmann (Hofmann)
Franz Anton Hoffmeister
Martin Ruprecht
Wilhelm Pohl (Doktor der Medizin)
Leopold Koželuch
J.J.Grünwald
Franz Xaver Rigler
Schrattenbach
Stubenvoll
Marie Therese Paradis
Johann Gabriel Hackel
Josepha Müllner
Philipp Hafner
P.M.Gölle

Notenbeilage A:

Steffan 1778: Das Veilchen im Hornung (Gleim)
Phidile (Claudius)
Kozeluch 1785: Liebeserklärung eines Mädchens /o TA/
Holzer 1787: In Abwesenheit des Geliebten zu singen
(Blumauer)

Beilage B: (einstimmige Lieder mit unterlegtem Text)

Unter Anderen: Steffan I; Monsigny; Paesiello; Steffan II; Orfeo (Furienchor); Jommelli; Friberth; Hafner; W.de Fesch; Kirnberger; Dittersdorf; Sacchini ("Renaud"); J.A.Hasse ("Egeria); Paesiello ("Gli astrologi immaginari"); Gossec; Dalayrac; Jommelli ("Fetonte") u Volkslieder.

x - x - x - x - x - x - x - x - x

6. H E F T 1919

Hofkapelle 1576
zirka 1600
Kaiser Rudolf II.i.J.1612
cirka 1615
Quellenbeiträge /Namen der Musiker u Capellmeister mit Instrumente u Gehalt/

/II.Teil: St 7/102/

x - x - x - x - x - x - x - x - x

7. H E F T 1920

x - x - x - x - x - x - x - x - x

8. H E F T 1921

Eberlins Schuldramen u Oratorien v ROBERT HAAS S 9 - 44
/Übersicht über Schulbeispiele in historischer Folge und Notenbeispiele/

Die Wiener Tanzkomposition in der zweiten Hälfte des 17. Jahrhunderts v PAUL NETTL S 45 -165

Der Tanz am Hofe Leopolds I.

I. Die Tänze und ihre Zusammenstellungen
1. Die Faktur der Tanzfolgen u Tänze - Die Aria - Die Allemande - Die Courante - Die Sarabande - Die Gigue - Die Gaillarde - Die Chaconne - Das Menuett - Der Passepied - Der Rigaudon - Die Bourree - Der Branle - Die Gavotte - Die Moresca - Der Canario - Der Traquenard - Die Trezza - Die Folia - Die Bergamasca

2. Die Instrumentation u d Orchester

II. Die Komponisten und ihre Werke
Wolfgang Ebner - Johann Heinrich Schmelzer - Andreas Anton Schmelzer - Johann Josef Hoffer - Melchior d'Ardespin - Kaiser Leopold I - Baron Storzenau - Heinrich Gottfried v.Kielmannsegg - Ferdinand Tobias Richter (s. DTÖ XIII Bd 2, Botstiber Biographie) - Johann Jacob Prinner - Johann Michael Zacher - Thomas Anton Albertini - Pater Augustin Kertzinger - Philipp Jacob Ritter - Paul Joseph Weiwanowsky - Johannes Fischer - Tollar - Hugi - Johann Friedrich Tauchmann - Anonyma

Anhang:
Aus dem musikalischen Briefwechsel des Fürstbischof Karl v. Liechtenstein-Kastelkorn v Olmütz S 166-175

Die Kaiserliche Hofkapelle v 1543-1619 (III.Teil) v ALBERT SMIJERS
/IV. Teil: St 9/43/

x - x - x - x - x - x - x - x - x

9. H E F T 1922

Zur Neuausgabe v Claudio Monteverdis "Il Ritorno d' Ulisse in Patria" v ROBERT HAAS S 3 -42
/mit Index des Textbuches 1641 usw/

St 9/10/11

Die Kaiserliche Hofmusik-Kapelle v 1543-1619
(IV.Schlußteil) v ALBERT SMIJERS S 43 - 81

x - x - x - x - x - x - x - x - x

10. H E F T 1923

Dreißigjähriger Bestand der "DTÖ" v GUIDO ADLER S 3 - 5

Die Wiener Ballett-Pantomime im 18.Jahrhundert
und Glucks Don Juan v ROBERT HAAS S 6 - 36

/Vorwort it u dt. 1761 bei Joh.Jos.Trattner -
Szenarium frz u dt (Konserv.Paris Ms Nr 20) -
Spielplan 1775 - 1790 aus Müllers Tagebuch/

Das Wiener Lied von 1789 bis 1815 v EDITHA
ALBERTI-RADANOWICZ S 37 - 78

/Lied-Verzeichnis 1789-1815/

Dichter u Texte - Liedtypen u Formen - Melodik -
Harmonik - Begleitung - Wort u Ton - Die Komponisten:
Ignaz Pleyel, L.Koželuch, Joh.Baptist Wanhall,
M.Th.Paradis, Franz Jakob Freystädler, Albert
Gyrowetz, Emanuel Aloys Förster, Müller, Joseph
Edler v.Eybler, Anton Teyber, Antonio Salieri,
Ludwig Freiherr v.Braun, Georg Edel, Pohl,
Michael Haydn, Anton Eberl, Heckel, Konradin
Kreutzer, Johann Evangelist Fuß, Louis Brambilla,
Moritz Graf v.Dietrichstein, Proskau, Leslie,
Sigmund Ritter v.Neukomm, Niklas Freiherr v.
Krufft.
Sammelwerke u Lieder aus Almanachen. Notenbeispiele.

x - x - x - x - x - x - x - x - x

11. H E F T 1924

Die frühen Messenkompositionen der Trienter
Codices v RUDOLF FICKER S 3 - 58

/Johannes Ciconia - Grossin - Zacharias de
Teramo - Bodoil - Bartholomaeus de Bruollis -
Georgius a Brugis - Battre - Binchois -

Bourgois - Guillaume Dufay - Mayhuets - Thomas Damett - Dunstable - Benet - Anglicanus - Leonellus - Ricardus Markham - Dunstable - Leonellus - Bedingham - Langensteiss/

Die Schlüsselkombination im 15. u. 16.Jh. v RICHARD EHRMANN S 59-74

Johann Baptist Schenk.
Autobiographische Skizze S 75-85

x - x - x - x - x - x - x - x - x

12. H E F T 1925

Die Musik in der Wiener deutschen Stegreifkomödie v ROBERT HAAS S 3 - 64

/Venedig Spielplan 1707-1762; Wiener Hofoper 1714-1728; Textbücher gedruckt bei Andreas Heyinger u a.: 1728-1748; Index der Handschriften 19.062, 19.063 (Wr.Nationalbibliothek); Stücke v Josef Felix v Kurz - Sammelband (Wr.Stadtbibliothek 22.200 A)

Über die Modulation u Harmonik in den Instrumentalwerken Mozarts v RITA KURZMANN S 65-107
(m Nb)

x - x - x - x - x - x - x - x - x

13. H E F T 1926

Die Komischen Opern Glucks v LUDMILLA HOLZER S 3 - 37
(Dissertations-Auszug)
/Ergänzung zu Wotquenne's Them.Verzeichnis bezügl der "airs nouveaux" - Notenbeispiele/

Die Ballettkomposition v Joseph Starzer v LISBETH BRAUN (Dissertations-Auszug) S 38-56

Zur Entwicklung des Walzers v IGNAZ MENDELSSOHN S 57-88
/Kurz-Bernardon, Philipp Hafner, Vinzenz Maschek, Mühling, Joh.Brahms, Fr.Liszt, Jos.Haydn, Mozart, Vinc.Martin, Beethoven, Friedrich Heinr.

x - x - x - x - x - x - x - x - x

14. B A N D 1927

x - x - x - x - x - x - x - x - x

15. B A N D 1928

Steffano Bernardis Kirchenwerke v KARL AUGUST ROSENTHAL S 46- 61

Giuseppe Bonnos Kirchenkompositionen v ALFRED SCHIENERL S 62- 85

Die Sonatenform bei Franz Schubert v FELIX SALZER (Dissertationsauszug) S 86-125

I. Das Wesen der Sonatenform
II. Schuberts Behandlung der Sonatenform

x - x - x - x - x - x - x - x - x

16. BAND 1929

Musik in Österreich. v GUIDO ADLER S 3 - 31

/verfaßt für die "Enciclopedia Italiana" auf Ersuchen des römischen Instituts "Giovanni Trecconi" gez Juni 1928/

Paul Peuerl v KARL GEIRINGER S 32 - 69

/mit Briefen u Dokumenten - Werkanalysen/

Zur Geschichte der Kaiserlichen Hofmusik-Kapelle v 1636-1680 (I) v PAUL NETTL S 70 - 85

/= Ergänzung zu Köchels "Die Kaiserliche Hofmusik-Kapelle in Wien v 1543-1867", Wien 1869; 1636-1650/
II.Teil: St 17/95

Das Hauptthema in den Sonatensätzen Beethovens v WALTER SENN S 86 -115

/unter teilw Benützung der Diss "Das Hauptthema der Sonatenform in Beethovens sämtl Instrumentalwerken"/
Architektonik - Die Form des Themas vor Beethoven - Die von Beethoven übernommenen Hauptformen.
(m Nb)

Gustav Mahlers Lieder. v FRITZ EGON PAMER (I) S116-138

/Einrichtung aus der umfangreichen Dissertation Pamers, der 1923, ein Jahr nach Erlangung des Doktorgrades, im 23.Lebensjahr aus dem Leben schied. - Einrichtung v Karl August Rosenthal/
Mit Texten u Notenbeispielen

x - x - x - x - x - x - x - x - x

17. B A N D 1930

Zur Melodiebildung in Liedern v Neidhart(von Reuenthal) v WOLFGANG SCHMIEDER S 3-20
/Einleitung zum 71.Band der DTÖ/

Das deutsche Gesellschaftslied in Österreich v 1480 bis 1550 v LEOPOLD NOWAK S 21-52
/Diss v Mai 1927: "Das dt Gesellschaftslied bei Heinrich Finck, Hofhaymer u Isaak" u Einleitung zum 72.Band der DTÖ/

Isaac Posch v KARL GEIRINGER S 53-76
/Einleitung zum 2.Teil 70.Bd der DTÖ/
/Dokumente - Werke - Analysen - Index zu "Harmonia concertans"/

Zur Stilistik der Salzburger Kirchenmusik von 1600 bis 1730 (I) v KARL AUGUST ROSENTHAL S 77-94
/Reichhaltige Quellenangaben/
II.Teil: St 19/3

Zur Geschichte der Kaiserl Hofkapelle v 1636-1680 (II). v PAUL NETTL S 95-104
/1651 - 1654/
III.Teil: St 18/23

Gustav Mahlers Lieder (II). v FRITZ EGON PAMER S 105-127
/Tonartenanfänge in den Liederzyklen/

x - x - x - x - x - x - x - x - x

18. B A N D 1931

Blasius Amon v P.CAECILIANUS HUIGENS S 3 - 22
(I.Teil einer umgearbeiteten Diss)

I. Jugendjahre
II. Zweite Lebensperiode
III. Amon als Ordensmann
IV. Letzte Lebensjahre

Zur Geschichte der Kaiserl Hofkapelle von 1636-1680 (III) v PAUL NETTL /1654-1659/ S 23 - 35

IV.Teil: St 19/33

Die Oratorien und Schuldramen Anton Cajetan Adlgassers v CONSTANTIN SCHNEIDER (Diss-Auszug) S 36 - 65

/Kirchenwerke - Musikdramatische Werke - Instrumentalwerke - Verschollen - Opern - Oratorien - Schuldramen - Die vokalen Formen - Die instrumentalen Formen - Instrumentation/

Franz Xaver Süßmayr als Opernkomponist v WALTHER LEHNER (Diss-Auszug) S 66 - 96

Biographie - Die deutschen Singspiele und italienischen Opern - Satzformen - Kurze Notizen und Süßmayrs Textdichter:

Giovanni Bertati (1735-1815)
Carl Ludwig Giesecke (1761-1833)
Franz Xaver Huber (Mitte des 18.Jhs - 1809)
Friedrich Karl Lippert (1758-1803)
Joachim Perinet (1765-1816)
Emanuel Schikaneder (1751-1812)
Matthäus Stegmayer (1771-1820)
Gottlieb Stephanie d.J. (1741-1800)
(m Nb)

x - x - x - x - x - x - x - x - x

19. B A N D 1932

Zur Stilistik der Salzburger Kirchenmusik von 1600 bis 1730 (II). v KARL AUGUST ROSENTHAL S 3 - 40

Notenschrift - Taktstriche - Stimmenzahl - Schlüssel - Dissonanzbehandlung - Akzidentien - Querstände - Führung der Einzelstimmen - Stimmführung - Imitation - Kanonische Nachahmungen - Instrumente - Melodiebildung - Text

Steffano Bernardi - Georg Stadlmayr - Pietro Bonamico-Gutfreund - Francesco Bonamico - Carlo von Houven - Sartorius - Spiegler - Baccusius - Ghizzolo - Donati - Georg Moser - Megerle - Fr.H.Biber - Carl Biber - Sigismundus Biechteler - Neumiller - Lolli - Eberlin.

Zur Geschichte der Kaiserl Hofkapelle von 1636 bis 1680 (IV) v PAUL NETTL [1659-1666] S 33 - 40

x - x - x - x - x - x - x - x - x

20. B A N D 1933

Zum 40jährigen Bestand der "Denkmäler der Tonkunst in Österreich". S 3 - 5
Die Leitung der Publikation

Johannes Brahms-Wirken, Wesen und Stellung.
Weiheblatt zum 100.Geburtstag des Mitgliedes unserer Leitenden Kommission v GUIDO ADLER S 6 - 27

x - x - x - x - x - x - x - x - x

21. B A N D 1934

Italienische Musik und italienische Musiker am Kaiserhof und an den erzherzoglichen Höfen in Innsbruck und Graz v ALFRED EINSTEIN S 3 - 52

Die drei Höfe: I. Wien - II. Innsbruck -
III. Graz
Die einzelnen Meister:
I. Mateo Flecha
II. Annibale Padovano
III. Filippo di Monte
IV. Karl Luython
V. Der Grazer Kreis: Gatto - Bianchi - Rovigo, Simon Gatto, Pietro Antonio Bianchi, Francesco Rovigo
VI. Die Meister der Villanella und Canzonetta: Jacob Regnart - Lambert de Sayve - Matthia Ferrabosco - Cesare Zacharia - Alfonso Ferrari - Erasmus de Seyve
VII. Drei Kaiserliche Musiker: Florio - Ordogio - Zanotti
Alessandro Orologio I (sächs Hofkapelle) -
Alessandro Orologio II (Prager oder Wiener) -
Don Camillo Zanotti (aus Cesena)
VIII. Francesco Stivorio und Giovanni Priuli (Prioli)

Die musikalischen Fragmente der Sammelhandschrift 4337 der österr Nationalbibliothek v KARL AUGUST ROSENTHAL S 53-58

x - x - x - x - x - x - x - x - x

22. B A N D 1953 StzMW. Beihefte der DTÖ.
Begründet v Guido Adler.
Unter Leitung v Erich Schenk

Vorwort - Inhaltsverzeichnis

Mozart in Mantua v ERICH SCHENK S 1-29

Mozart - Ritter vom Goldenen Sporn v ELISABETH I.LUIN (mit facs d Dokumente) S 30-84

[A] Andere Ordensritter aus dem Musikerstand: Orlando di Lasso (1574) - Gluck (1756) - Carl v.Dittersdorf (1770) - Karl Michael Esser (Violinvirtuose 1772) - Abt Vogler (1774) - Francesco Morlacchi - Gaetano Donizetti (1822) - Raphael Mengs (1773) - Joh. Nep.Claudius Christian v.Rall (1735) - Leopold Anton Virgil Graf v.Lodron (1737) - Leopold Graf v.Lodron - Andrea Gottlieb Freiherr v.Prank (1748)

[B] Zur Geschichte des Ritterordens vom Goldenen Sporn

[C] Die Ordensverleihung an Künstler des 16. und 18.Jahrhunderts

Henry Purcell als Instrumentalkomponist v HELENE WESSELY-KROPIK S 85-141

Die Tonartencharakteristik im einstimmigen Klavierlied von Johannes Brahms v ERWIN RIEGER S 142-216

mit 8 Tabellen, Titel u Textanfängen v Brahms' einstimmigen Klavierliedern - Notenbeispiele

Vollständiges Werkverzeichnis der Musikalien des Kunst- und Industrie Comptoirs in Wien 1801-1819. Ein bibliographischer Beitrag v ALEXANDER WEINMANN S 217-252

Veröffentlichungen aus dem musikwissenschaftlichen Institut der Universität Wien 1945-1955. S 253-269

Erich Schenk - Leopold Nowak - Franz Zagiba -

Walter Graf - Othmar Wessely - Erwin Rieger - Margareta Wöss - Carl Nemeth
Verzeichnis der seit 1945 am mw Institut der Universität Wien approbierten Dissertationen

x - x - x - x - x - x - x - x - x

23. BAND 1956

Aus zwei Jahrzehnten "Denkmäler der Tonkunst in Österreich" 1938-1956 v ERICH SCHENK S 1 - 10

S 1 - Fußnote: Nennung wirkender Mitglieder der leitenden Denkmälerkommission der Jahre 1909-1925; 1926/27 u 1933-38 erfolgten keine Nennungen [Ergänzung zu den Nennungen des Jgs 1909 u 1933]

Die Variationstechnik in den Choral-Cantus firmus-Werken Palestrinas v KARL SCHNÜRL S 11- 66

mit alphabetischem Index der Antiphone - Sequenzen - Hymnen - Varia - Messen,
mit Stimmenzahl, Band u Seite der Palestrina-Ausgabe

Zu den Quellen von Monteverdis "Ritorno d'Ulisse in Patria" v WOLFGANG OSTHOFF S 69-78

Archivalische Beiträge zur Musikgeschichte des maximilianischen Hofes v OTHMAR WESSELY S 79-134

1. Allgemeine Angelegenheiten der Hofmusik
2. Mitglieder der Hofkapelle und andere Hofmusiker
3. Hoffremde Personen und Sachen

Verzeichnis der Musikalien des Verlages Johann Traeg in Wien 1794-1818 v ALEXANDER WEINMANN S 135-183

Veröffentlichungen aus dem mw Institut der Universität Wien 1955-1956. S 184-188

Erich Schenk - Leopold Nowak - Franz Zagiba - Walter Graf - Othmar Wessely - Franz Grasberger
Verzeichnis der seit 1955 am mw Institut d Universität Wien approbierten Dissertationen

Musikwissenschaftliche Vorlesungen an den österr. Universitäten in den Studienjahren 1954/55 u 1955/56. S 189-191

x - x - x - x - x - x - x - x - x

24. B A N D 1960

I nuovi confini della scrittura neumatica musicale nell'Europa Sud-Est di Albe Vidaković (Zagreb) S 5 - 12

Antonio Cestis "Alessandro Vincitor di se stesso" v WOLFGANG OSTHOFF S 13 - 43

Mitteilungen aus dem Archiv der Arciconfraternità di San Giovanni dei Fiorentini, detta della Pietà in Rom v HELENE WESSELY-KROPIK S 44 - 60

Heinrich Franz Biber von Bibern v PAUL NETTL S 61 - 86

mit Verzeichnis der erhaltenen Kompositionen Bibers u Dramen-Titel zu denen Biber Musik f d Salzburger Akademie- bzw Residenz-Theater komponierte (aus A.Kutscher, Das Salzburger Barocktheater. Wien 1924).

Ist die Göttweiger Rorate-Messe ein Werk J.Haydns? v ERICH SCHENK S 87 -105

Ignaz Pleyel und die Marseillaise. Widerlegung einer neuen Legendenbildung v JOSEF KLINGENBECK S 106-119

Wiener Instrumentenbauer von 1791 bis 1815 v HELGA HAUPT S 120-184

Alphabet Anführung der Namen u Kurzbiographien

Veröffentlichungen aus dem mw Institut der Universität Wien 1956-1960.

Mit Nachträgen von 1955 S 185-195

Erich Schenk - Leopold Nowak - Franz Zagiba - Walter Graf - Othmar Wessely.
Verzeichnis der seit 1956 am mw Institut der Universität Wien approbierten Dissertationen.

Musikwissenschaftliche Vorlesungen an den österr. Universitäten 1956-1960. S 196-200

x - x - x - x - x - x - x - x - x

25. B A N D 1962

Festschrift für Erich Schenk.
Erich Schenk als Festgabe zum 60.Geburtstag gewidmet von Kollegen, Freunden und Schülern.
Reproduktion des Ölgemäldes: E.Schenk Rector magnificus der Universität Wien 1957/58 v Siegfried Stoitzner
Zum Geleit. Von Joseph Marx
Vorwort. Von Othmar Wessely
Veröffentlichungen v Erich Schenk XIII-XVII

Il Conto Ambrosiano nelle lettere di G.B.Martini di Charles Burney. Di Riccardo Allorto (Milano) S 1-4

Musikalische Beziehungen zwischen Österreich und Spanien in der Zeit vom 14. bis 18.Jh. v HIGINO ANGLÈS (Roma-Barcelona)
mit Tafel (Grabstein d Hieronymus Ramires an der Westfront der Minoritenkirche, Wien) S 5-14

Contributo alla biografia di G.B. Sanmartini alla Luce dei documenti. Di Guglielmo Barblan (Milano) S 15-30

Grundsätzliches zur Übertragung von Mensuralmusik v HEINRICH BESSELER (Leipzig) S 31-38
(m Nb)

Neue Materialien zu Robert Schumanns Wiener Bekanntenkreis v WOLFGANG BOETTICHER (Göttingen) S 39-55

Esquisse d'une histoire des "Tombeaux" musicaux. Par CHARLES VAN DEN BORREN (Uccle-Bruxelles) S 56-67

Beethovens Jugendtagebuch v DAGMAR v.BUSCH-WEISE (Bonn) S 68-88
mit Tafel (facs)

Il Problema dell'Inferiorità nella musica contemporanea. Di GUGLIO COGNI (Siena) S 88-95

"Sei concerti a tre" sconosciuti di G.A.Brescianello. Di ADELMO DAMERINI (Firenze) S 96-104
(m Nb)

La Comicità e la Musica. Saggio bibliografico e critico. Di ANDREA DELLA CORTE (Torino) S 105-114

Some notes on the biography of Carlo Tessarini and his Musical Grammar. By ALBERT DUNNING S 115-122
Amsterdam

Erzgebirgische Bergmusikanten in Mecklenburg v HANS ERDMANN (Lübeck) S 123-134
(m Nb)

Giovanni Maria Casini "Musico dell'umana espressione". Contributo su documenti originali Di MARIA FABBRI (Firenze) S 135-159
La Vita - Le opere - La personalità artistica

Zur Frage von Differenzen der Psalmodie v ZOLTAN FALVY (Budapest) S 160-174
(m Nb)

Musikalische Beziehungen zw Wien und Warschau zur Zeit der Wiener Klassiker v HIERONIM FEICHT (Warszawa) S 174-182
Oper u Ballett - Instrumentalmusik - Kirchenmusik - Polen in Wien

Zum Wort-Ton-Problem in der Kirchenmusik des 16./17.Jahrhunderts v KARL GUSTAV FELLERER (Köln) S 183-192
P.Pontio - Lasso - Petit Coclicus - Palestrina - Agazzari - Felice Anerio - H.L.Hassler - Claudio Merulo - Ottavio Catalani - G.Aichinger - J. Handl - Philipp de Monte - Monteverdi - Andrea Gabrieli - Praetorius - Giovanni Gabrieli -

Thaddeo - Francesco Capelli - Cesare Crivelli - Giov.Croce - Pomponio Nenna - J.Matelart - Suriano - Jeremias Drexel

Die Thematik in Johann Seb.Bachs Orchestersuiten v CONSTANTIN FLOROS (Hamburg) S 193-204
(m Nb)

Un "Dialogo d'amore" di Niccolò da Coreggio. Musicato da Bartolomeo Tromboncino. Di CLAUDIO GALLICO (Mantova) S 205-213
(m Nb)

Musik in sechs Mittelrheinischen Männerklöstern im 18.Jahrhundert v ADAM GOTTRON (Mainz) S 214-230
1. Amorbach
2. Arnsburg i.d.Wetterau
3. Eberbach im Rheingau
4. Ilberstadt i.d.Wetterau
5. Augustiner in Mainz
Zusammenfassung

Neue Möglichkeiten, neue Aufgaben der vergleichenden Musikwissenschaft v WALTER GRAF (Wien) S 231-245

A Return to the question of Atonality. By FRIEDRICH HELMUT HARTMANN (Johannesburg) S 246-251
(m Nb)

Der "Galante Stil" in der Musik des 18.Jahrhunderts.Zur Problematik des Begriffs v LOTHAR HOFFMANN-ERBRECHT (Frankfurt/Main) S 252-260
(m Nb)

Zur Stellung des Messpropriums der Österreichischen Augustinerchorherren v HEINRICH HUSMANN (Göttingen) S 261-275

Ignaz Pleyel. Sein Streichquartett im Rahmen der Wiener Klassik v JOSEF KLINGENBECK (München) S 276-297

Pierre-Gabriel Buffardin. Sein Leben u Werk v INGRID KOLLPACHER-HAAS (Wien S 298-306
(mit Tafel /Portrait/ u Notenbeispielen)

St 25

St 25

Zur Entstehung des Refrains der Kaiserhymne J.Haydns v JOHANNES REINDL (Wien) S 417-433
(m Nb u Tafel: Venanzio Rauzzini, Öl-Portrait v.J.Hutchinson)

Zwei Briefe Otto Nicolais an Raphael Georg Kiesewetter v ERWIN RIEGER (Hagen i Westfalen) S 434-439
(Rom 18.9.1834 u Rom 3.5.1836)

Contributi di Erich Schenk alla Conscenza della Storia Musicale Italiana. Di GINO RONCAGLIA (Modena) S 440-445

Quindici lettere di Leonora Baroni Musicista Analfabeta. Di CLAUDIO SARTORI (Milano) S 446-452

Wiener Opernaufführungen im Winter 1815/1816
Nach den Tagebuchaufzeichnungen eines jungen Geigers (d.i.Michael Frey, später Hofkapm in Mannheim) v JOSEPH SCHMIDT-GÖRG (Bonn) S 453-462

Haydns "Schöpfung" als Messe v KARL SCHNÜRL S 463-474
(m Nb)

Die böhmischen Musiker in der Musikgeschichte Wiens vom Barock zur Romantik v CAMILLO SCHOENBAUM (Dragøn) S 475-495
(m Nb)

Über den Ursprung der Melodie "Nun siet uns willekommen" v JOSEPH SMITS VON WAESBERGHE (Amsterdam) S 496-503
(m Nb)

Der Tropus "Dies sanctificatus" zum Alleluia "Dies sanctificatus" v BRUNO STÄBLEIN (Erlangen) S 504-515
(m Nb)

Zweierlei Wissenschaft im Spiegel der Musik v RUDOLF STEGLICH (Erlangen) S 516-519
(m Nb)

St 25

Der junge Brahms u Reményis "Ungarische Lieder"
v KURT STEPHENSON (Bonn) S 520-531

(m Nb u 2 Tafeln: B's Nachlaßblatt u Hannoverisches Widmungsblatt v 1853 - beide mit ungarischen Motiven)

Kleine Beiträge zur Melodiegeschichte des 18. Jahrhunderts v BENCE SZABOLCSI (Budapest) S 532-538

(m Nb)
1. Zwei Zitate bei Mozart
2. Eine deutsch-ungarische Weise: "das Hussitenlied"

Georges Becker. 24.Juli 1834 bis 18.Juli 1928
v WILLY TAPPOLET (Genf) S 539-544

(mit Publikationen u Werkverzeichnis)

Palestrina e la tradizione Gregoriana.
Di VINCENZO SERENZIO (Cerignuola) S 545-550

Mauriz von Menzingen. Eine Studie zur Geschichte des deutschen Sololiedes im Barock v NORBERT TSCHULIK (Wien) S 551-557

(m Nb)

Il "Bononcini" di Schenk. Di CESARE VALABREGA (Roma) S 538-560

Zur Stilproblematik der italienischen Oper des 17. u.18.Jahrhunderts v WALTHER VETTER (Berlin) S 561-573

(m Nb)

Über d Verhältnis v Musik u Poesie v ALBERT WELLEK (Mainz) S 574-585

1. Programmusik 2. Kunstsynthese 3. Titelmusik oder Musik unter Devise 4. Textunterschiebung 5. Vertonbarkeit

Kaiser Leopolds I. "Vermeinte Bruder- u Schwesterliebe". Ein Beitrag zur Geschichte des Wiener Hoftheaters in Linz v OTHMAR WESSELY (Wien) S 586-608

(m Nb)

x - x - x - x - x - x - x - x - x

26. BAND 1964

x - x - x - x - x - x - x - x - x

27. B A N D 1966

Das Strukturphänomen des verkappten Satzes a tre in der Musik des 16. u 17.Jahrhunderts v OTTO TOMEK (Wien)

/System. Einleitung einer 1953 an d Univ Wien approbierten Diss - etwas gekürzt/ S 18-71

(m Nb)

Typologie des Trios der Außenstimmen - Der pseudoverkappte Satz a tre - Der reale Satz a tre u sein Einfluß auf die Mehrstimmigkeit

/A/ Vorformen u erste Anfänge des verkappten Satzes a tre:
Arcadelt Jacobus - Lasso, O - Pevernage André-De Wert, Giaches - Monte, Philipp de - Schuijt Cornelius - Porta Costanzo

/B/ Das italienische Madrigal. Ältere Gruppe
Porta Costanzo

/C/ Das italienische Madrigal. Jüngere Gruppe
Marenzio, Luca - Zoilo, Annibale - Gherardini Arcangelo - Galilei, Vincenzo - Vecchi, Orazio - Gabrieli, Giovanni - Caimo, Giovanni - Leoni, Leone - Giovanelli, Ruggiero - Monteverdi, Claudio

/D/ Festmusiken, Intermedien, Battaglien, Madrigalkomödien
Del Cavalieri, Emilio - Vecchi, Orazio - Torelli, Guasparo

/E/ Canzonette u Ballette
Castoldi, Giovanni - Vecchi, Orazio - Anerio, Felice - Dragone, Giovanni Andrea - Bellasio, Paolo

/F/ Oper u Rappresentazione Sacra
Caccini, Giulio - Peri, Jacopo - Monteverdi, Claudio - Del Cavalieri, Emilio

/G/ Englische Madrigale u Canzonetten
Bird, William - Bennet, John - Wilbyes, John - Gibbons, Orlando - Vautor, Thomas - Morley, Thomas - Weelkes, Thomas

/H/ Chorlieder u Madrigale deutscher Komponisten
Lasso, Orlando di - Joachim a Burck - Lechner, Leonhard - Hassler, Hans Leo - Schütz, Heinrich - Demantius, Christoph - Peuerl, Paul - Steffens, Johann

/I/ Der verkappte Satz a tre in der geistlichen Musik

Palestrina, Giovanni Pierluigi da - Lasso, Orlando - Gallus, Jacobus - Gabrieli, Giovanni - Reselius, Andreas - Aichinger, Gregor - Praetorius, Michael - Hassler, Hans Leo - Scheidt, Samuel - Schütz, Heinrich

[K] Der verkappte Satz a tre in der Instrumentalmusik
Speer, Daniel - Dietrich, Marcus - Malvezzi, Christophoro - Marenzio, Luca - Gabrieli, Giovanni - Monteverdi, Claudio

[L] Instrumentalwerke österreichischer und deutscher Komponisten
Hassler, Hans Leo - Haussmann, Valentin - Franck, Melchior - Schein, J.H. - Ghro, Johann - Otto, Valerius - Engelmann, Georg - Schultz, Johannes - Staden, Johannes - Moritz von Hessen - Berger, Andreas - Scheidt, Samuel - Posch, Isaac - Borchgreving, Melchior - Brade, William - Anonym - Philippi, Pietro - Grep, Benedictus - Gistou, Nicolo - Steffens, Johann - Sommer, Johann - Sommer, Nicolo - Merker, Matthäus - Simpson, Thomas - Rosenmüller, Johann - Loewe v Eisenach, Johann Jakob - Pezel, Johann - Krieger, Johann - Krieger, Adam - Schmelzer, Johann Heinrich - Biber, Johann Josef - Praetorius, Michael - Mazuel, Michel - Anonym - Lully, Jean Baptist - Horn, Johann Caspar - Fischer, Johann Kaspar Ferdinand - Schmierer, Johann Abraham

[M] Der verkappte Satz a tre in d Lautenmusik
Barbetta, Giulio Cesare - Galieli, Vincenzo - Monte, Philipp de

Die Franziskanermesse des 17. u 18. Jahrhunderts v FRIEDERIKE GRASEMANN (Wien) S 72-124
[Auszug aus der 1963 approbierten Diss]
(mit 2 Tafeln u Notenbeispielen)

Studien zur Arieneinleitung in der Oper des 18. Jahrhunderts v UWE BAUR (Koblenz) S 125-150
[Auszug aus der 1963 approbierten Diss]

Chromatische Harmonik bei Brahms und Reger. Ein Vergleich v HANS ZINGERLE (Innsbruck) S 151-185
(m Nb)

St 27

X. <u>R E G I S T E R</u>

Alle Namen, Orte, Sachen etc., die in den 147 Bänden der DTÖ und deren Beiheften aufscheinen, zu erfassen, das Vorbild des H. Etthofen mit seinem "Register zu den ersten zwanzig Jahrgängen (Bd 1 bis 41)" gab, zu erreichen, war nicht möglich, das Register wäre zu einem eigenen Band ausgewachsen; es enthält daher nur die Begriffe dieses Kompendiums und zwar nur diejenigen, welche die Bände selbst betreffen, also ausschließlich der angefügten bio- und bibliographischen Notizen. Zu den Personennamen sind die Lebensdaten in der Reihenfolge: Jahr, Tag, Monat und Ort vermerkt; bei Komponisten, für die nach den Bandinhalts-Seiten die erwähnten kurzbiographischen Skizzen vorgesehen sind, deutet im Register "bD:..." (<u>b</u>iographische <u>D</u>aten in den Band ... behandelnden Seiten) darauf hin. Hinweise erfolgen nicht mit der Seitenzahl des Kompendiums, sondern mit der Band-Nummer der DTÖ (Bd...), bzw deren Beihefte "Studien zur Musikwissenschaft" (St...) - sie sind daher gleichzeitig zu diesen direkte Index-Orientierungen. Die Abhandlungen sind in den Beiheften nicht numeriert, folglich bedeutet z B bei St 17/21: 17 die Band- und 21 die Seitenzahl, auf welcher der Beitrag beginnt. Sammeltitel wie "Das deutsche Gesellschaftslied", "Wiener Instrumentalmusik" und ähnliche sind mit den hauptsächlichsten Werke-Titel ebenso aufgenommen, wie Zusammenfassungen: "Oper", "Messe", "Motette", "Herausgeber der DTÖ" (im Register durch Unterstreichung hervorgehoben). Für die Komponisten des Bandes 77 "Italienische Musiker und das Kaiserhaus" wurde die abgekürzte Bezeichnung "Kaiser<u>hof</u>-Komponist" (an Stelle von Kaiser<u>haus</u>-K), entsprechend dem Titel der St 21/3 "Italienische Musik...am Kaiserhof..." (ebenfalls von Einstein), aus Vereinheitlichungsgründen, verwendet. Den "Komponisten der Trienter Codices" sind die laufenden Nummern der Thematischen Kataloge in Bd 14/15 (S 31-80) und 61 (S VII-X) in arithmetrischer Zahlenfolge beigesetzt, im Gegensatz - und als Übersichtsergänzung - zum "Index der Componisten" (Bd 14/15 S 26-28), der den Autoren die Nummern des Thematischen Kataloges nach Werkgruppen (Kyrie, Et in terra etc) geordnet, hinzufügt. Die Einbeziehung und Aneinanderreihung der Vorlagen und deren Standorte (unter "Vorlagen") ist die Erfüllung eines persönlichen Wunsches des Direktors der Musiksammlung der Österr. Nationalbibliothek Herrn Hofrats Dr. Franz Grasberger.

A

ABERT Hermann Mf	Bd 44a	Gluck
1871 25/3 Stuttgart		
1927 13/8 ds		
ADLER Guido Mf		
1855 1/11 Eibenschütz	Bd 6	Cesti
1941 15/ 2 Wien	7	Muffat Gb
	8	Froberger
	9	Cesti
	11	Biber
	13	Froberger
	14/15	TrC I
	19	Fux
	20	Benevoli
	21	Froberger
	22	TrC II
	38	TrC III
	46	Draghi
	49	Biber, Kerll, Schmeltzer
	58	Muffat Gb
	59	Straus Chr., Biber, Kerll
	St 4/5	Wr Messen
	5/9	DTÖ Vorgeschichte
	14	Vorwort
	16/3	Musik in Österreich
	20/6	Brahms
ADLGASSER Anton Cajetan Komp	Bd 80	
1729-1777 bD:80	St 18/36	
Ästhetische Funktionen der Stilleund Pause (Lissa)	St 25/314	
AGAZZARI Agostino Komp	St 25/183	
1578 2/12 Siena		
1640 10/ 4 ds		
AICHINGER Gregor Komp	St 27/18	[J]
1564 Regensburg	25/183	
1628 21/2 Augsburg		
ALANUS Johannes Komp	Bd 76	TrC VI (niThk)
ALBERGATI s d'ALBERGATI		
ALBERTI-RADANOWICZ Editha Mf	St 10/37	Wr Lied 1780-1815
ALBERTINI Thomas Anton	St 8/45	
† 1685 22/9 (erstochen)		

ALBRECHTSBERGER Johann Georg Komp Theor 1736-1809 bD: 33 ThV: Lit 1914	Bd St	33 14/143	Instrumentalwerke als Kirchenkomponist (Weißenbäck)
"Alessandro Vincitor di se stosso" (Cesti)	St	24/13	(Osthoff)
ALEXANDER Komp Ende d 13.Jhs bD:41	Bd	41	Gesänge
ALLARTO Riccardo Mf (Milano)	St	25/1	Ambrosianischer Gesang (it)
AMALTEO Aurelio Dichter	Bd	6	
Ambrosianischer Gesang	St	25/1	(Allarto) (it)
AMBROSIUS Abt v Zabrdovice Wtr	Bd	12	
AMON Blasius Komp 1560-1590 bD:73	Bd St	73 18/3	Kirchenmusik (Huigens)
Amorbach, Kloster	St	25/214	(Gottron)
ANDREAS Magister Komp	Bd	14/15	TrC ThK:1559
ANDREAS TALAFÂNGI CABR.			: 760
ANERIO Felice Komp 1560 1614 26,27/9 Rom	St	25/183 27/18 [E]	
ANGIOLINI Gasparo Choreograph 1731 9/2 Florenz 1803 6/2 Mailand	Bd	60	"Don Juan" (Gluck)
ANGLES Higino Mf (Roma-Barcelona) * 1888 1/1 Maspujols (Tarragona)	St	25/5	Österreich-Spanien
ANGLICANUS (De Anglia, Anglicus) Komp bD:61	Bd St	14/15 61 76 11/3	TrC (ThK:16 977 1460 1471 1515 1531 1551 1556 1576) TrC V TrC VI (Ficker)
ANNIBALE Pado(v)ano Komp 1527-1575 bD:77	Bd St	77 90 21/3	Kaiserhof-K Grazer Hofkapellm

ANSION Margaret Hg (Text)	Bd 54	Wr Lied 1778-1791
ANTHONY CHRISTOPHORUS Komp	Bd 14/15 61	TrC (ThK:1090 1121 1901)
Antiphon Marianische	Bd 53 62 83	TrC IV M.Haydn Gaßmann
Antiphonvarianten aus dem Österr.-Ungar.-Tschechoslow. Raum	St 26/9	(Falvy)
ARCADELT Jacobus Komp um 1514 1562/72 Paris	St 27/18/A/	
Archivalische Mitteilungen zur Musikgesch d Maximilianischen Hof	St 23/79	(Wessely O.)
Archiv Mitteilungen: Arciconfraternità...	St 24/44	(Wessely H.)
Archiv Merano	St 25/347	(Lunelli) (it)
ARDESPIN s d'ARDESPIN		
Aria	Bd 85 92,96 115	Fux Biber Techelmann
ARMINO Ludbicus (-ovicus) de	Bd 14/15 76	TrC (ThK:141 144) TrC VI
ARIOSTI /Attilio/ Komp 1666 5/11 Bologna 1740 ? Spanien?	St 6/5	Opern uO (Wellesz)
Armonico Tributo	Bd 23,59	Muffat Gg
ARNOLD von Bruck Komp 1490?-1554 bD:72	Bd 72 99	Dt Gesellschaftslied (Nowak) Motetten (Wessely)
Arnsburg i.d.Wetterau, Kloster	St 25/214	(Gottron)
ARTARIA C.August Musikverleger † 1919	Bd 1	Vorwort
Asperges me	Bd 3	Fux
Atonality, Return to the question of	St 25/246	(Hartmann) (engl)
ATRIO Hermannus de Komp 1.H d 15.Jhs bD:14/15	Bd 14/15	TrCI (ThK:671 672)

Augustiner in Mainz, Kloster	St 25/214	(Gottron)
Augustinerchorherren, Österreichische	St 25/261	(Husmann)

B

BACCUSIUS (Baccusi Ippolito) Komp 1545 Mantua 1609 Verona	St 19/3	Salzbg Kirchenmusik (Rosenthal)
BACH Joh.Seb. Komp 1685 21/3 Eisenach 1750 28/7 Leipzig	St 25/193 25/391 25/609	Orch-Suite-Thematik (Floros) Volkstüml M (Nettl) Melodiebildung (Wolff)
BADIA Carlo Agostino Komp 1672 Venedig 1738 23/9 Wien	St 6/5	Opern u O (Wellesz)
BADOARA(O) Giacomo Dichter um 1640	Bd 57	"Il Ritorno d'Ulisse in Patria"
BAKFARK s BARKFARK		
"Baldracca" Oper v Draghi	Bd 56	Ballettm (Schmelzer)
Ballett: "Concorso dell'Allegrezza universale"	Bd 6	(Schmelzer)
"Don Juan" (Gluck)	60	
Beziehungen Warschau-Wien	St 25/174	(Feicht)
Komposition v J.Starzer	St 13/57	(Braun)
Musiken in Opern	Bd 6 56	Schmelzer,Hoffer, Poglietti
Pantomime und Glucks "Don Juan"	St 10/6	(Haas)
im Satz a tre	St 27/18[E]	(Tomek)
BALTZER Joan Portraitist	Bd 42-44	Gaßmann
BARBETTA Giulio Cesare Lautenist 1540 Padua? nach 1603	St 27/18[M]	Satz a tre
BARBLAN Guglielmo Mf (Milano) * 1906 27/5 Siena	St 25/15	Sammartini (it)

BARKFARK Valentin Greff Komp Lautenist * 1507 bD:37	Bd 37	(Koczirz)
BARONI Leonora (Lettere) "Musicista analfabeta"	St 25/446	(Sartori) (it)
BASSERE JO. Komp	Bd 14/15	TrC (ThK:698-702)
basso continuo-Bearbeiter:		
H.Gál	Bd 77 80 82 83	
J.Labor	Bd 6 9 11 x) 25 39	
K.Nawratil	Bd (19 20) 25	
Battaglien im Satz a tre	St 27/18/D7	
BATTRE H. Komp	Bd 14/15	TrC (ThK:166 168 185 187 189 193-196)
	53	TrC IV
	61	V
	76	VI
	St 11/3	
BAUR Uwe (Koblenz)	St 27/125	Arieneinleitung
BAYER Friedrich 1902 22/3 Wien 1954 22/11 ds	St 14/33	Gebrauch der Instrumente bei Mozart
Bearbeiter s Herausgeber		
BECKER Georges Komp 1834 24/6 Frankenthal (Pfalz) 1928 18/7 Genf	St 25/539	Biographie, Publikationen, Kompositionen (Tappolet)
BEDINGHAM Komp 15.Jh.	Bd 14/15	TrC I (ThK:214 215 575 1100 1101 1139 1140)
	22	TrC II
BEDINGHAM-LANGENSTEISS	Bd 14/15	TrC(ThK:1098)
	61	TrC V
	St 11/3	(Ficker)
BEETHOVEN Ludwig van get 1770 17/12 Bonn 1827 26/3 Wien	St 4/58	Der Junge B. (Gál)
	13/57	Walzer (Mendelssohn)
	14/75	Fugenarbeit (Deutsch)
	14/107	Oboe b B. (Wlach)
	14/125	Vl-Konzert (Neurath)
	16/86	Sonatensätze (Senn)
	25/68	Jugendtagebuch (Busch-Weise)
	25/406	B.u Goethe (Racek)

x) vermerkt in Etthofen-Register

BELLASIO Paolo Komp 1554 27/5 Verona 1594 17/7 Rom	St 27/18/E/	Satz a tre
"Benedic Regem Cunctorum"	St 27/9	(Falvy)
BENET Komp Anfang 15.Jh	Bd 61 St 11/3	TrC V (Ficker)
BENET Jo.	Bd 14/15	TrC (ThK:107 969 1434 1521)
BENEVOLI Orazio Komp 1605-1672 bD:20	Bd 20	Festmesse
BENIGNI Komp	Bd 14/15	TrC(ThK:999)
BENNET John Komp * 1570? Lancashire?	St 27/18/G/	Satz a tre
BERG und NEUBER dt Drucker u Musikverleger Berg Adam tätig um 1567-1610	Bd 116 (Rob)	Vaet (Steinhardt)
BERGEN Graf Komp Lautenist	EdM II/1	(Koczirz)
BERGER Andreas Komp 2.Hälfte 16.Jh	St 27/18/L/	Satz a tre
"Die Bergknappen", Singspiel- scene	Bd 36	Umlauf (Haas)
BERHANDI(T)ZKI Rochus Komp Lautenist † 1692? WV:St 27/200	Bd 50(Anh) St 27/200	(Koczirz) (Flotzinger)
BERNABEI Giuseppe Antonio Komp 1649 Rom 1732 9/3 München	St 6/5	Hofmusik-K (Smijers)
BERNARDI Steffano Komp ? 1580-1637? bD:69	Bd 69 St 15/46 19/3	Kirchenm (Rosenthal) dass Salzburger Kirchenm (Rosenthal)
BERNARDON s J.F.Kurz		
BERTALI Antonio Komp 1605 März Verona 1669 1/4 Wien	Bd 6 St 6/5	 Hofmusik-K (Smijers)
BERTATI Giovanni Dichter 1735 10/7 Martellago 1815 Venedig	St 18/66	Süßmayr (Lehner)

BESSELER Heinrich Mf (Leipzig)	St 25/31	Mensuralm
* 1900 2/4 Dortmund-Hörde		
BEZECNY Emil Mf	Bd 10	Isaac
1868 16/2 Prag	12 24 30	Handl-Gallus
1930 4/1 ds	40 48 51/52	
BIANCHI Pietro Antonio Komp	St 21/3	Grazer Hofk (Einstein)
1578 Graz		
1617 ?		
BIANCO Pietro Antonio Komp	Bd 90	dass
um 1540		
1611		
BIBER Heinrich Ignaz Franz	Bd 11	Violin-Sonaten (Adler)
Komp 1644-1704 bD:11		
	25	dass (Luntz)
	49	Messen (Adler)
	50 (Anh)	Lauten-M (Koczirz)
	59	Requiem (Adler)
	92	Harmonia A (Reidinger)
	96	Mensa s. (Schenk)
	97	Fidicinium (Schenk)
	106	Sonatae (Schenk)
	St 19/3	Kirchenm (Rosenthal)
	24/61	Komp-V (Nettl)
	27/18[L]	Satz a tre
BIBER Karl Heinrich Komp	Bd 80	Messen (Rosenthal u Schneider)
1681-1749 bD:80	St 19/3	
BIECHTELER Matthias Sigmund Komp	Bd 80	dass
? - 1744 bD:80	St 19/3	
BINCHOIS Gilles (Grossin) Komp	Bd 14/15	TrC I (ThK:18 19 28 38 56 61 65 77 99 103 105 106 115 117 125 126 131 132 135 152 345 786 978 1048 1385 1390 1392 1398-1400 1432 1435-37 1440 1441 1455 1503 1545 1548)
1400-1460 bD:14/15		
	Bd 22	TrC II
	53	IV
	61	V
	St 11/3	(Ficker)
BI(Y)RD William Komp	St 27/18[G]	Satz a tre
1534(4) Lincolnshire		
1623 4/7 Stondon Massey (Essex)		

BLASIUS Prälat d Stiftes St. Blasius Wtr	Bd 58	Muffat (Adler)
BLEYSTEIN Johann Berthold Bernhard Lautenist	St 5/49 (Mbg)	(Koczirz)
BLOYM Komp	Bd 14/15	TrC(ThK: 14 1517)
BLUMAUER Alois TextA 1775 11/12 Steyr 1798 16/3 Wien	Bd 79	Wr Lied (Kraus)
"Der blutschwitzende Jesus", Oratorium (Eberlin)	Bd 55	(Haas)
BOCCACCIO Giovanni Dichter 1313 Paris 1375 21/12 Certaldo b Florenz	Bd 77	Kaiserhof-K (Einstein)
BOD(O)VIL J. Komp	Bd 14/15 61 St 11/3	TrC(ThK:1433) TrC V (Ficker)
Böhmische Musiker in der Musikgeschichte Wiens vom Barock zur Romantik	St 25/475	(Schoenbaum)
BOETTICHER Wolfgang Mf (Göttingen) * 1914 19/8 Bad Ems	St 25/39	Schumanns Wr Bekanntenkreis
BOHR v.BOHRENFELS Andreas Komp Lautenist 1663-1728 bD:84	Bd 84 St 5/49	(Schnürl) (Koczirz)
BONAMICO Francesco Komp	St 19/3	Salzbg Kirchenm (Rosenthal)
BONAMICO Pietro Komp	St 19/3	dass
BONNO Giuseppe Komp 1710 29/1 Wien 1788 15/4 ds	St 15/62	Kirchenkomp (Schienerl)
B(U)ONONCINI Antonio Maria Komp 1677 18/6 Modena 1726 8/7 ds	St 6/5	Opern uO (Wellesz)
B(U)ONONCINI Giovanni Komp (Bruder d V - beide Söhne d F) 1670 18/7 Modena 1747 9/7 Wien	St 6/5	dass

B(U)ONONCINI Giovanni Maria Komp | St 25/558 | (Valabrega)
1642 23/9 Montecorone b Modena | 26/25 | Neudrucke (Schenk)
1678 18/11 Modena

BORCHGREVING (CK) Melchior Komp | St 27/18/L7 | Satz a tre
1632 20/12 Kopenhagen
?

BORETTI Giovanni Andrea Komp | St 6/5 | Opern uO in Wien
* um 1640 Rom | | (Wellesz)

BORREN Charles van den Mf | St 25/56 | "Tombeaux **musicaux**"
1874 17/11 **Brüssel**
1966

BOTSTIBER Hugo Mf | Bd 17 | Pachelbel
1875 21/4 Wien | 27 | Poglietti,Richter,
1941 15/1 Shrewsbury | | Reutter
 | 74 | Josef Strauß

BOURGOIS (BURGOIS) Komp | Bd 14/15 | TrC(ThK:27 92 1540)
 | 22 61 | TrC II V
 | St 11/3 | (Ficker)

BRADE William Komp Viol | St 27/18/L7 | Satz a tre
1560
1630 26/2 Hamburg

BRAHMS Johannes Komp | Bd 1 | Vorwort
1833 7/5 Hamburg | St 13/57 | Walzer (Mendelssohn)
1897 3/4 Wien | 20/6 | (Adler)
 | 22/142 | Tonartencharakte-
 | | ristik (Rieger)
 | 25/520 | Junger Brahms u
 | | Reményi (Stephenson)
 | 27/151 | Chr Harmonik (Zin-
 | | gerle)

BRAMBILLA Louis Komp | St 10/37 | Wr Lied (Alberti-R.)
identisch m Paul ?
1787 9/7 Mailand
1838 ds

BRAND Jost v. (I.V.B.) | Bd 78 | Handl (Pisk)

BRASART Johannes Komp | Bd 14/15 | TrC I
? † nach 1443 bD:14/15 | 76 | VI

BRASSART (BRAXATOR) Komp | Bd 14/15 | TrC(ThK:17 29 49 50
 | | 72 74 75 129 158
 | | 162 816 920 939
 | | 1546)

BRAUN Lisbeth Mf | St 13/38 | Ballett-K (Starzer)

BRAUN Ludwig Komp identisch m Peter v.B.? † 1819 15/11	St 10/37	Wr Lied (Alberti-R.)
BRESCIANELLO Giuseppe Antonio Komp ca 1690-1757	St 25/96	Sonata a tre (Damerini) (it)
BROUCK Jacob von Komp um 1540 - um 1590	Bd 90	Grazer Hofk (Federhofer)
BRUCK Arnold s ARNOLD		
BRUGIS Georgi(u)s a Komp	Bd 14/15 61 St 11/3	TrC(ThK:147) TrC V (Ficker)
BRUOLLIS Bartholomaeus Komp	Bd 61 St 11/3	TrC V (Ficker)
BRUOLLIS Venetus	Bd 14/15	TrC (ThK:1106)
BÜRGER Gottfried August Dichter 1747 31/12 Molmerswende 1794 8/6 Göttingen	Bd 79	Wr Lied (Kraus)
"Der büßende heilige Sigismund" Arie a d Oratorium (Eberlin)	Bd 55 (Anh)	(Haas)
BUFFARDIN Pierre-Gabriel Komp Flötist um 1690 Marseille 1768 31/1 Paris	St 25/298	(Kollpacher-Haas)
BURNACINI Ludovico Bühnen-Architekt 1636 Mantua? 1707 12/12 Wien	Bd 6	"Il pomo d'oro"
BURNEY Charles Mf Historiker 1726 7/4 Shrewsbury 1814 12/4 Chelsea (London)	St 25/1	Briefe (Allarto)
BUSCH-WEISE Dagmar Mf (Bonn)	St 25/68	Beethovens Jugendtagebuch
BUSNOIS Antoine ? - 1492 bD: 14/15	Bd 14/15 22	TrC I (ThK:767 774 1162 1364) TrC II

C

CACCINI Giulio Komp 1550 Rom 1618 10/12 Florenz	St 27/18[F]	Satz a tre
CACCUS Komp	Bd 14/15	TrC (ThK:1298)
CAIMO Giovanni Komp identisch m Giuseppe? 1540 1584 Mailand	St 27/18[C]	Satz a tre
CALDARA Antonio Komp 1670-1736 bD:26	Bd 26	Kirchen-M (Mandyczewski)
	75	Kammerm f Gesang (ders)
	91	Dafne (Schneider)
	101/102	Solomotetten(Schoenbaum)
	EdM II/1	(Koczirz)
Canzone,-tten:	Bd 8	Froberger (Adler)
	90	Ferrabosco
	St 27/18[E,G]	Satz a tre
CAPACELLI Komp	St 6/5	Opern uO (Wellesz)
CAPELLI Francesco Komp	St 25/183	Kirchenm (Fellerer)
CAPELLINI Komp	St 6/5	Opern uO (Wellesz)
Capriccio	Bd 8 21	Froberger (Adler)
	27	Reutter d Ä (Botstiber)
CAPR(I)OLI Carlo Komp 1653 Paris 1683 Rom	St 6/5	Opern uO (Wellesz)
"Caput" Missa	Bd 38	Dufay,Okeghem (Koller...)
CARAFFA Carlo Kardinal Wtr 1611-1680	Bd 93	Schmelzer
CARON Philippe Komp 2.H d 15.Jhs bD:14/15	Bd 14/15	TrC I (ThK:746-750 770 1150)
	22	TrC II
CASINI Giovanni Maria Komp um 1670 nach1714 Florenz	St 25/135	(Fabbri) (it)
CATALANI Ottavio Komp	St 25/183	Kirchenm (Fellerer)
CAVALLI Francesco Pietro Komp 1602 14/2 Crema 1676 14/1 Venedig	St 1/1	Wr Oper (Wellesz)

CESTI Marc Antonio Komp 1623-1669 bD:6	Bd 6 9 St 6/5 24/13	"Il Pomo d'oro" Prolog u.I.Akt (Adler) dass II.-V.Akt (Adler) Opern uO (Wellesz) "Allesandro Vincitor di se stesso" (Osthoff)
CESTI Remigio Don Komp 1635 Innsbruck, 1665 Wien nachweisbar	St 6/5	Opern uO (Wellesz)
Chanson	Bd 14/15 22 90 118	TrC I II J.v.Brouck(Federhofer) Vaet (Steinhardt)
CHOPIN Frédéric 1810 1/3 Zelazowa-Woda 1849 17/10 Paris	St 13/57	Walzer (Mendelssohn)
Choralis Constantinus (Isaac)	Bd 10 32	I. (Bezecny) II. (Webern)
Choral-Cantus firmus-Werke Palestrinas (Variationstechnik)	St 23/11	(Schnürl)
Chorlieder dt Komponisten (Satz atre)	St 27/18[H]	
CHRISTOFORUS de Monte Komp	Bd 76	TrC VI (niThK)
Chromatik d 14.-16.Jhs	St 2/5	(Ficker)
Chromatische Harmonik bei Brahms u Reger	St 27/151	(Zingerle)
Ciacona	Bd 85 7	Fux Muffat Gb
"Cibele et Atti" (A.Bertali)	Bd 6	Schmelzer (Ballettm)
CICONIA Johannes Komp 1335-1411 bD:61	Bd 14/15 61 St 11/3	TrC I (ThK:32) V (Ficker)
CLEMENS Jacobus non Papa Komp eig Jacques Clément) um 1510 um 1556 Dixmuiden	Bd 98 (Anh) 108/9 (Anh) 118 (Anh)	Vaet

CLEVE Johannes de Komp um 1529-1582 vD:90	Bd 90 118 (Anh)	Grazer Hofk(Federh) Vaet
COCLICUS (-CO) Adrien Petit Komp um 1500 Hainault um 1563 Kopenhagen	St 25/183	Kirchenm (Fellerer)
COGNI Guglio Mf (Siena)	St 25/88	Musica contempo- ranea (it)
COLLIS Heinr. Komp	Bd 14/15	TrC(ThK:203 1073)
COLTELLINI Marco TextA 1719 13/10 Livorno 1777 ? /11 St.Petersburg	Bd 42-44	"La Contessina" (Gaßmann)
La Comicità e la Musica	St 25/105	(Della Corte) (it)
COMPERE Loyset Komp um 1450-1518 bD:14/15	Bd 14/15	TrC I (ThK:1161)
Componimenti musicali	Bd 7	Muffat Gb
Concentus musico-instrumentalis	Bd 47 St 4/46	Fux (Rietsch) (Rietsch)
Concentus musicus Sacro- Profanus	Bd 111/112	Schmelzer (Schenk)
Concerto	Bd 23 89 84 EdM II/1	Muffat Gg Kohaut ders
per Clavicembalo per Violoncello	Bd 39 39	M.G.Monn ders
Concerti a tre (Brescianello) s Satz a tre	St 25/96	(Damerini) (it)
"Concorso dell' Allegrezza universale"	Bd 6	Schmelzer (Ballett)
CONSTANS Komp	Bd 14/15	TrC(ThK:1056 1057)
"La Contessa dell'Ariaedell' Aqua", Festa a cavallo	Bd 6	Sbarra u. Bertali, Schmelzer
"La Contessina", Dramma giocosa	Bd 42-44	Gaßmann (Haas)
CONTI Francesco Komp Lautenist 1682-1732 bD:84	Bd 84 101/102 St 6/5	(Schnürl) Solo-Motetten (Schoenbaum) Opern uO (Wellesz)

COPUS Caspar Komp	Bd 99 (Anh)	Bruck (Wessely)
COREGGIO s NICCOLO da C.		
CORNAGO, frater Johannes de Komp 2.H d 15.Jhs	Bd 14/15	TrC (ThK:411-415)
COSMEROVIO Matteo Stampatore della Corte	Bd 6	"Il pomo d'oro"
"Costanza e Fortezza"	34/35	FUX
COUSIN Jean (Jean Escafer) um 1425-gegen 1474 bD:120	Bd 14/15 120	TrC (ThK:1123-1126) TrC VII
CRAUS Stephan, Lautenbuch (Ebenfurth)	Bd 37	(Koczirz)
"Creso" Oper v Draghi	Bd 56	Ballettm (Schmelzer)
CRESPEL Jean Komp M d 16.Jhs	Bd 118 (Anh)	Vaet
CROCE Giovanni Komp um 1557 Chioggia 1609 15/5 Venedig	St 25/183	Kirchenm (Fellerer
Crucifixus	Bd 26	Caldara (Mandy-czewski)
CVETKO Dragotin Mf (Ljubljana) 1911 8/1 Vučja vas,Ljutomer	Bd 119	Handl (Pisk)

D

"Dafne", Dramma pastorale	Bd 91	Caldara (Schnei-der)
DALAYRAC Nicolas Komp 1753 13/6 Muret (Haute Garonne) 1809 27/11 Paris	St 5/97	Wr Liedmusik (Pollak-Schl.)
d'ALBERGATI Conte Pirro Capa-celli Komp 1663 20/9 Carrati 1735 22/6 Bologna	St 6/5	Opern uO (Wel-lesz)

DAMERINI Adelmo Mf (Firenze) * 1880 11/12 Carmignano (Florenz)	St 25/96	Brescianello (it)
DAMETT Thomas Komp (niThK)	St 11/3	TrC (Ficker)
d'ARDESPIN (Ardespina) Melchior 1643 1797 München	St 8/45	Wr Tanzkomp (Nettl)
DAUBE Johann Friedrich Komp Lautenist um 1733-1797 bD:84	Bd 84	(Schnürl)
DEBUSSY Claude Komp 1862 22/8 St.Germain en Laye 1918 25/3 Paris	St 25/363	Buchstaben-Motto **(Mies)**
DEL CAVALIERI Emilio Komp um 1550 Rom 1602 11/3 ds	St 27/18[D,F]	Satz a tre
DELLA CORTE Andrea Mf (Torino) * 1883 5/4 Neapel	St 25/105	Comicità e Musica
DEMANTIUS (DEMANT) Christoph Komp 1567 15/12 Reichenberg 1643 20/4 Freiberg (Sachsen)	St 27/18[H]	Satz a tre
Denkmäler der Tonkunst in Österreich	St 5/5	Verzeichnis der Publikationen 1893-1900
	5/9	25jährig (Adler)
	5/22	(Kretzschmar)
	10/3	30jährig (Adler)
	20/3	40jährig (Schenk)
	23/1	1938-1956(Schenk)
	26/5	70jährig (Schenk)
Kommissionsmitglieder Vorsitzende s V.Adler,1935	23/1	
DEUTSCH Friedrich Mf	St 14/75	Beethoven
Deutsche Komödienarien 1754-1758	Bd 64	(Haas)
Deutsches Gesellschaftslied in Österreich 1480-1550	Bd 72 St 17/21	(Nowak) (Nowak)
s a Arnold v.Br. Grefinger W. Isaac H. Mahu St. Sies J.	Finck H. Hofhaymer P. Lapicida E. Peschin G. Stoltzer Th.	
DE WERT Giaches Komp	St 27/18[A]	Satz a tre

Dialogi (Hammerschmidt)	Bd 16	(Schmidt)
"Dies sanctificatus" Tropus zum Alleluia	St 25/504	(Stäblein)
DIETRICH Marcus Komp	St 27/18[K]	Satz a tre
DIETRICHSTEIN-PROSKAU-LESLIE Moriz Graf v. Komp TextA 1775-1864 bD:79	Bd 79 St 10/37	Wr Lied (Kraus) dass (Alberti-R.)
Dissertationen, Verzeichnisse	St 22/253 23/189 24/185 26/226 27/249	1945-1955 1953-1956 1956-1960 1957-1964 1964-1966
DITTERSDORF Carl Ditters v. Komp 1739-1799 bD:81 Verzeichnis der Opern: St 2/212	Bd 81 St 2/212 5/97 14/179 22/30	Instrumentalw (Luithlen) als Opernkomponist (Riedinger) Wr Lied (Pollak-Schl.) Kammerm (Rigler) Ritter v g Sporn (Luin)
Divertimento:	Bd 29 31 39 86 EdM II/1	M.Haydn Starzer J.Chr.Mann Paluselli Kohaut
DOMARTO Petrus de Komp 2.H d 15.Jhs	Bd 14/15	TrC (ThK:497-501)
DONATH Gustav Mf 1878 2/9 Leoben 1965	St 2/34	Gaßmann
DONATI [Ignazio] Komp 17.Jh	St 19/3	Salzbg Kirchenm (Rosenthal)
DONIZETTI Gaetano Komp 1797 29/11 Bergamo 1848 8/4 ds	St 22/30	Ritter v g Sporn (Luin)
"Don Juan" Ballett (Gluck)	Bd 60 St 10/6	(Haas)
"Der Dorfbarbier" Singspiel (Schenk)	Bd 66	(Haas)

DRAGHI Antonio Komp 1635-1700 bD: 46 WV St 1/104	Bd 6 46 St 1/104 6/5	 Kirchenw (Adler) (Neuhaus) Opern uO (Wellesz)
DRAGONE(I) Giovanni Andrea Komp 1540 Mendola 1598 Rom	St 27/18 /E/	Satz a tre
DREXEL Jeremias Komp 1581-1639	St 25/183	Kirchenm (Fellerer)
DRIFFELDE Komp	Bd 14/15	TrC(ThK: 973 1552)
Drucker (Verleger) s Berg A. u Neuber U. Du Chemin Gerlach D. Giovanelli N.? Neuber U. Petrucci O.		 Phalèse P. Rhaus G. Susato T. Stephani Wallrant et Laet Zacconi
DU CHEMIN Drucker um 1510-1576	Bd 118 (Rvb)	Vaet
DÜBEN Gustav Organist	Bd 105	Schmelzer
DÜRER Albracht 1471-1528	Bd 72	Hofhaymer
DUFAY Guilleaume Komp 1401-1474 bD:14/15	Bd 14/15	TrC I (ThK: 1 8 9 10 35-37 40-42 67-70 88 89 95 100 113 116 118-121 136-138 142 188 253-257 265 443 677-681 727 745 778 781 855 866 869 882 889 911 917 923 997 1020 1079 1102-1105 1368 1371 1376 1378 1381 1382 1387 1389 1391 1393 1416 1428 1443 1452 1453 1476 1493 1511 1513 1514 1532 1534 1563 1564 1567 1573 1578 1579 1581- 1585)
	Bd 22 38 53 76	TrC II III IV VI
	St 11/3	(Ficker)

DUNNING Albert Mf (Amsterdam) * 1936 5/8 Arnhem	St 25/115	Tessarini (engl)
DUNSTAB(P)LE John 1370(80)-1453 bD:14/15	Bd 14/15	TrC I (ThC:16 24 78 80 101 122 123 131 248 575 916 919 1051 1081 1370 1426 1462 1463 1465 1500 1504 1519 1523 1524 1535 1537 1538 1542-1544)
	61/76	V VI
	St 11/3	-Leonellus (Ficker)
Duodena selectarum sonatarum (Schmelzer)	Bd 105	(Schenk)
DUPONT G. Komp	Bd 14/15	TrC(ThK:1496)

E

Eberbach im Rheingau, Kloster	St 25/214	(Gottron)
EBERL Anton Komp 1765-1807 bD:79	Bd 79	Wr Lied (Kraus)
	St 10/37	Wr Lied (Alberti-R.)
	13/57	Walzer (Meldelssohn)
EBERLIN (-LE) Johann Ernst 1702-1762 bD:55	Bd 55	"D blutschwitzende J."
	80	Salzbg Kirchenk (Rosenthal)
	St 8/9	Schuldramen u Oratorien (Haas)
	19/3	Salzbg Kirchenm (Rosenthal)
EBNER Wolfgang Komp um 1612 Augsburg 1665 12/2 Wien	St 8/45	Wr Tanzk (Nettl)
EDEL Georg Komp um 1800	St 10/37	Wr Lied (Alberti-R.)
Editionstechnik	St 2/5	(Ficker)
	5/27	(Fischer)
EGGER Rita Mf	St 27/241	Veröffentl 1965

EHRMANN v.FALKENAU Richard Leonhard 1894 29/3 Baden b Wien	St 11/59	Schlüsselkombinationen
EINSTEIN Alfred Mf 1880 30/12 München 1952 13/2 El Cerrito (Cal.)	Bd 77 82 St 21/3	Kaiserhof-K "L'Innocenza giustificata" (Gluck) Kaiserhof-K
ENGELMANN Georg Komp beerdigt 1632 11/11 Mansfeld	St 27/18[L]	Satz a tre
ERDMANN Hans Mf (Lübeck) * 1887 7/11 Breslau	St 25/123	Bergmusikanten
Erzgebirgische Bergmusikanten in Mecklenburg	St 25/123	(Erdmann)
ESCAFER Jean, dit COUSIN Komp um 1425-gegen 1474 bD:120	Bd 120	TrC VII (niThK)
ESSER Karl Michael Komp 1736(40) Aix-la-Chapelle nach 1783	St 22/30	Ritter v g Sporn (Luin)
EYBLER Joseph Edler v. Komp **1764(5) 8/2 Schwechat b Wien** **1846 24/7 Wien**	St 10/37	Wr Lied (Alberti-R.)

F

FABRI Mario Mf (Firenze) * 1931 7/1 Florenz	St 25/135	G.M.Casini (it)
FABRINI Giuseppe Komp 2.H d 17.Jhs	St 6/5	Opern uO (Wellesz)
FALK Johann Daniel TextA 1768 28/10 Danzig 1826 14/2 Weimar	Bd 79	Wr Lied (Kraus)
FALK Georg Paul Komp ? - 1778 bD: 86	Bd 86	Tiroler Instrumental-M (Senn)
FALVY Zoltan Mf (Budapest)	St 25/160 26/9 27/9	Psalmodie Antiphonvarianten Benedic regem...
Fanta(i)sie:	Bd 8 21 EdM II/1	Froberger ders Weichenberger
FAUGUES (FAGUS) Komp	Bd 14/15	TrC(ThK:1151-1155)

FEDERHOFER Hellmut Mf * 1911 6/8 Graz	Bd 90	Grazer Hofkapelle
FEICHT Hieronim Mf (Warszawa) * 1894 22/9 Mogilno b Posen	St 25/174	Wien-Warschau Beziehungen
FELLERER Karl Gustav Mf * 1902 7/7 Freising	St 25/183	Kirchenm 16.u.17.Jh
FERDINAND I. Kaiser Komp 1503 10/3 Alcalá de Henares 1564 25/7 Wien (reg ab 1556)	St 6/139	Opern uO (Wellesz)
FERRABOSCO Mattia Komp 1550 16/7 Bologna 1616 23/2 Graz	Bd 90 St 21/3	Grazer Hofk (Federhofer) (Einstein)
FERRARI Alfonso Komp	St 21/3	Kaiserhof-K (Einstein)
FESCH Willem de Komp 1687 Alkmaar 1761 3/1 London	St 5/97	Wr Lied (Pollak-Schl.)
Festa a cavallo (Bertali, Sbarra, Schmelzer)	Bd 6	
Festmusiken	St 27/18/D/	Satz a tre
FEVIN Antoine de Komp um 1473(4) Arras? 1511(12) Blois	Bd 99(Anh)	Bruck
FICHTEL Ferdinand Komp Lautenist 1687-1722 bD:84	Bd 84	(Schnürl)
FICKER Rudolf Mf 1886 11/6 München 1954 2/8 Igls	Bd 53 61 76 St 2/5 7/5 11/3	TrC IV V VI Chromatik 14.-16.Jh Trienter Messen TrC
Fidicinium Sacro-Profanum	Bd 97	Biber H.J.F.
FINCK Heinrich um 1444-1527 bD:72	Bd 72 St 17/21	Dt Gesellschaftslied (Nowak) dass
FISCHER Anton Komp get 1778 13/1 Ried (Schwaben) 1808 1/12 Wien	St 13/57	Walzer (Mendelssohn)
FISCHER Johann Caspar Komp 1665? 1764 27/3 Rastatt ?	St 27/18/L/	Satz a tre

FISCHER Johannes Komp	St 8/45	Walzer(Mendelssohn)
FISCHER Wilhelm Mf 1886 19/4 Wien 1962 Innsbruck	Bd 39 St 3/24 5/27	Wr Instrumental-M Wr klassischer Stil Mehrstg Schreibweise um 1500
Fistula und Fidhla	St 25/369	(Moberg)
FLECHA Matteo Komp 152(3)0-1604 bD:77	Bd 77 St 21/3	Kaiserhof-K (Einstein) dass
Florilegium I II	Bd 2 4	Muffat Gg
FLORIO Giorgio Komp	St 21/3	Kaiserhof-K (Einstein)
FLOROS Constantin Mf (Hamburg) * 1930 4/1 Thessaloniki	St 25/193 26/140	J.S.Bach Orch-Suiten Mozart Ouverturen
FLOTZINGER Rudolf Mf * 1939 22/9 Vorchdorf	Bd 120 St 26/67 27/200 27/241	TrC VII Schmelzer Berhanditzky u Laufensteiner Veröffentl 1965
FÖRSTER Emanuel Aloys Komp 1748-1823 bD:67 ThV:Bd 67	Bd 67 10/37 13/57	Quar- u Quintette (Weigl) Wr Lied (Alberti-R.) Walzer(Mendelssohn)
FOREST Komp	Bd 14/15 61 76	TrC(ThK:102 1459 1472) TrC V VI
FRANCHOS Johannes Komp	Bd 76	TrC VI (niThK)
FRANCK Melchior Komp 1580 Zittau 1639 1/6 Coburg	St 27/18/L7	Satz a tre
FRANZ JOSEF I., Kaiser 1830 18/8 Wien (reg ab 1848) 1916 21/11 ds	Bd 48	
FRAUENLOB Heinrich von Meißen Minnesänger 1260?-1318 bD:41	Bd 41	(Rietsch)
FREISTÄDLER Franz Jacob Komp 1768 13/9 Salzburg 1841	St 10/37	Wr Lied (Alberti-R.)
FRENCELIUS Salomon	Bd 12	
FREY Michael Verfasser eines Tagebuches	St 25/453	Wr Oper 1815/16 (Schmidt-Görg)

FREY Wal. Komp	Bd 14/15	TrC(ThK:1013)
FRI(E)BERTH Carl Komp 1736-1816 bD:54	Bd 54 St 5/97(Mbg)	Wr Lied (Schlaffenberg)
FRISCHAUFF Gabriel Matthias Komp vor 1695 1726 ?/10	St 5/49	Lauten-M (Koczirz)
FROBERGER Johann Jakob Komp 1616-1667 bD:8 WV:Lit 1838	Bd 8 13 21	Orgel-Klavierwerke I II III (Adler)
FRYE Walter (Gualterius Liberti) Komp † 1475? BD:120	Bd 120	TrC VII (niThK)
FUCHS Johann Nepomuk Komp 1842 5/5 Frauenthal(Steiermark) 1899 5/10 Vöslau	Bd 1	Vorwort
Fuge(a)	Bd 17	Pachelbel
	33	Albrechtsberger
	58	Muffat Gb
	85	J.J.Fux
	89	Muffat Gg
	St 14/75	Beethoven(Deutsch)
FUGGER Jörg Lautenbuch	Bd 37	(Koczirz)
Octavianus Secundus Lautenbuch	37	ders
FUSS Johann Evangelist Komp 1777-1819 bD:79	Bd 79	Wr Lied (Kraus)
	St 10/37	Wr Lied (Alberti-R.)
FUX Johann Josef Komp Theor 1660-1741 bD:1 WV u ThK:Lit 1872; ThV: Bd 47	Bd 1	Messen(Habert, Glossner)
	3	Motetten(Rietsch)
	19	Instrumentalw (Adler)
	34/35	"Costanza e F." (Wellesz)
	47	Concentus mus. (Rietsch)
	84	Lauten-M(Schnürl)
	85	Tasteninstr(Schenk)
	101/102	Solo-Motetten (Schoenbaum)
	St 4/46	Concentus(Rietsch)
	27/18/[L]	Satz a tre

G

G. Komp	Bd 14/15	TrC ThK: 958
GABRIELI Andrea Komp 1510-1586 bD:77 ThV:Lit 1931/2	Bd 77 St 25/183	Kaiserhof-K(Einstein) Kirchenm(Fellerer)
GABRIELI Giovanni Komp 1537-1613	St 25/183 27/18[C,I,K]	Kirchenm(Fellerer) Satz a tre
GAISRUCK Graf Komp Lautenist	EdM II/1	(Koczirz)
GAIUS Jo. Komp	Bd 14/15	TrC (ThK: 206 1082)
GAL Hans Mf 1890 5/8 Brunn am Gebirge	Bd 63 68 77 80 82 83 St 4/58	Joh.Strauß Sohn Joh.Strauß Vater Kaiserhof-K (b.c.) Salzbg Kirchenk (b.c.) "L'Innocenza" (b.c.) Gaßmann (b.c.) Der junge Beethoven
Der "galante Stil"	St 25/252	(L.Hoffmann-Erb- recht)
GALENO Giovanni Battista Komp 1550(5)-nach 1626	Bd 90	Grazer Hofk (Federhofer)
GALILEI Vincenzo Komp um 1520 S^{a} Maria a Monte(Florenz) begr 1591 2/7 Florenz	St 27/18[C,M]	Satz a tre
GALLI Antonio Komp	Bd 118(Anh)	Vaet
GALLICO Claudio Mf (Mantova)	St 25/205	B.Tromboncino
GALLUS Jacobus(Handl,Händel...) Komp 1550-1591 bD:12 WV:Bd 24	Bd 12 24 30 40 48 51/52 94/95 117 118 (Anh) 119 St 5/35 25/183 27/18[I]	opus musicum I II III IV V VI (Beze- cny u Mantuani) Messen (Pisk) Vaet Messen (Pisk) Parodieverfahren (Pisk) Kirchenm(Fellerer) Satz a tre
GASSMANN Florian Leopold Komp 1729-1774 bD:42 WV:Lit 1949	Bd 42-44 83 83 St 2/34	"La Contessina" (Haas) Kirchenwerke(Kosch) als Opernk(Haas)
GASTOLDI Giovanni Komp um 1550 Caravaggio 1622	St 27/18[E]	Satz a tre

GATTO Simone Komp 1540(50)-1594 bD:90	Bd 90 St 21/3	Grazer Hofk (Feder- hofer) Kaiserhof-K(Einstein)
Gedichte	Bd 2 4 10	
GEIRINGER Karl Mf * 1899 26/4 Wien	Bd 70 Bd 75(Einl) St 16/32 17/53	Peuerl,Posch Caldara Peuerl Posch
Geistliche Gesänge	Bd 87	Zangius (Sachs)
Musik	St 27/18/I/	Satz a tre
Solo-Motetten	Bd 101/102	Caldara,Conti,Fux, Ziani(Schoenbaum)
GERLACH Dietrich Drucker † 1575	Bd 118(Rvb)	Vaet
Gesänge s Oswald v Wolken- stein	Bd 18	
Alexander,Frauenlob u Reinmar v Zweter	Bd 41	
N.Zangius	Bd 87	
Gesellschaftslied s Deutsches G.		
GHERARDINI Arcangelo Komp M d 16.Jhs	St 27/18/C/	Satz a tre
GHIZZOLO Giovanni Komp ? Brescia 1625 Novaro	St 19/3	Salzbg Kirchenm (Rosenthal)
GHRO (GROH) Johann(es) um 1575 Dresden 1627 ? Wesenstein	St 27/18/L/	Satz a tre
GIANETTINO Komp	St 6/5	Opern uO (Wellesz)
GIBBONS Orlando Komp 1583 25/12 Oxford 1625 5/6 Canterbury	St 27/18/G/	Satz a tre
GIESECKE Carl Ludwig TextA 1761 6/4 Augsburg 1833 5/3 Dublin	St 18/66	Süßmayr (Lehner)
GINTER Franz Komp Lautenist	EdM II/1	(Koczirz)
GINTZLER Simon Komp Lautenist 16.Jh bD:37	Bd 37	(Koczirz)

GIOVANELLI N. Drucker	Bd 116 118	(Rvb)
GIOVANELLI Ruggiero um 1560 Velletri 1625 7/1 Rom	St 27/18/C/	Satz a tre
GISTOU Nicolo(as) * 1609 19/7 Kopenhagen	St 27/18/L/	dass
GLOSSNER Gustav Adolf Mf * 1866 17/2 Wien	Bd 1	Fux
GLUCK Christoph Willibald Komp 1714-1787 bD:44a ThK:St 13/3 Ergänzung zu Wotquenne); Lit 19o4 1911	Bd 44a 60 82 St 1/193 5/97 10/6 13/3 22/30	"Orfeo ed Euridice" (Abert) "Don Juan" (Haas) "L'Innocenza giustificata"(Einstein) Jugendopern(Kurth) Wr Lied (Pollak-Schl.) (Haas) Komische Opern Gl.'s (Holzer) Ritter v g Sporn (Luin)
GÖLLE P.M. Komp um 1777	St 5/97	Wr Lied(Pollak-Schl.)
GOETHE Wolfgang v. 1749 28/8 Frankfurt a Main 1832 22/3 Weimar	Bd 79 St 25/406	Wr Lied (Kraus) Beeth.u.G. (Racek)
Göttweiger Rorate Messe (Haydn)	St 24/87	(Schenk)
GOLDONI Carlo Dichter 1702 25/2 Venedig 1793 6/2 Paris	Bd 42-44	"La Contessina" (Gaßmann)
GOSSEC François-Joseph Komp 1734 17/1 Vergnies(Hennegau) 1829 16/2 Passy b Paris	St 5/97	Wr Lied (Pollak-Schl.)
GOTTER Friedrich Wilhelm TextA 1746 3/9 Gotha 1797 18/3 ds	Bd 79	Wr Lied (Kraus)
GOTTRON Adam Bernhard Mf (Mainz) * 1889 11/10 Mainz	St 25/215	Männerklöster am Mittelrhein
Graduale	Bd 3 62 83	Fux M.Haydn Gaßmann

GRAF Walter Mf * 1903 20/6 St.Pölten	St 22/253 23/184 24/185 26/220 27/241	Veröffentl 1945-55 1955-56 1956-60 1961-64 1965
GRASBERGER Franz Mf * 1915 2/11 Gmunden	St 23/184 26/220 27/241	Veröffentl 1955-56 1961-64 1965
GRASEMANN Friederike Mf * 1937 2/3 Maria-Enzersdorf	St 27/72	Franziskanermesse

Grazer Hofkapelle-Komponisten (1564-1590):

P.A.Bianco	J.v.Brouck
J.de Cleve	M.Ferrabosco
G.B.Galeno	S.Gatto
A.Padovano	F.Rovigo
L.de Sayve	

GRAZIANINI Caterina Komp	St 6/5	Opern uO (Wellesz)
GREBER Jacob Komp um 1723-1734 in Mannheim nachweisbar	St 6/5	dass
GREFF Valentin s BARKFARK		
GREFINGER Wolfgang Komp * um 1480-? bD:72	Bd 72	Gesellschaftslied (Nowak)
Gregorianik u Palestrina	St 25/545	(Terenzio)
GREILLENSTEIN Frh. zu s.LIEBGOTT		
GRENON [Nicolas] Komp 14./15.Jh	Bd 14/15	TrC (ThK: 1477)
GREP Benedictus Komp	St 27/18[L]	Satz a tre
GROSSIN (Binchois) Komp 14./15.Jh	Bd 14/15 61 St 11/3	TrC I TrC V (Ficker)
(Grossim de Parisins)	Bd 14/15	TrC(ThK: 2 139 152 1481)
GRUBER Ferdinand Komp	St 13/57	Walzer(Mendelssohn)
GRUBER Gernot Mf	St 27/241	Veröffentl 1965
GRÜNFELD Anfred Übers	Bd 77	Kaiserhof-K
GRÜNWALD J.J. Komp um 1780 bD:54	Bd 54 St 5/97	Wr Lied (Schlaffenberg) dass

GUARINI Battista Dichter 1537 10/12 Ferrara 1612 7/10 Venedig	Bd 77	Kaiserhof-K
GÜNTHER Alfred Übers	Bd 82	"L'Innocenza"
GUILLAUME Le ROUGE Komp um 1385-um 1451 bD:120	Bd 120	TrC VII
GUTFREUND Komp	St 19/3	Salzbg Kirchenm (Rosenthal)
GYROWETZ Albert Komp 1763 19/2 Budweis 1850 19/3 Wien	St 10/37	Wr Lied (Alberti-R.)

H

HAAS Robert Maria Mf 1886 15/8 Prag 1960 4/10 Wien	Bd 36	"Die Bergknappen" (Umlauf)
	42-44	"La Contessina" (Gaßmann)
	55	"Der blutschwitzende Jesus" (Eberlin)
	57	"Il Ritorno d'Ulisse" (Monteverdi)
	60	"Don Juan" (Gluck)
	64	Dt Komödienarien
	66	"Der Dorfbarbier" (Schenk)
	St 2/34	Gaßmann
	8/9	Eberlin
	9/3	Monteverdi
	10/6	Gluck
	12/3	Stegreifkomödien-M
HABERT Johannes Evangelist Mf 1833 18/10 Oberplan(Böhmen) 1896 1/9 Gmunden	Bd 1	Fux Messen
	3	Fux Motetten
	5	Stadlmayr Hymnen
HACKEL Johann Christoph Gabriel Komp 1758-1814 bD:54	Bd 54	Wr Lied(Schlaffenberg)
	5/97	Wr Lied(Pollak-Schl.)
HAFNER Philipp TextA 1735(1) 27/9 Wien 1764 30/7 ds	St 5/97	dass
	13/57	**Walzer(Mendelssohn)**
HAINDL Franz Sebastian Komp 1727-1812 bD:86	Bd 86	Tiroler Instrumentalm (Senn)

HAMMERSCHMIDT Andreas Komp 1611-1675 bD:16	Bd 16	Dialogi (Schmidt)
HANDL s GALLUS		
Handschriften (Reproduktionen)	Bd 13 14/15 37 50 41 58 71	Froberger TrC Lauten-M Frauenlob Muffat Gottlieb Neidhart v.Reuenthal
HANSLICK Eduard 1825 11/9 Prag 1904 6/8 Baden b Wien	Bd 1	Vorwort
Harmonia Artificiosa-Ariosa	Bd 92	Biber H.J.F.
Harpeggio e Fuga	Bd 85	Fux
HARTEL Wilhelm v.	Bd 1	Vorwort
HARTKNOCH Karl Eduard	St 13/57	Walzer(Mendelssohn)
HARTMANN Friedrich Helmut Mf (Johannesburg) 1900 21/1 Wien	St 25/246	Antonality (engl)
HASSE Johann Adolf Komp 1699 25/3 Bergedorf b Hamburg 1783 16/12 Venedig	St 5/97	Wr Lied(Pollak-Schl.)
HASSLER Hans Leo Komp 1564 16/10 Nürnberg 1612 8/ 6 Frankfurt a Main	St 25/183 27/18[H,I,L]	Kirchenm(Fellerer) Satz a tre
HAUPT Helga Mf * 1927 17/2 Wien	St 24/120	Instrumentenbauer
HAUSSMANN Valentin Komp um 1484 Nürnberg?	St 27/18[L]	Satz a tre
HAYDN Joseph Komp get 1732 1/4 Rohrau 1809 31/5 Wien	St 13/57 14/179 24/87 25/417 25/463	Walzer(Mendelssohn) Dittersdorf(Rigler) Rorate-Messe(Schenk) Kaiserhymne(Reindl) "Schöpfung"(Schnürl)
HAYDN Michael Komp 1737-1806 bD:29 ThV:29 62	Bd 29 45 62 St 3/5 10/37	Instrumentalw(Perger) Messen (Klafsky) Kirchenw(Klafsky) (Klafsky) Wr Lied(Alberti-R.)
HECKEL um 1800 in Wien	St 10/37	Wr Lied(Alberti-R.)

HEINRICH von Meißen s FRAUENLOB

Herausgeber (Bearbeiter, Veröffentlicher)

A: der Kompositionen

ABERT Hermann	Bd	44a	Gluck
		6 9	Cesti
ADLER Guido		7 58	Muffat Gottlieb
		8 13 21	Froberger
		11 49 59	Biber
		14/15 22	TrC
		19	Fux
		20	Benevoli
		46	Draghi
		49 59	Kerll, Schmelzer
		59	Straus Chr.
	St	4/5	Meßkomposition
		5/9	DTÖ Vorgeschichte
BEZECNY Emil	Bd	10	Isaac
		12 24 30 40 48 51/52	Gallus (Handl)
BOTSTIBER Hugo	Bd	17	Pachelbel
		27	Poglietti, Richter, Reutter
		74	Josef Strauß
EINSTEIN Alfred	Bd	77	Kaiserhof-K
		82	Gluck
	St	21/3	Kaiserhof-K
FEDERHOFER Hellmut	Bd	90	Grazer Hofk
FICKER Rudolf	Bd	53 61 76	TrC IV V VI
	St	7/5	Tr Messen
		11/3	TrC
FISCHER Wilhelm	Bd	39	Monn, Mann
FLOTZINGER Rudolf	Bd	120	TrC VII
GAL Hans	Bd	63	Joh. Strauß Sohn Vater
		68	
		77 80 82	
		83	b.c.
GEIRINGER Karl	Bd	70	Peuerl, Posch
		75 (Einl)	Caldara
	St	16/32	Peuerl
		17/53	Posch
GLOSSNER Gustav Adolf	Bd	1	Fux

(Herausgeber:)

HAAS Robert	Bd	36	Umlauf
		42-44	Gaßmann
		55	Eberlin
		57	Monteverdi
		60	Gluck
		64	Komödienarien
		66	Schenk
	St	2/34	Gaßmann
		8/9	Eberlin
		9/3	Monteverdi
		10/6	Gluck
		12/3	Stegreifkomödie
HABERT Johannes Evangelist	Bd	1 3	Fux
		5	Stadlmayr
HOFER Ferdinand P.		88	Reutter
HORWITZ Karl	Bd	31	Monn, Reutter, Schlöger Starzer, Wagenseil
KAPP Oskar	Bd	33	Albrechtsberger
KLAFSKY Anton Maria	Bd	45 62	M.Haydn
	St	3/5	ders
KNAUS Herwig	Bd	115	Techelmann
	St	27/186	ders
KOCZIRZ Adolf	Bd	37 50 (84)	Lauten-M
	EdM	II/1	dass
	St	1/278	Hofmusikakte
		4/116	Poglietti
		5/49	Lauten-M
KOLLER Oswald	Bd	14/15 22 38	TrC I II III
		18	Oswald v.Wolkenstein
KOSCH Franz	Bd	83	Gaßmann
KRAUS Hedwig	Bd	79	Wr Lied
LABOR Franz	Bd	6 9 11 25 39	b.c.
LOEW Margarethe	Bd	38	TrC III
LUITHLEN Victor	Bd	81	Dittersdorf
LUNTZ Erwin	Bd	23	Muffat Gg
		25	Biber
		38	TrC III

(Herausgeber:)

MANDICZEWSKY Eusebius	Bd 26 75	Caldara
MANTUANI Josef	Bd 12 24 30 40 48 51/52	Gallus(Handl)
MONTEROSSO Raffaele	Bd 110	Massaino
NAWRATIL Karl	Bd 25	b.c.
NETTL Paul	Bd 56	Wr Tanzmusik
	92	Biber
	St 7/143	Textbücherslg Raudnitz
	8/45	Wr Tanzkomposition
	16/70 17/95	Hofmusikkapelle I II
	18/23 19/33	dass III IV
NOWAK Leopold	Bd 72	Dt Gesellschaftslied
	St 17/21	dass
OREL Alfred	Bd 53	TrC IV
	65	Lanner
	St 7/48	Motettkomposition
PERGER Lothar Herbert	Bd 29	M.Haydn
PISK Paul Amadeus	Bd 78 94/95 117 119	Gallus (Handl)
	St 5/35	Parodieverfahren
	25/397	Tanzsätze
POLLAK-SCHLAFFENBERG Irene	Bd 34	Wr Lied
	St 5/97	dass
RABL Walter	Bd 10	Isaac
REIDINGER Friedrich	Bd 92	Biber
RIEDEL Karl	Bd 31	Monn,Reutter,Schlöger,Starzer,Wagenseil
RIETSCH Heinrich	Bd 2 4	Muffat Gg
	41	Frauenlob,Reinmar,Alexander
	47	Fux
	St 4/46	Fux
ROSENTHAL Karl August	Bd 69	Bernardi
	80	Biber,Biechteler,Eberlin,Adlgasser
	St 14/5	Mozart
	15/46	Bernardi
	16/116	Mahler(Pamer-Einrichtung)
	17/105	dass
	17/77 19/3	Salzburger Kirchenm
	21/53	Nat-Bibl Sammelhs

(Herausgeber:)

Name			
SACHS Hans	Bd	87	Zangius
SCHEGAR Franz	Bd	38	TrC 38
SCHENK Erich	Bd	85	Fux
		89	Muffat Gg
		93 105 111/112	Schmelzer
		96 97 106/107	Biber
	St	22/1	Mozart
		24/87	Haydn
		26/25	Modenesische Instrumentalmusik
		27/5	Marx
SCHLAFFENBERG Irene	Bd	54	Wr Lied
(Pollak-Schl.)	St	97	dass
SCHMIDT Anton W.	Bd	16	Hammerschmidt
SCHMIEDER Wolfgang	Bd	71	Neidhart v.R.
	St	17/3	ders
SCHNEIDER Constantin	Bd	80	Biber, Biechteler, Eberlin, Adlgasser
		91	Caldara
	St	18/36	Adlgasser
SCHNÜRL Karl	Bd	84	Wr Lauten-M
	St	23/11	Palestrina
		25/463	Haydn
SCHOENBAUM Camillo	Bd	101/102	Caldara, Conti, Fux, Ziani
	St	25/475	böhmische Musiker
SEIFFERT Max	Bd	17	Pachelbel
SENN Walter	Bd	86	Falk, Haindl, Madlseder, Paluselli,
	St	16/86	Sylva, Beethoven
STEINHARDT Milton	Bd	98 100 103/104 108/109 113/114 116 118	Vaet I - VII
WEBERN Anton v.	Bd	32	Isaac
WEIGL Karl	Bd	67	Förster
WELLESZ Egon	Bd	34/35	Fux
		1/1	Cavalli
		6/5	Opern u Oratorien
WESSELY Helene -KROPIK	Bd	92	Biber Rvb
	St	22/85	Purcell
		24/44	Archivmitteilungen (Pietà, Rom)

(Herausgeber:)

WESSELY Othmar	Bd St	99 23/79 25/586	Bruck Maximilian.Hofmusik Leopold I.
WOLF Johannes	Bd	28 32	Isaac

B. der Texte (-Revisoren):

ANSION Margarete	Bd	54	Wr Lied
JOHN Robert		90	Grazer Hofkapelle
MASCHEK Hermann		79	Wr Lied
PFALZ Anton		87	Zangius
SCHATZ Josef		18	Oswald v.W.
WIESSNER Edmund		71	Neidhart v.R.

HERMANN Albert Ritter v.	Bd	1	Vorwort
HERMANNUS s ATRIO			
HEROLD Johann Theodor Komp Lautenist um 1700	Bd	50	(Koczirz)
HERT-OKEGHEM Komp	Bd	14/15	TrC (I ThK:1127)
HEUBEL Johann Georg TextA 18.Jh	Bd	64	Dt Komödienarien (Haas)
HEYNE Komp 2.H 15.Jhs bD:14/15	Bd	14/15	TrC I (ThK:522)
HILLER Johann Adam Übers 1728 15/12 Wendisch-Ossig (Görlitz) 1804 16/ 6 Leipzig	Bd	42-44	"La Contessina" (Gaßmann)
HIMMEL Friedrich Heinrich Komp 1765 20/11 Treuenbrietzen (Brandenburg) 1814 8/6 Berlin	St	13/57	Walzer (Mendels- sohn)
HINTERLEITHNER Ferdinand Lautenist Komp 1659-1700 bD:50	Bd St	50 5/49	(Koczirz) ders
HOFER P.Norbert Mf 1874 22/7 Gumpoldskirchen 1952 21/2 Heiligenkreuz	Bd	88	Reutter
HOFFER Johann Josef 1666-1729 bE:56	Bd, St	56 8/45	Wr Tanzm (Nettl) dass

HOFFMANN-ERBRECHT Lothar Mf (Frankfurt a M) * 1925 2/3 Strehlen	St	25/252	Der "galante Stil"
HOFFMEISTER Anton Franz Komp 1754-1812 bD:54	Bd St	54 5/97	Wr Lied (Schlaffen- berg) dass
HOFHAYMER Paul Komp 1459-1537 bD:72	Bd St	72 17/21	Nowak Gesellschaftslied/ dass
Hofkapelle kaiserliche 1636-1680	St	16/70 17/95 18/23 19/33	(Nettl)
HOFMANN Leopold Komp 1738-1793 bD:54	Bd	54 5/97 26/79	Wr Lied (Schlaffen- berg) dass (Prochászka)
Hofmusikakte a d Wr Hofkammer- archiv 1543-1619	St	1/278 6/139 7/102 8/166 9/43	(Koczirz) (Smijers)
HOLZER Johann Komp 18./19. Jh	Bd St	54 5/97(Mbg)	Wr Lied (Schlaffen- berg) dass
HOLZER Ludmilla Mf	St	13/3	kom Opern Glucks
HORN Johann Caspar Komp gegen 1630 Feldsberg(Tirol) nach 1681 Dresden	St	27/18[I]	Satz a tre
HORWITZ Karl Mf 1884 1/1 Wien 1925 18/8 Salzburg	Bd	31	Wr Instrumentalm
HORZALKA Jean Komp 1798 6/12 Triesch(Mähren) 1860 9/9 Penzing b Wien	St	13/57	Walzer(Mendels- sohn)
HOUVEN Carlo van	St	19/3	Salzbg Kirchenm (Rosenthal)
HUBER Franz Xaver TextA um 1750(60) Munderling b Passau 1809(10) Wien	St	18/66	Süßmayr (Lehner)
HUBER Josef Karl TextA 1726-1760	Bd	64	Dt Komödienarien (Haas)
HUEISE Achatius Casimirus (A.C. Hültz) Komp Lautenist	St	5/49(Mbg)	(Koczirz)

I.V.B. (= Jost von Brand) Komp Bd 78 Gallus (Pisk)

J

JACET s MANTUA

JACOBUS Clemens von Papa s CLEMENS Jacobus

JACQUIN Emilian Gottfried v. Bd 79 Wr Lied (Kraus)
1767-1792

JOACHIM A BURCK (eig Moller, Müller) St 27/18/H/ Satz a tre
Komp 1546 Burg bei Magdeburg
1610 24/5 Mühlhausen (Thüringen)

JOHN Robert Textrevision Bd 84 Lauten-M(Schnürl)
+ 1899 11/3
90 Grazer Hofkapelle (Federhofer)
91 "Dafne" (Caldara Schneider)

JOMMELLI Niccolò St 5/97 Wr Lied (Pollak-Schl.)
1714 10/9 Aversa b Neapel
1774 25/8 Neapel

Josef I. Kaiser Wtr Bd 6 "Il pomo d'oro"
1678 26/7 (reg ab 1705) Bd 47 Fux
1711 17/4

JOSQUIN DESPREZ Komp Bd 118(Anh) Vaet
um 1450 in der Picardie
1521 27/8 Condé

JOSY Graf v.Losintal s LOGI
Komp Lautenist

JOYE Komp Bd 14/15 TrC (ThK:1006)

JUDENKUNIG Hans Komp Lautenist Bd 37 (Koczirz)
1440(50)-1526 bD:37

Die Jugendopern Glucks bis Orfeo St 1/193 (Kurth)

K

Kaiserhof-Komponisten Italienische 1567-1625	Bd 77 St 21/3	(Einstein) (ders)
s Flecha M. Luython C. Orologio A. Portinaro F. Regnart G. Sayve L.di	Gabrieli A. Monte F. de Padoano A. Priuli G. Rovigo F. Zanotti C.	
Kaiserhymne Haydns	St 25/417	(Reindl)
Kammermusik für Gesang	Bd 75	Caldara
Kanon	Bd 75	Caldara
Kantate	Bd 75 84	Caldara Conti
KAPP Oskar Mf	Bd 33	Albrechtsberger
KARL VI. Kaiser Wtr 1685 1/10 (reg ab 1711) 1740 20/10	Bd 1	
KERLL Johann Kaspar Komp 1627-1693 bD:49	Bd 49 59	Messen (Adler) Requiem (Adler)
KERTZINGER Augustin P. Mf	St 8/45	Wr Tanzkomp (Nettl)
KIELMANNSEGG Heinrich Gottfried Komp	St 8/45	dass
KIESEWETTER Raphael Georg Mf 1773 29/8 Holleschau(Mähren) 1850 1/1 Baden b Wien	St 25/434	Briefempfänger (Rieger)
KILIAN Reinhard Komp ca 1653-1729	St 27/186	Techelmann

Kirchenmusik-Komponisten:
(außer TrCs)

Adlgasser A.C.	Bd 80
Albrechtsberger J.G.	St 14/143
Amon B.	Bd 73; St 18/3
Annibale P.	90
Benevoli O.	20
Bernardi St.	69; St 15/46
Biber H.I.F.	49 59
Biber K.H.	80
Biechteler M.S.	80
Bonno G.	St 15/62
Caldara A.	Bd 26 101/102
Cleve J. de	90
Conti F.	101/102
Copus	99

(Kirchenmusik-Komponisten:)

Draghi A.	Bd 46; St 1/104	
Eberlin J.E.	80	
Fevin A.de	99	
Fux J.J.	1 3 101/102	
Galli A.	118	
Gallus (Handl) J.	94/95 117 119; St 5/35	
Gaßmann F.L.	83; St 14/213	
Gatto S.	90	
Haydn M.	45 62; St 3/5	
Isaac H.	10 32	
Kerll J.K.	49 59	
Mantua J.de	103/104	
Massaino T.	110	
Pachelbel J.	17	
Palestrina P.	St 23/11	
Reutter G.d.J.	Bd 88	
Rovigo F.	90	
Salieri A.	St 14/160	
Sayve L.de	Bd 90	
Schmelzer J.H.	49	
Stadlmayr J.	5	
Straus Ch.	59	
Vaet J.	98 100 103/104 108/109 113/114 116 118	
Zangius N.	87	
Ziani M.A.	101/102	
Kirchensonaten	Bd 19	Fux
KIRNBERGER J.Ph. Theor 1721 24/4 Saalfeld (Thüringen) 1783 27/4 Berlin	St 5/97(Mbg)	Wr Lied (Pollak-Schl.)
KLAFSKY Anton Maria Mf 1877 8/7 Winden(Burgenland) 1965 1/1 Baden b Wien	Bd 45 62 St 3/5	M.Haydn (Messen) M.Haydn ders
KLIMA Josef Mf	Bd 84	Lauten-M
KLINGENBECK Josef Mf	St 24/106 25/276	Pleyel ders
KNAUS Herwig Mf * 1929 21/9 St.Veit a d Glan	Bd 115 St 27/186 27/241	Techelmann ders Veröffentl
KOCZIRZ Adolf Mf 1870 2/4 Wscherowan(Mähren) 1941 22/2 Wien	Bd 37 50 84 70(Anh) EdM II/1 St 1/278 40/116 26/47	Lauten-M Peuerl Lauten-M Hofmusikakte Poglietti Schmelzer

KÖCHEL Ludwig Ritter v. Mf 1800 14/1 Stein a d Donau 1877 3/6 Wien	St 16/70	Ergänzung zu kais. Hofmusikkapelle (Nettl)
KOHAUT Karl Komp Lautenist 1726-1782 bD:84	Bd 84 EdM II/1	(Schnürl)
KOLETSCHKA Karl Mf * 1885 25/11 Wien	St 15/3	Reußner
KOLLER Oswald Mf 1852 30/7 Brünn 1910 10/6 Klagenfurt	Bd 1 Bd 14/15 22 38 18	Vorwort TrC I II III Oswald v.W.
KOLLPACHER-HAAS Ingrif Mf (Wien)	St 25/298	Buffardin
Komik und Musik	St 25/105	(Della Corte) (it)
Komödienarien Deutsche 1754-1758	Bd 64	(Haas)
KOSCH Franz P. Mf * 1894 19/11 Steyr	Bd 83	Gaßmann
KOZELUCH Leopold Komp 1747-1818 bD:54	Bd 54 St 5/97(Mbg) 10/37	Wr Lied(Schlaffenber dass Wr Lied (Alberti-R.)
KRAFFT Ludovicus Komp 15.Jh	Bd 14/15	TrC(ThK: 1007)
KRAUS Hedwig Mf * 1895 20/8 Wien	Bd 79	Wr Lied 1792-1815
KRCH Anton Komp	St 13/57	Walzer(Mendelssohn)
KRETZSCHMAR Hermann Mf 1848 19/1 Olbernhau(Sachen) 1924 12/5 Groß-Lichterfelde	St 5/22	DTÖ
KREUTZER Konradin Komp 1780-1849 bD: 79	Bd 79 St 10/37	Wr Lied (Kraus) Wr Lied (Alberti-R.)
KRIEGER Adam Komp 1634 7/1 Driesen (Neumark) 1666 30/6 Dresden	St 27/18[L]	Satz a tre
KRIEGER Johann Komp 1652 1/1 Nürnberg 1735 18/7 Zittau	St 27/18[L]	dass

KRÜNNER Christianus Leopoldus Dichter	Bd 4	
KRUFFT Niclas v. 1779-1818 bD:79	Bd 79	Wr Lied (Kraus)
Kueffstein Herr v. s Traugott J.		
KUENBERG Maximilian Gandolph v. Fürsterzbischof Wtr 1622-1687 (a Khuenburg)	Bd 96 106/107	Biber H.J.F. ders
Kunst- und Industrie-Comptoir Verlag	St 22/217	(Weinmann)
KURTH Ernst Mf 1886 1/6 Wien 1946 2/4 Bern	St 1/193	Glucks Jugendopern
KURZ Johann Felix genannt Bernardon TextA 1717 22/2 Wien 1784 2/2 ds	Bd 64 St 12/3 13/57	Dt Komödienarien dass (Haas) Walzer(Mendelssohn)
KURZMANN Rita Mf	St 12/65	Instrumentalw Mozarts

L

LABOR Josef Mf 1842 26/9 Horowitz 1924 26/4 Wien	Bd 1 6 9 11 25 31 39	Vorwort "Il pomo d'oro" (b.c.) Biber (b.c.) Wr Instrumentalm I II (b.c.)
Ländler	Bd 65	Lanner
LANNER Josef Komp 1801-1843 bD:65 WV:Lit 1948	Bd 65 St 13/57	(Orel) (Mendelssohn)
LANTINIS Hugo de Komp	Bd 14/15 61	TrC (ThK:917) TrC V
LAPICIDA Erasmus Komp ca 1465-1550 bD:72	Bd 72	Gesellschaftslied (Nowak)
LASSO Orlando di Komp um 1532 Mons (Hennegau) 1594 14/6 München	Bd 113/114(Anh) 22/30 25/183 27/18[A,H,J]	Vaet Ritter v g Sporn (Luin) Kirchenmusik (Fellerer) Satz a tre
"La laterna di Diogene"(Draghi) darin Ballettmusik v Schmelzer	Bd 56	Wr Tanzmusik(Nettl)
LAUFFENSTEINER Wollf Jacob d Jüngere Komp Lautenist WV: St 27/200 1676 28/4 Steyr 1754 26/3 München	St 27/200	(Flotzinger)

Lautenbücher s Craus St. - Fugger Jörg u Octavianus

Lautenisten s Barbetta G.C., Barkfark V,Greff, Bergen Graf, Bernaditzky R., Bohr v.Bohrenfels, Conti Fr., Daube J.F., Fichtel F.F., Gaisruck Graf, Ginter F., Gintzler F., Herold J. Th., Hinterleithner F.J., Josy v.Losintal, Judenkunig H., Kohaut L., Lauffensteiner W.J., Lobkowitz Fürst, Logi J.A., Newsidler H., Peyer J.G., Porsile J., Questenberg J.A., Radolt W.L., Reußner E., Saint Luc J.de, Seidel F., Tallard C.Graf, Weichenberger J.G., Zechner G.

Lautenmusik	Bd 37 50	(Koczirz)
	84	(Schnürl)
	EdM II/1	(Koczirz)
LECHNER Leonhard Komp um 1553 im Etschtal 1606 9/9 Stuttgart	St 27/18/H/	Satz a tre
LE GRANT Guillaume Komp 1.H 15.Jh	Bd 14/15	TrC (ThK: 1429)
LE GRANT Jo.Komp	Bd 14/15	TrC(ThK: 60 1012)
	22	TrC II
LEHNER Walter Mf	St 18/66	Süßmayr
LEONEL (Dunstable) Komp † 1445 5/6 Canterbury bD: 14/15 (Power Lionel)	Bd 14/15 53	TrC I IV
LEONELLUS (Leonel Anglicus	Bd 14/15	TrC (ThK: 26 901 919 984 1081 1136 1403 1404 1446 1450 1491 1505 1524 1544 1576)
	61	TrC V
	St 11/3	(Ficker)
LEONI Leone Komp um 1560 Verona 1627 24/6 Vicenza	St 27/18/C/	Satz a tre
LEOPOLD I. Kaiser Wtr Komp 1640 9/6 Wien (reg ab 1658) 1705 5/5	Bd 1	Fux
	6	Cesti
	115	Vaet
	St 6/5	Opern uO (Wellesz)
	8/45	Wr Tanzkomp (Nettl)
	25/586	"Vermeinte Bruder u Schwesterliebe" (Wessely)
LEOPOLD WILHELM Erzherzog Wtr 1614-1662	Bd 111/112	Schmelzer

LE ROUGE Guillaume (gen de Rublis) Komp um 1385-um 1451 bD:120	Bd 120	TrC VII
"Le Serviteur"	Bd 14/15	TrC I (Isaac,Bedingham)
	38	TrC III (Okeghem)
LEVI Vito Mf (Trieste) 1899 10/4 Triest	St 25/307	Schubert (it)
LIBERT R. Komp 15. Jh	Bd 22	TrC II
LIEBERT Reginald Komp bD:53	Bd 14/15	TrC (ThK: 55 1406-1408 1414 1418 1419 1438)
	53	TrC IV
	St 7/5	(Ficker)
LIBERTI Gualterius (Frye W.)	Bd 120	TrC VII
LIEBGOTT Frh. zu Greillenstein Wtr (Bruder des Traugott)	Bd 4	Muffat Gg
LIECHTENSTEIN-KASTELKORN Karl v. Fürstbischof von Olmütz	St 8/166	Briefwechsel(Nettl)
Lied (s a Deutsches Gesellschaftslied,Gesänge,Wiener Liedmusik):		
Brahms J.	St 22/142	Tonartencharakteristik (Rieger)
Isaac H.	Bd 28 32	(Wolf,Webern)
Mahler G.	St 16/116	(Pamer)
	17/105	
Mauriz v.M.	St 25/520	(Tschulik)
Neidhart v.R.	Bd 71	(Schmieder)
	St 17/3	ders
Oswald v.W.	Bd 18	(Koller)
Reményi E.	St 25/520	(Stephenson)
Schmelzer J.H.	Bd 56 (Anh)	(Nettl)
Schubert F.	St 25/307	(Levi)
LILLO George Dichter 1693 4/2 London 1743 3/9 ds	Bd 64	Dt Komödienarien (Haas)
Linz, Wr Hoftheater in	St 25/586	(Wessely)
Linzer Orgelcodex (darin: Neun Tänze)	Bd 70(Anh)	(Koczirz)
LIPPERT Friedrich Karl TextA 1758-1803	St 18/66	Süßmayr(Lehner)

LISSA Zofia Mf (Warschau) ∗ 1908 19/10 Lemberg	St 25/314	Stille u Pause in der Musik
LISZT Franz Komp 1811 20/10 Raiding(Burgenland) 1886 31/7 Bayreuth	St 13/57	Walzer(Mendelssohn)
LOBKOWITZ Fürst Komp Lautenist [Joseph F.v.L. 1725 1842 17/3 Wien]	EdM II/1	(Koczirz)
LODRON Leopold Anton Virgil Graf v. ⌿ 1802	St 22/30	Ritter v g Sporn (Luin)
LODRON Leopold Graf v. † 1784	St 22/30	dass
LOEW Margarethe Mf	Bd 38	TrC III
LOEWE von Eisenach Johann Jacob Komp get 1629 31/7 Wien 1703 Sept Lüneburg	St 27/18[L]	Satz a tre
LOGI Johann Anton Graf v. Losintal Komp Lautenist 1643(47) 1721 1/8 Prag s a Josy Gr.v.Losintal	Bd 50 EdM II/1 St 5/49	Lauten-M(Koczirz) dass dass
LOLLI(Y) Komp	St 19/3	Salzb Kirchenm (Rosenthal)
LOQUEVILLE	Bd 14/15	TrC (ThK: 951)
LOYSET Compère Komp um 1480-1518 nD:14/15	Bd 14/15	TrC I (ThK:1161)
LUDO Jo. de Komp	Bd 14/15	TrC (ThK: 50)
LUIN Elisabeth Mf ∗ 1881 9/5 Nürnberg	St 22/30	Mozart, Ritter v g Sporn
LUITHLEN Victor Mf ∗ 1904 20/5 Wien	Bd 81	Dittersdorf
LULLY Jean-Baptiste Komp 1632 28/11 Florenz 1687 22/3 Paris	St 27/18[L]	Satz a tre
LUNELLI Renato Mf (Trento) 1895 14/5 Triest 1966 ds	St 25/347	Meraner Inventarien

LUNTZ Erwin Mf 1877 11/8 Wien 1949 24/7 ds	Bd 23 25 38	Muffat Georg Biber H.I.F. TrC III
LUPI Johannes Komp 1506 1539 20/12 Cambrai	Bd 116(Anh)	Vaet
LUYTHON Carlo Komp ca 1556-1620 bD:77	Bd 77 St 21/3	Kaiserhof-K (Einstein) dass
LYM(N)BURGIA Jo. de Komp 15.Jh bD:14/15	Bd 14/15	TrC I (ThK: 100 1530)

M

MADLSEDER Nomosus Komp 1730-1797 bD:86	Bd 86	Tiroler Instrumentalm (Senn)
Madrigal (it) (engl) (dt)	Bd 75 90 St 27/18/B-D/ /G/ /H/	Caldara Bianco,Galeno Satz a tre
MAGHUETS Komp (lt Ficker ein Komp der TrCs, jedoch nicht im ThK!)	St 11/3	(Ficker)
Magnificat	Bd 17 69 90 116	Pachelbel Bernardi Annibale Padoano Vaet
MAHLER Gustav Komp 1860 7/7 Kalischt (Böhmen) 1911 18/5 Wien	St 16/116 17/105	Lieder(Pamer) dass
MAHU Stephan Komp 16.Jh bD:72	Bd 72	Gesellschaftslied (Nowak)
MAIOR Jos. Komp	Bd 14/15	TrC(ThK: 1458)
MALVEZZI Christoforo Komp 1547 22/7 Lucca 1597 25/12 Florenz	St 27/18/K/	Satz a tre

MANDICZEWSKY Eusebius Mf 1857 18/8 Czernowitz 1927 13/7 Wien	Bd 1 26 75	Vorwort Caldara Kirchenw Kammerm
MANN Johann Christoph Komp 1726-1782 (Bruder des G.M.Monn) bD:39 ThK: Bd 39	Bd 39	Wr Instrumentalm (Fischer)
MANTUA Jacet de	Bd 103/104(Anh)	Vaet
MANTUANI Josef Mf 1860 28/3 Laibach 1933 18/3 ds	Bd 12 24 30 40 48 51/52	Gallus(Handl) I-VI
MARENZIO Luca Komp 1553 Coccaglio b Brescia 1599 22/8 Rom	St 27/18[C,K]	Satz a tre
MARGARITA Theresia Prinzessin v. Spanien Wtr 1.Gattin Kaiser Leopolds I. 1651-1673	Bd 6	"Il pomo d'oro" (Cesti)
MARINO Giambattista Dichter 1569 14/10 Neapel 1625 24/3 ds	Bd 77	Kaiserhof-K (Einstein)
MARKHAN(M) Ricardus Komp	Bd 14/15 61 St 11/3	TrC(ThK:1518) TrC V (Ficker)
Marsch Türkischer (M.Haydn)	Bd 29	(Perger)
Marseillaise	St 24/106	Pleyel(Klingenbeck)
MARTELA(E)RT	St 25/183	Kirchenm(Fellerer)
MARTIN Vincenzo Komp 1754 2/5 Valencia 1806 30/1 (11/2) St.Petersburg	St 13/57	Walzer(Mendelssohn)
MARTINI Giambattista (Padre M.) 1706 24/4 Bologna 1784 4/10 ds	St 25/1	Brief (Allarto)
MARTINI Joh.(-annes) bD:120	Bd 14/15 120	TrC I (ThK: 752 1145-1149) TrC VI
MARTINUS Abrahae TextA	Bd 14/15	TrC I
"Il Martirio di San Lorenzo", Arie daraus (F.Conti)	Bd 84	Lauten-M (Schnürl)

MARX Joseph Komp 1882 11/5 Graz 1964 3/9 ds	Bd 25 27/5	"Zum Geleit" In Memoriam(Schenk)
MASCHEK Hermann Hg (Text)	Bd 79	Wr Lied (Kraus)
MASCHEK Vincenz Komp 1755 5/4 Zwikowetz(Böhmen) 1831 15/11 Prag	St 13/57	Walzer(Mendelssohn)
MASSAINO Tiburtio Komp um 1500-um 1609 bD:110	Bd 110	(Monterosso)
MATTEIS Nicola Komp M. d 17.Jhs	Bd 34/35	"Costanza e Fortezza"
MATTHIAS Kaiser 1557 24/2 (reg ab 1612) 1690 20/3	St 6/139	Hofmusik-K(Smijers)
MATTHISSON Friedrich Dichter 1761 23/1 Hohendodeleben b Magdeburg 1831 12/3 ds	Bd 79	Wr Lied (Kraus)
MAURIZ von Menzingen Komp 1564 24/6 Menzingen 1715 Andermatt	St 25/551	(Tschulik)
MAXIMILIAN II. Kaiser 1527 31/7 Wien (reg ab 1564) 1576 12/10 ds	St 6/139 23/79	Hofmusik-K(Smijers) -Geschichte Archivalien(Wessely)
MAYBERG Johann Wilhelm TextA 1714 1761 17/10 Wien	Bd 64	Komödienarien(Haas)
MAYER Franz s. Ps SCHEGAR Fr.		
MAZUEL Michel Komp	St 27/18[L]	Satz a tre
MEGERLE Abraham Komp 1607 9/2 Wasserburg a Inn 1680 29/5 Altötting	St 19/3	Salzbg Kirchenm (Rosenthal)
Mehrstimmige Schreibweise um 1500	St 5/27	(Fischer)
MELANI Alessandro Komp um 1630 Pistoia 1703 Anfg Okt Rom	St 6/5	Opern uO (Wellesz)

(Messe:)

Franziskanerm 17.18.Jh	St 27/72	(Grasemann)
Geschichte 2.H d 17.Jh	4/5	(Adler)
Hofmann L.'s Messen	26/79	(Prohászka)
Messeproprium	25/261	(Husmann)
Parodieverfahren	5/35	(Pisk)
Rorate-Messe (J.Haydn)	24/87	(Schenk)
METHFESSEL Gottlieb Johann Albert Komp 1785 6/10 Stadtilm(Thüringen) 1869 22/3 Heckenbeck b Gandersheim	St 13/57	Walzer(Mendelssohn)
MIES Paul Mf * 1889 22/10 Köln	St 25/363	Debussy u Ravel
MOBERG Carl-Allan Mf (Uppsala) * 1896 5/6 Ostersind(Jämtland)	St 25/369	Altschwedische Musiknotizen
"La Monarchia Latina trionfante" (Draghi)	Bd 6	Schmelzer(Ballettm)
MONN Georg Matthias Komp 1717-1750 (Bruder des J.Ch. Mann) bD:31 ThK: Bd 39	Bd 31 39	Wr Instrumentalm (Horwitz,Riedel)
MONSIGNY Alexander Pierre Komp 1729 17/10 Fauquembergues (Pas-de-Calais) 1817 14/1 Paris	St 5/79	Wr Lied(Pollak-Schl.)
MONTE Christoforus de Komp	Bd 76	TrC VI (niThK)
MONTE Filippo di Komp 1521-1603 bD:77 WV:Lit 1921	Bd 77 St 21/3 25/183 27/18[A,M]	Kaiserhof-K(Einstein) dass Kirchenm(Fellerer) Satz a tre
MONTEROSSO Raffaelo Mf (Cremona) * 1925 18/1 Cremona	Bd 110 St 25/378	Massaino T. Visconti G. (it)
MONTEVERDI Claudio Komp 1567-1643 bD:57	Bd 57 St 9/3 23/67 25/183 27/18[C,F,K]	"Il Ritorno d'Ulisse" (Haas) dass (Haas) dass (Osthoff) Kirchenm(Fellerer) Satz a tre
MORITZ von Hessen Komp	St 27/18[L]	Satz a tre
MORLACCHI Francesco Komp 1784 14/6 Perugia 1841 28/10 Innsbruck	St 22/30	Ritter v g Sporn (Luin)

MORLEY Thomas Komp 1557 London 1603 London ?	St 27/18/G7	Satz a tre
MOSER Georg Komp	St 19/3	SalzbgKirchenm (Rosenthal)
Motette: Adlgasser A.C.	Bd 80	
Alanus J.	76	
Amon Bl.	73	
Arimino L.	76	
Battre H.	76	
Biechteler M.S.	80	
Brasart J.	76	
Brouck Jacob v.	90	
Caldara A.	26 101/102 (Solo-M)	
Conti F.	101/102 (Solo-M)	
De Anglia (Anglicanus)	76	
Dufay G.	76	
Dunstable J.	72 76	
Eberlin J.E.	80	
Forest	76	
Franchos J.	76	
Fux J.J.	3 101/102 (Solo-M)	
Gallus (Handl)	12 24 30 40 48 51/52	
Massaino T.	110	
Merques	76	
Monte Ch.	76	
Sayve L.de	90	
Vaet J.	98 100 103/104	
Verben J.	76	
Vitry Ph.de	76	
Ziani M.A.	101/102 (Solo-M)	
MOUTON Jean (Jehan) Komp um 1458 Holluique 1522 30/10 St.Quentin	Bd 108/109 (Anh) Vaet	
MOZART Wolfgang Amadeus Komp 1756 21/1 Salzburg 1791 5/12 Wien	St 12/65	Modulation u Harmonik(Kurzmann)
	13/57	Walzer(Mendelssohn)
	14/5	Vokalformen(Rosenthal)
	14/33	Gebrauch d Instrumente (Bayer)
	14/125	Konzertrondos
	14/179	Kammerm (Rigler)
	22/1	in Mantua(Schenk)
	22/30	Ritter v g Sporn (Luin)
	25/532	Zitate (Szabolcsi)
	26/140	Ouverturen(Floros)

MOZART Wolfgang Amadeus (eig Franz Xaver W.) Komp 1791 26/7 Wien 1844 29/7 Karlsbad	St 25/389	Brief(Mueller v.A.)
MÜCHLER Karl Friedrich TextA 1763 Stargard (Pommern) 1857 Berlin	Bd 79	Wr Lied (Kraus)
MÜHLBACHER Engelbert	Bd 1	Vorwort
MÜHLING August Komp 1786 26/9 Raguhn (Anhalt) 1847 3/2 Magdeburg	St 13/57	Walzer(Mendelssohn)
MÜLLER Komp	St 10/37	Wr Lied(Alberti-R.)
MUELLER v.Asow Erich Hermann Mf * 1892 31/8 Dresden	St 25/389	Briefwechsel:Mozart Sohn u Vieuxtemps
MÜLLNER Josepha Harfenistin * 1769 (1798) Wien	St 5/97	Wr Lied(Pollak-Schl.)
MUFFAT Georg Komp 1753-1704 bD:2	Bd 2 4	Florilegium I II (Rietsch)
	23	Instrumentalw(Luntz)
	50(Anh)	Lauten-M (Koczirz)
	89	Armonico Tributo (Schenk)
	St 27/18[L]	Satz a tre(Tomek)
MUFFAT Gottlieb Komp 1690-1770 bD:2 u 7	Bd 7	Componimenti Musicali (Adler)
	58	Toccaten und Versettl (Schenk)
Musikalische Tafelfreudt(Posch)	Bd 70	(Geiringer)
Musikinstrumente und Musikalien am Innsbrucker Hof,16.u.17.Jh	St 4/128	(Waldner)
Musik und Poesie,Verhältnis	St 25/574	(Welleck)

N

NANINI Domenico Komp 18.Jh	St 6/5	Opern uO (Wellesz)
Nationalbibliothek,Sammelhandschrift 4337	St 21/53	(Rosenthal)

NAWRATIL Karl Mf 1867 24/9 Prag 1936 23/12 ds	Bd 19 20 25	Fux (b.c.) Benevoli (b.c.) Biber H.I.F.(b.c.)
NEIDHART von REUENTHAL Minnesänger um 1180-um 1240 bD:71	Bd 71	(Schmieder)
NEMETH Carl Mf	St 22/253	Veröffentl 1945-55
NETTL Paul Mf (Bloomington,Ind.) * 1889 10/1 Hohenelbe	Bd 56 92	Wr Tanzmusik Biber H.J.F.
	St 7/143	Raudnitzer Textbüchersammlung
	8/45	Wr Tanzkomposition
	16/70	Hofmusikkapelle I
	17/95	II
	18/23	III
	19/33	IV
	24/61	Biber H.J.F.
	25/391	Bach
NENNA Pomponio Komp * 1560	St 25/183	Kirchenm (Fellerer)
NEUBER Ulrich Drucker † 1571 19/8 Nürnberg	Bd 116	(Rvb)
NEUHAUS Max Mf	St 1/104	Draghi
NEUKOMM Sigmund Komp 1778-1858 bD:79	Bd 79 St 10/37	Wr Lied (Kraus) dass (Alberti-R.)
Neumen	St 24/5 27/9	(Vidaković) (it) (Falvy)
NEUMILLER Komp 17.Jh	St 19/3	Salzbg Kirchenm (Rosenthal)
NEURATH Herbert Mf	St 14/125	Violinkonzert in der Wr klass Schule
NEWSIDLER Hans Komp Lautenist 1508-1563 bD:37	Bd 37	(Koczirz)
NICCOLÒ DA CORREGIO Dichter 1449-1508	St 25/205	Dialogo d!amore (Gallico)
NICOLAI Otto Komp 1810 9/6 Königsberg 1849 11/5 Berlin	St 25/434	Nicolai-Kiesewetter-Briefe (Rieger)

Niederländische u Italienische Musiker der Grazer Hofkapelle:	Bd 90	(Federhofer)
"Notturna e Flora festeggiante" (Cesti) darin Ballettmusik von Schmelzer	Bd 56	Wr Tanzmusik(Nettl)
NOWAK Leopold Mf * 1904 17/8 Wien	Bd 72 St 17/21 22/253 23/184 24/185 26/220 27/241	Dt Gesellschaftslied dass Veröffentl 1944-55 1955-56 1956-60 1961-64 1965
NUTZLADER Rudolf Mf * 1885 11/4 Linz adD	St 14/160	Salieri
"Nun siet uns willekommen", Ursprung	St 25/496	(Schmith v.Waesberghe)

O

O.A. = Orologio Alessandro (der Dresdener O.)	Bd 77	Kaiserhof-K (Einstein)
Oboe bei Beethoven	St 14/107	(Wlach)
Österreich, Musik in	St 16/3	(Adler)
— und Spanien, musikalische Beziehungen	St 25/5	(Anglès)
Offertorium Bernardi St. Fux J.J. Gaßmann F.L. Haydn M.	Bd 69 3 83 62	
OKEGHEM Johannes Komp um 1420-um 1495 bD:38	Bd 38	TrC III
OKEGHEM-HERT Komp	Bd 14/15	TrC I (ThK: 418-422 /Missa Caput/ 5o3-5o7 /Missa Le Serviteur/ 1128)

Oper (Festspiel,Singspiel,Komödie
m Musik)

a) **Werke:**

Caldara: "Dafne"	Bd	91	
Cesti: "Il Pomo d'oro"		6 9	
"Alessandro Vincitor di se stesso"	St	24/13	(Osthoff)
Fux: "Costanza e Fortezza"	Bd	34/35	
"Orfeo ed Euridice"		84	
Gaßmann: "La Contessina"		42-44	
Gluck: "L'Innocenza Giustificata"		82	
"Orfeo ed Euridice"		44a	
Monteverdi: "Il Ritorno d'Ulisse in Patria"		57	
	St	9/3	(Haas)
		23/67	(Osthoff)
Schenk: "Der Dorfbarbier"	Bd	66	
Umlauf: "Die Bergknappen"		36	

b) **Abhandlungen:**

Studien zur Geschichte der Wiener Oper	St	1/1	Wellesz
Die Jugendoper Glucks bis Orfeo		1/193	Kurth
Fl. Gaßmann als Opernkomponist		2/34	Donath
Karl v.Dittersdorf als Opernkomponist		2/212	Riedinger
Die Opern und Oratorien in Wien von 1660-1708		7/5	Wellesz
Zur Neuausgabe von C.Monteverdis "Il Ritorno d'Ulisse in Patria"		9/3	Haas
Die komischen Opern Glucks		13/3	Holzer
Franz Xaver Süßmayr als Opernkomponist		18/66	Lehner
Zu den Quellen von Monteverdis "Ritorno d'Ulisse in Patria"		23/67	Osthoff
A.Cestis "Alessandro Vincitor di se stesso"		24/13	Osthoff
Musikalische Beziehungen zwischen Wien und Warschau (Oper und Ballett)		25/174	Feicht
Wiener Opernaufführungen im Winter 1815/1816		25/453	Schmidt-Görg
Zur Stilproblematik der italienischen Oper des 17. und 18.Jahrhunderts		25/561	Vetter
Kaiser Leopolds I. "Vermeinte Bruder-und Schwesterliebe". Ein Beitrag zur Geschichte des Wr. Hoftheaters in Linz		25/586	Wessely
Das Strukturphänomen des verkappten Satzes a tre...[F]: Oper und Rappresentazione sacra		27/18[F]	Tomek
Studien zur Arieneinleitung in der Oper des 18.Jahrhunderts		27/125	Baur

OPPERSDORF Wilhelm Frh.v.	Bd 12	(Trauergesang)
Opus Musicum (Handl-Gallus) I - VI	Bd 12 24 30 40 48 51/52	(Bezecny u Mantuani)

Oratorium (Schuldrama)

a) Werke:

Conti: "Il Martirio di San Lorenzo"	Bd 84	
Eberlin: "Der blutschwitzende Jesus"	55	
"Der büßende heilige Sigismund"		
"Der verlorene Sohn"		
"Der verurteilte Jesus"		

b) Abhandlungen:

Die Opern und Oratorien in Wien von 1660-1708	St 6/5	(Wellesz)
Eberlins Schuldramen und Oratorien	St 8/9	(Haas)
Zur Geschichte des Oratoriums in Wien von 1725-1740	St 14/241	(Vogl)
Die Oratorien und Schuldramen von A.C.Adlgasser	St 18/36	(Schneider)
Haydns "Schöfung" als Messe	St 25/463	(Schnürl)

OREL Alfred Mf 1889 3/7 Wien 1967 11/4 ds	Bd 53 65 St 7/48	TrC IV Lanner Motettkomposition im 15.Jh
"Orfeo ed Euridice" (Fux) (Gluck)	Bd 84 44a	Lauten-M (Schnürl) (Abert)
OROLOGIO Alessandro Komp I (= Dresdener O.) OROLOGIO Alessandro Komp II (= Prager oder Wiener O.) bD: 77	Bd 77	Kaiserhof-K (Einstein)
"O rosa bella"	Bd 14/15 22 St 7/5	TrC I II (Ficker)
OSTHOFF Wolfgang Mf * 1927 17/3 Halle	St 23/69	"Ritorno d'Ulisse" (Monteverdi)
OSWALD von Wolkenstein Minnesänger 1377? - 1445 bD:18 WV: Bd 18	Bd 18	(Koller)

OTHMARI OPILIONIS Komp	Bd 61	TrC (ThK: 1831)
OTTO (OTHO) Valerius Komp. 1579 Leipzig † ?	Bd 27/18[I]	Satz a tre
Ouverture Fux J.J.	Bd 19 47	(Adler) (Rietsch)
Muffat Georg Gottlieb	2 4 7	ders (Adler)
Mozart	St 26/140	(Floros)

P

PACHELBEL Johann Komp 1653-1706 bD:17 WV:Lit 1954	Bd 17	(Botstiber, Seiffert)
Karl Theodor Komp bD:17		
Wilhelm Hieronymus bD:17		
PADO(V)ANO s Annibale		
Paduane	Bd 70	Peuerl, Posch (Geiringer)
PAE(I)SIELLO Giovanni 1740 9/5 Tarent 1816 5/6 Neapel	St 5/97	Wr Lied (Pollak-Schl.)
PAGLIARDI Giovanni Maria Komp Mitte 17.Jh	St 6/5	Opern uO (Wellesz)
PALESTRINA Giovanni Pierluigi 1525 Palestrina 1594 2/2 Rom	St 23/11	Variationstechnik (Schnürl)
	25/183	Kirchenm (Fellerer)
	25/545	e la tradizione Gregoriana (Terenzio)
	27/18[J]	Satz a tre
PALUSELLI Stefan Komp 1748-1805 bD:86	Bd 86	Tiroler Instrumentalm (Senn)
PAMER Fritz Egon Komp 1900 6/6 Wien 1923 18/10 das	St 16/116 17/105	Mahler-Lieder I II
PAMER Michael Komp 1782 3/9 Wien 1827 4/9 ds	St 13/57	Walzer (Mendelssohn)

PARADIS Marie Therese Komp 1759-1824 bD:54	Bd 54 St 5/97 10/37	Wr Lied(Schlaffenberg) Opern uO(Wellesz) Wr Lied(Alberti-R.)
PARIATI Pietro TextA	Bd 34/35	"Costanza e Fortezza"
Parodieverfahren in den Messen von J.Gallus	St 5/35	(Pisk)
Partia(e)	Bd 84 92	Lauten-M (Schnürl) H.J.F.Biber (Nettl, Reidinger)
Partita: Schlöger M Falk G.P. ex Vienna, Anonym	Bd 31 86 56(Anh)	(Horwitz,Riedel) (Senn) (Nettl)
PASQUINI Bernardo Komp 1637 7/12 Massa di Valdinievole (Toscana) 1710 21/11 Rom	St 6/5	Opern uO (Wellesz)
PASSERINI Komp 17.Jh	St 6/5	dass
PAWLIKOWSKY Bischof von Olmütz Wtr	Bd 12	Gallus(Handl)
PEDERZUOLI Komp 17.Jh	St 6/5	Opern uO (Wellesz)
<u>PERGER Lothar Herbert</u> Mf	Bd 29	M.Haydn
PERI Jacopo Komp 1561 20/8 Rom 1633 12/8 Florenz	St 27/18/F/	Satz a tre (Tomek)
PERINET Joachim TextA 1763 20/10 Wien 1816 9/2 ds	St 18/66	Süßmayr (Lehner)
PE(T)SCHIN Gregor Komp 1500-1556? bD:72	Bd 72	Gesellschaftslied (Nowak)
PETRARCA Francesco Dichter 1304 20/7 Arezzo 1374 19/7 Arquà b Padua	Bd 77	Kaiserhof-K (Einstein)
PETRUCCI Ottaviano Drucker 1466 18/6 Fossombrone 1539 7/5 Venedig	Bd 118	(Rvb)
PEUERL Paul Komp um 1575-1625? bD:70 WV: Lit 1929	Bd 70 St 16/32 27/18/H/	Paduanen(Geiringer) (Geiringer) Satz a tre

PEVERNAGE André (Bevernage Andries) Komp 1543 Courtrai 1591 30/7 Antwerpen	St 27/18/A/	Satz a tre
PEYER Johann Gotthard Komp Lautenist um 1670 bD:50	Bd 50	(Koczirz)
PEZEL Johann (Petzel,Petzold.) 1639 5/12 Glatz 1694 13/10 Bautzen	St 27/18/L/	Satz a tre
PFALZ Anton Hg (Text) 1885 4/12 Deutsch-Wagram 1958 Wien	Bd 87	Zangius
PHALÈSE Pierre Drucker um 1510 ? 1573 Löven	Bd 118	(Rvb)
PHILIPPI Pietro Komp	St 27/18/C/	Satz a tre
PHILIPPUS de MONTE Wtr	Bd 110	Massaino
PIAMOR Komp	Bd 14/15	TrC(ThK: 1526)
PIRET Komp	Bd 14/15	TrC(ThK: 539 542 544 545)
PISK Paul Amadeus Mf (Austin) * 1893 16/5 Wien	Bd 78 94/95 117 119 St 5/35	Gallus(Handl)Messen Parodieverfahren i d Messen von Gallus Tanzsätze
PISTOCCHI Francesco Antonio Komp 1659 Palermo 1726 13/5 Bologna	St 6/5	Oper uO (Wellesz)
PLEYEL Ignaz Komp 1757 1/6 Ruppertal b Wien 1831 14/11 Landgut b Paris	St 10/37 24/106 25/276	Wr Lied(Alberti-R.) u d Marseillaise Streichquartett
POGLIETTI Alessandro de Komp † 1683 bD:27	Bd 27 56 St 4/116	Klavier- Orgelw (Botstiber) Wr Tanzm (Nettl) Lebensgeschichte (Koczirz)
POHL Wilhelm Komp † vor 1807 bD:54	Bd 54 St 5/97	Wr Lied (Schlaffenberg) dass
POLLAK-SCHLAFFENBERG Irene Mf	Bd 54 St 5/97	Wr Lied dass

POL(L)AROLI Komp	St 6/5	Oper uO(Wellesz)
POLMIER Komp	Bd 14/15	TrC(ThK: 1049)
"Il Pomo d'oro", teatrale festeggiamento (Cesti)	Bd 6 9 56	(Adler) Ballettm (Schmelzer)
PONTIO Pietro Komp	St 25/183	Kirchenm(Fellerer)
PORSILE Joseph Giuseppe Komp 1680 Neapel 1750 29/5 Wien	EdM II/1	Lauten-M (Koczirz)
PORTA Costanzo Komp 1504/5 Cremona 1601 26/5 Padua	St 27/18/A,B	Satz a tre
PORTI(E)NARO Francesco Komp ca 1516- nach 1578 bD:77	Bd 77	Kaiserhof-K (Einstein)
Portraits: Albrechtsberger J.G. +)	Bd 33	
Biber H.J.F.	11 97	
Arnold v Bruck	72	(Gedenkmünze)
Caldara A.	26	
Finck H.	72	(Gedenkmünze)
Gallus (Handl) J.	12	
Gaßmann F.L.	42-44	
Haydn M.	29	
Hofhaymer P.	72	(A.Dürer)
Neidhart v Reuenthal	71	
Oswald v.Wolkenstein	18	
Poglietti A.	27	
Rauzzini V.	St 25/417	(J.Hutchinson)
Reutter K.G.	Bd 31	
Schenk E.	St 25	(S.Stoitzner)
Starzer J.	Bd 31	
POSCH Isaac Komp † 1621/2 bD:70 ThV: Bd 70	Bd 70 St 17 53 27/18/[L]	Musikal Tafelfreudt (Geiringer) Satz a tre
Praeludium	Bd 33	Albrechtsberger
PRAETORIUS Michael Komp 1571/2 15/2 Creuzburg a d Werra 1621 15/2 Wolfenbüttel	St 25/183 27/18/[I,L]	Kirchenm (Fellerer) Satz a tre
PRANK Andrea Gottlieb Frh.v. † 1792	St 22/30	Ritter v g Sporn (Luin)
PRINNER Johann Jacob Komp 1624 beschaut 1694 18/3	St 8/45	Wr Tanzkomp (Nettl)

+) s Nachtrag S 395

PRIU(O)LI Giovanni Komp 1575?-1629 bD:77	Bd 77 St 21/3	Kaiserhof-K (Einstein) dass
Il Problema dell'Inferiotá nella musica contemporanea	St 25/88	(Cogni) (it)
PROHASZKA Hermine Mf	St 26/79	L.Hofmann
Psalmodie	St 25/160	(Falvy)
PUGNARE Komp	Bd 14/15	TrC (ThK: 30)
PURCELL Henry Komp 1659 Sommer o Herbst London? 1695 21/11 London	St 22/85	(Wessely-Kropik)
PYLLOIS Jo. Komp bD:14/15	Bd 14/15 22	TrC I (ThK: 153-157 937 996 1008-1010 1015 1016 1022 1o55 1107) TrC II

Q

Quartett: Albrechtsberger J.G. Förster E.A. Haydn M. Pleyel I.	Bd 33 67 29 St 25/276	(Klingenbeck)
QU(A)ESTENBERG Jann Adam Graf Komp Lautenist get 1678 24/2 1752	St 5/49	(Koczirz)
Quintett: Albrechtsberger Förster E.A.	Bd 33 67	

R

RABL Walter Mf 1873 20/11 Wien 1940 14/7 St.Kanzian am Klopeinersee	Bd 10	Choralis Constantinus(Isaac)
RACEK Jan Mf * 1905 1/6 Bučovice (Mähren)	St 25/406	Beethoven u Goethe
RADOLT Wenzel Ludwig Frh.v. Komp Lautenist 1667-1716 bD:50	Bd 50 St 5/49	(Koczirz) dass

RADOLT Clement Edl.v. Komp Lautenist	St 5/49	dass
RALL Johann Nepomuk Claudius Christian v. † 1796	St 22/30	Ritter v g Sporn (Luin)
RAMIRES Hieronymus Komp 1600 27/7 Valencia 1697 Wien (Grab: Minoritenkirche, Westfront)	St 25/5	Österr-Spanien (Anglès)
RAMMER Leopold Musiker † 1730 11/11	St 27/186	Techelmann
Rappresentatione sacra	St 27/18[F]	Satz a tre
RASCHENAU Maria Anna di Komp	St 6/5	Opern u Oratorien in Wien(Wellesz)
Raudnitzer Textbüchersammlung	St 7/143	(Nettl)
RAUZZINI Venanzio Komp 1746 19/12 Camerino 1810 8/4 Bath	St 25/417	Kaiserhymne(Reindl)
RAVEL Maurice Komp 1875 7/3 Ciboure 1937 18/12 Paris	St 25/363	Buchstaben-Motto
REGER Max Komp 1873 19/3 Brand 1916 11/5 Leipzig	St 27/151	Chrom.Harmonik (Zingerle)
REGNART Giacomo Komp um 1540-1599 bD:77	Bd 77 118 (Anh) St 21/3	Kaiserhaus-K (Einstein) Vaet Kaiserhof-K (Einstein)
REIDINGER Friedrich Mf * 1890 17/7 Wien	Bd 92	H.I.F.Biber
REINDL Johannes Mf (Wien)	St 25/417	Kaiserhymne
REINMAR VON ZWETER Minnesänger 13.Jh bD:41	Bd 41	(Rietsch)
REISSIG Christian Ludwig TextA 1783 Kassel † ?	Bd 79	Wr Lied (Kraus)
REMÉNYI Eduard (eig Hofmann) Komp 1830 17/7 Miskolcz 1898 15/5 San Francisco	St 25/520	Ung Lieder u Brahms (Stephenson)

Requiem (Missa pro defunctis):		
Biber H.J.F.	Bd 59	
Gaßmann F.L.	83	
Kerll J.C.	59	
Reutter G.d.J.	88	
Straus Chr.	59	
RESELIUS Andreas Komp	St 27/18/17	Satz a tre
Responsorium	Bd 3	Fux
REUSSNER Esaias Komp Lautenist 1636 29/4 Löwenberg (Schlesien) 1679 1/5 Berlin	St 15/3	(Koletschka)
REUTTER Georg d.Ältere Komp 1656-1738 bD:27	Bd 27 St 27/186	(Botstiber) Techelmann(Knaus)
REUTTER Georg d.Jüngere Komp 1708-1772 bD:27	Bd 31 88	(Horwitz,Riedel) (Hofer)
RHAU(W) Georg Drucker 1488 Eisfeld 1548 6/8 Wittenberg	Bd 72	Gesellschafts- lied (Nowak)
Ricercare: Froberger J.J.	Bd 8 21	
Isaac H.	32	
Techelmann F.M.	115	
RICHTER Ferdinand Tobias Komp 1649-1711 bD:27	Bd 27 St 6/5 8/45 27/186	(Botstiber) Opern uO (Wellesz) Wr Tanzkomp (Nettl) Techelmann (Knaus)
RICHTER Hans Dirigent 1843 4/4 Raab (Ungarn) 1916 5/12 Bayreuth	Bd 1	Vorwort
RIEDEL Karl Mf	Bd 31	Wr Instrumentalm
RIEDINGER Lothar Mf 1888 8/11 Wien 1954 2/10 ds	St 2/212	Dittersdorf als Opernkomponist
RIEGER Erwin Mf (Hagen in West- falen) * 1921 28/5 Wien	St 22/142 22/253 25/434	Brahms-Lied Veröffentl 1945-55 Nicolai-Kiese- wetter-Briefe
RIETSCH Heinrich Mf 1860 22/9 Falkenau a d Eger 1927 12/12 Prag	Bd 1 2 4 41 47 St 4/46	Vorwort Muffat Florile- gium I II Frauenlob Concentus mus(Fux) dass

RI(E)GLER Franz Xaver Komp † 1796	St 5/97	Wr Lied (Pollak-Schl.)
RIGLER Gertrude Mf * 1904 5/3 Wien	St 14/179	Dittersdorfs Kammerm
RINCK Gottlieb Eucharius Biograph	Bd 6	"Il pomo d'oro"
"Il Ritorno d'Ulisse in Patria" Oper (C.Monteverdi)	Bd 57	(Haas)
Ritter vom goldenen Sporn (Mozart)	St 22/30	(Luin)
RITTLER Philipp Jacob Komp	St 8/45	Wr Tanzkomp (Nettl)
ROMANA Komp	St 6/5	Opern uO(Wellesz)
RONCAGLIA Gino Mf (Modena) * 1883 7/5 Modena	St 25/440	Contributi di E.Schenk (it)
Rorate-Messe, Göttweiger (Haydn)	St 24/87	(Schenk)
RORE Cipriano de Komp 1516 Mecheln 1565 Sept/Okt Parma	Bd 108/109(Anh)	Vaet
ROSENMÜLLER Johann Komp 1619 Ölsnitz(Vogtland) 1684 10/9 Wolfenbüttel	St 27/18[L]	Satz a tre
ROSENTHAL August Mf * 1904 16/4 Wien	Bd 69 80 St 14/5 15/46 16/116 17/105 17/77 19/3 21/53	Bernardi Salzbg Kirchenm Vokalformen bei Mozart Bernardis Kirchenwerke Mahler-Pamer, Ein- richtung Salzbg Kirchenm I dass II Sammelhs d Nat-Bibl
Roßballett (Schmelzer)	Bd 6	
ROSSI Camilla Komp	St 6/5	Opern uO (Wellesz)
ROUGE W. de Komp	Bd 14/15	TrC (ThK:1031-1035)
ROULLET Jo. Komp	Bd 14/15	TrC (ThK: 11 43 44- 46 64 73)
ROVIGO Francesco Komp 1531-1597 bD:77	Bd 77 90 St 21/3	Kaiserhof-K(Einstein) Grazer Hofk (Feder- hofer) Kaiserhof-K (Ein- stein)

RUBINI Galgano Komp	St 6/5	Opern uO (Wellesz)
RUBLIS lat f LE ROUGE G	Bd 120	TrC VII
RUDOLF II. Kaiser 1552 18/7 (reg ab 1576) 1612 20/1 Prag	St 6/139	Hofmusik (Smijers)
RUPRECHT Martin Komp um 1758 1800 7/6	Bd 54 St 5/97	Wr Lied (Schlaffen- berg) dass

S

SACCHINI Antonio Komp 1730(4) 14/6 Florenz 1786 7/10 Paris	St 5/97	Wr Lied (Schlaffen- berg)
SACHS Hans Mf 1909 30/6 Wien	Bd 87	Zangius
Sacro-Profanus Concentus musicus (Schmelzer)	Bd 111/112	(Schenk)
SAINT LUC Jacques de Komp Lautenist Ende 17.Jh bD:50	Bd 50 St 5/49	(Koczirz) ders
SALICE W. de Komp	Bd 14/15	TrC (ThK: 1011)
SALIERI Antonio Komp 1750 29/8 Legnano 1825 7/5 Wien	St 10/37 14/160	Wr Lied (Alberti-R.) als Kirchenmusiker (Nützlader)
Salve Regina: G.Reutter d.J. Vaet	Bd 88 116	
Salzburger Kirchenkomponi- sten (Biber, Biechteler, Eberlin, Adlgasser)	Bd 80 St 17/77 19/3	(Rosenthal, Schneider) Stilistik (Rosen- thal) I II
SALZER Felix Mf 1904 13/6 Wien	St 15/86	Sonatenform bei Schubert
SAMMARTINI Giovanni Battista Komp 1698 (1704) Mailand 1774(5) 15/1 ds	St 25/15	Beiträge zur Biogra- phie (Barblan) (it)
SANCES Felice Komp um 1600 Rom 1679 24/11 Wien	St 6/5	Opern uo (Wellesz)

	Sta	Sig
S(T)ANDLEY Komp	Bd 14/15	TrC(ThK:1545)
SARTO Joh. 15.Jh bD:14/15	Bd 14/15	TrC I
SARTO Presbyter Johannes de Komp	Bd 14/15	TrC(ThK:1528,1529)
SARTORI Claudio Mf (Milano) * 1913 1/4 Brescia	St 25/446	Briefe (it)
SARTORIUS Komp ? Antonio 1620-1681	St 19/3	Salzbg Kirchenm (Rosenthal)
Satz a tre (16.-17.Jh)	St 27/18	(Tomek)
SAYVE Lamberto Komp 1549-1614 bD:77	Bd 77	Kaiserhof-K (Einstein)
	90	Grazer Hofk (Federhofer)
	St 21/3	Kaiserhof-K (Einstein)
SBARRA Francesco Hofpoet 1628? -	Bd 6 9	"Il pomo d'oro"
+)SEEL Paulus, Portraitist	Bd 11	Biber H.F.
SEIDEL Ferdinand Komp Lautenist	EdM II/1	(Koczirz)
SEIFFERT Max Mf 1868 9/2 Beeskov a d Spree 1948 13/4 Schleswig	Bd 17	Pachelbel
SELNECCER Nicolaus Dichter	Bd 12	Gallus(Handl)
SENN Walter Mf * 1904 11/1 Innsbruck	Bd 86	Tiroler Instrumentalm
	St 16/86	Beethoven
Sequenz (Gaßmann)	Bd 83	(Kosch)
Serenata (-de): Fux J.J.	Bd 47	(Rietsch)
Dittersdorf C.	81	(Luithlen)
Schmelzer J.H.	56	(Schmelzer)
SEYVE Erasmus Komp	St 21/3	Kaiserhof-K(Einstein)
SIES Johann Komp bD:72	Bd 72	Gesellschaftslied (Nowak)
"Sigismundus",Schuldrama (Eberlin)	Bd 55 (Anh)	(Haas)

+)Scenenbilder s S 395

SIMPSON Thomas Komp 16.-17.Jh	St	27/18[L]	Satz a tre
Sinfonia (Symphonie):			
Albrechtsberger J.G.	Bd	33	
Dittersdorf C.		81	
Fux J.J.		47	
Haindl F.S.		86	
Haydn M.		29	
Madlseder N.		86	
Monn G.M.		31 39	
Wagenseil G.Ch.		31	
Sylva J.E.		86	
Singspiel: "Der Dorfbarbier" (Schenk)	Bd	66	
"Die Bergknappen" (Umlauf)		36	
Süßmayr F.X.	St	18/66	
SMIJERS Albert Antonius Mf 1888 19/7 Raamsdonksveer 1957 15/5 Huis ter Heide b Utrecht	St	6/139 7/102 8/176 9/43	Hofmusik I II III IV
SMITS VAN WAESBERGHE Joseph Mf Amsterdam * 1901 18/4 Breda	St	25/496	"Nun siet uns willekommen"
SOMMER Johann Komp 16.Jh	St	27/18[L]	Satz a tre
SOMMER Nicolo Komp	St	27/18[L]	dass
Sonata(e):			
Beethoven L.v.	St	16/86	(Senn)
Biber H.J.F.	Bd	25 92 96 97 106/107	
Brahms J.	St	14/265	(Urbantschitsch)
Fux J.J.	Bd	85	
Kohaut C.	EdM	II/1	
Monn G.M.	Bd	31	
Muffat Georg		89	
Schmelzer J.H.	Bd	93 105 111/112	
	St	26/67	(Flotzinger)
	St	15/86	(Salzer)
SORBI Komp	Bd	14/15	TrC (ThK:977)
SORBI-ANGLIKANUS Komp	Bd	14/15 61	TrC (ThK:1486) TrC V

SPAETH André Komp 1792 9/10 Rossach/Coburg 1876 26/4 Gotha	St 13/57	Walzer(Mendelssohn)
SPEER Daniel Komp 1636 2/7 Breslau 1705 5/10 Göppingen	St 27/18[K]	Satz a tre
SPIEGLER Komp 17.Jh.	St 19/3	Salzbg Kirchenm (Rosenthal)
SPIERINCK Komp	Bd 14/15	TrC (ThK: 25)
SÜSSMAYR Franz Xaver Komp 1766 Schwanenstadt (N.Ö) 1803 16/9 Wien	St 18/66	als Opernkomp (Lehner)
Suite: (s a Partia) Bach J.S.	St 25/193	(Floros)
Froberger J.J.	Bd 13 21	
Fux J.J.	85	
Poglietti A.	27	
Richter T.	27	
Techelmann	115	
SURIANO Francesco Komp 1549 Soriano 1621 Jänner Rom	St 25/183	Kirchenm(Fellerer)
SUSATO C. Drucker ? Köln nach 1561 Antwerpen	Bd 116	(Rvb)
SYLVA Joh.Elias de Komp 1716-1798 bD:86	Bd 86	Tiroler Instrumentalm (Senn)
SZABOLCSI Bence Mf (Budapest) * 1899 2/8 Budapest	St 25/532	Melodiegeschichte

Sch

SCHAAL Richard Mf * 1922 3/12 Dortmund	St 26/194	Biogr Quellen
SCHATZ Josef Hg (Text) 1871 3/3 Imst 1950 23/3 Innsbruck	Bd 18	Oswald v.Wolkenstein
SCHEGAR Franz (ps f Franz Mayer) Mf * 1886 20/3 Wien	Bd 38	TrC III

SCHEIDT Samuel Komp	St 27/18[I,L]	Satz a tre
get 1587 4/11 Halle a d Saale		
1654 24/3 ds		
SCHEIN Johann Hermann Komp	St 27/18[L]	dass
1586 20/1 Grünhain b Annaberg (Sachsen)		
1630 19/11 Leipzig		
SCHENK Erich Mf	Bd 85	Fux
* 1902 5/5 Salzburg	89	Muffat Georg
Bibliographie St 25/XIII	91	Caldara Vorwort
	96 97	Biber H.J.F.
	93 105 111/112	Schmelzer
	106 107	Biber H.J.F.
	120	TrC VI Vorbemerkung
	St 22/1	Mozart in Mantua
	22/253	Veröffentl
	23/1	DTÖ 1938-1956
	23/184	Veröffentl
	24/87	Rorate-Messe(Haydn)
	24/185	Veröffentl
	25	Festschrift zum 60. Geburtstag
	25/440	Anteil an It Musik
	25/558	Il "Bononcini"
	26/5	DTÖ 70jährig
	26/25	Modenesische Instrumentalm
	26/220	Veröffentl
	27/5	In Memoriam J.Marx
	27/241	Veröffentl
SCHENK Johann Baptist Komp	Bd 66	"Der Dorfbarbier"
1753-1836 bD:66	St 11/75	Autobiograph Skizze
SCHERFFENBERG Maximilian Ernst Reichsgraf v. Wtr	Bd 23	Muffat Gg
SCHIENERL Alfred Mf	St 15/62	G.Bonno
SCHIKANEDER Emanuel TextA	St 18/66	Süßmayr(Lehner)
1751 1/9 Straubing		
1812 21/9 Wien		
SCHILLER Friedrich v.	Bd 79	Wr Lied (Kraus)
1759 10/11 Marbach		
1805 9/5 Weimar		
SCHLAFFENBERG Irene Mf	Bd 54	Wr Lied 1779-1791
	St 5/97	dass
SCHLÖGER Matthias Komp	Bd 31	Wr Instrumentalm vor u um 1750

Schlüsselkombinationen (15.u.16.Jh)	St 11/59	(Ehrmann)
SCHMELZER Andreas Anton 1653 26/11 Wien 1701 13/10 ds	St 8/45	Wr Tanzk (Nettl)
SCHMEL(T)ZER Johann Heinrich Komp um 1623-1680 bD:49	Bd 6	Ballettmusiken
	49	Messen (Adler)
	56	Wr Tanzm(Nettl)
	93	Violin-Sonaten (Schenk)
	105	12 Selectarum Sonatarum (Schenk)
	111/112	Sacro-Prof Concentus Musicus (Schenk)
	St 6/5	Opern uO(Wellesz)
	8/45	Wr Tanzk(Nettl)
	26/47	Lebensgesch (Koczirz)
	26/67	"Lanterly"-Sonate (Flotzinger)
	27/18/L/	Satz a tre
SCHMIDT Anton W. Mf * 1892 20/7 Prag	Bd 16	Hammerschmidt
SCHMIDT-GÖRG Joseph Mf (Bonn) * 1897 19/3 Rüdinghausen(Westfalen)	St 25/453	Wr Opern 1815/16
SCHMIEDER Wolfgang Mf * 1901 19/1 Bromberg	Bd 71	Neidhart v.R.
	St 17/3	ders
SCHMIERER Johann Abraham Komp 17./18.Jh	St 27/18/L/	Satz a tre
SCHNEIDER Constantin Mf 1889 22/9 Braunau 1945 25/12 Mödling Veröffentl:Bd 91	Bd 80	Salzbg Kirchenk
	91	"Dafne"(Caldara)
	St 18/36	Adlgasser
SCHNÜRL Karl Mf * 1924 19/11 Wördern	Bd 84	Lauten-M
	St 23/11	Variationstechnik (Palestrina)
	25/463	"Schöpfung"(Haydn)
	27/241	Veröffentl
SCHOENBAUM Camillo Mf (Gragøn) * 1925 13/6 Hohenems	Bd 101/102	Geistl Solo-Motetten
	St 25/475	Böhm Musiker in der Wr Musikgeschichte

SCHRATTENBACH Harfenist lebt um 1785 in Wien	St 5/97	Wr Lied (Pollak-Schl.)
SCHUBERT Franz Komp 1797 31/1 Liechtental b Wien 1828 19/11 Wien	St 13/57 15/86 25/307	Walzer(Mendelssohn) Sonatenform(Salzer) Arie e ariette (Levi) (it)
SCHÜTZ Heinrich Komp 1585 14/10 Köstritz b Gera 1672 6/11 Dresden	St 27/18[H,J]	Satz a tre
SCHUI(Y)JT Cornelius Komp um 1600	St 27/18[A]	Satz a tre
Schuldramen: Adlgasser Eberlin	St 18/36 8/9	(Schneider) (Haas)
SCHULLER Martin Komp	St 13/57	Walzer(Mendelssohn)
SCHULTZ Johannes Komp ? begr 1653 6/2 Dannenberg	St 27/18[L]	Satz a tre
SCHULMANN Robert Komp 1810 8/6 Zwickau 1856 29/7 Endenich b Bonn	St 25/39	Wr Bekanntenkreis
SCHWARZENAU Baron s STORZENAU		
Schwedische Musiknotizen, Alt-	St 25/369	(Moberg)

St

Staatsmotetten	Bd 76	TrC VI
Stabat mater: Caldara Draghi Gaßmann	Bd 26 46 83	(Mandyczewski) (Adler) (Kosch)
STADEN Johannes Komp 1581 Nürnberg begr 1634 15/11 ds	St 27/18[L]	Satz a tre
STADLMAYR Georg Komp	St 19/3	Salzbg Kirchenm (Rosenthal)
STADLMAYR Johann 1560-1648 bD:5	Bd 5	Hymnen (Habert)

STÄBLEIN Bruno Mf (Erlangen) * 1895 5/5 München	St 25/504	Tropus "Dies sanctificatus"
STAMITZ Johann Komp 1717 19/6 Deutsch-Brod 1757 27/3 Mannheim	St 14/179	Dittersdorf(Rigler)
STANDLEY	Bd 14/15	TrC (ThK:436-440)
STARZER Josef Komp 1726-1787 bD:31	Bd 31 St 13/38	Wr Instrumentalm (Horwitz,Riedel) Ballettkomp(Braun)
STEFFAN Josef Anton Komp 1726-1797 bD:54	Bd 54 St 5/97(mbg)	Wr Lied (Schlaffenberg)
STEFFANI Agostino Komp 1654 25/7 Castelfranco-Veneto 1728 12/2 Frankfurt a M	St 6/5	Opern uO(Wellesz)
STEFFENS Johann Komp	St 27/18[H,L]	Satz a tre
STEGLICH Rudolf Mf (Erlangen) * 1886 18/2 Rats-Damnitz	St 25/516	Zweierlei Wissenschaft...
STEGMAYER Matthäus Komp TextA 1771 29/4 Wien 1820 10/5 ds	St 18/66	Süßmayr(Lehner)
Stegreifkomödie, Wiener deutsche	St 12/3	(Haas)
<u>STEINHARDT Milton</u> Mf	Bd 98 100 103/104 108/109 113/114 116 118	Vaet I-VII
STEPHAN Josef Anton Komp 1726 14/3 Kopidlno 1797 12/4 Wien	St 5/97	Wr Lied(Schlaffenberg)
STEPHANI Drucker	Bd 118	(Rvb)
STEPHANIE Gottlieb d.J. TextA 1741 19/2 Breslau 1800 23/1 Wien	St 18/66	Süßmayr(Lehner)
STEPHENSON Kurt Mf (Bonn) * 1899 30/8 Hamburg	St 25/520	Brahms u Reményis ungarische Lieder
Stil- eigentümlichkeiten des jungen Beethoven	St 4/58	(Gál)
Der "galante Stil" 18.Jh	St 25/252	(Hoffmann-Erbrecht)
Wiener klassischer Stil	St 3/24	(Fischer)
Salzburger Kirchenmusikstil	St 17/77	(Rosenthal)

STIVORIO (-RI) Francesco Komp Mitte 16.Jh	St 21/3	Kaiserhof-K(Einstein)
STOITZNER Siegfried Porträtist * 1884 14/2 Wien	St 25	E.Schenk
STOLTZER Thomas Komp 1480?-1526 bD:72	Bd 72 28	Gesellschaftslied (Nowak) "Christ ist erstanden" in Bd 72 fälschlich für Stoltzer
STORZENAU Baron Komp (Schwarzenau?)	St 8/45	Wr Tanzkomp(Nettl)
STRAUS(S) Christophorus Komp 1580-1631 bD:59	Bd 59	Missa pro defunctis
STRAUSS Johann Vater Komp 1804-1849 bD:68 WV: Lit 1954, 1956; Bd 63 Lit 1898	Bd 68 St 13/57	(Gál) Walzer(Mendelssohn)
STRAUSS Johann Sohn Komp 1825-1899 bD:63 WV: Lit 1898, 1956	Bd 63 St 13/57	(Gál) Walzer(Mendelssohn)
STRAUSS Josef Komp 1827-1870 bD:74 WV: Lit 1967; Bd 63 Lit 1898	Bd 74	(Botstiber)
Streichquartett: Förster Pleyel	Bd 67 St 25/276	(Weigl) (Klingenbeck)
STRUNGK Nicolaus Adam Komp 1640 15/11 Braunschweig 1700 23/9 Dresden	Bd 27	Wr Klavier- u Orgelw (Botstiber)
STUBENVOLL Komp lebt um 1790 in Wien	St 5/47	Wr Lied(Pollak-Schl.)
Studien zur Geschichte der Wiener Oper	St 1/1	(Wellesz)

T

T. (= Tyling?)	Bd 14/15	TrC (ThK: 160 161)
Tabulaturen: Finck, Grefinger, Hofhaymer, Lapicida, Mahu, Peschinm, Stoltzer	Bd 72 (Anh)	(Nowak)
Gallus(Handl)	78 119	(Pisk)

TALAFANGI Andreas (Meister A.?)	Bd 14/15	TrC ThK: 760
TALLARD Camille Graf d'Hostun Komp Lautenist 1652 Dauphiné 1728 Bregenz	Bd 50 (Anh)	(Koczirz)
Tänze, Neun a d Linzer Orgel- codex	Bd 70 (Anh)	(Koczirz)
Tanzmusik s Wiener T		
<u>Tanzsätze:</u> Air	Bd 2 4 7	Muffat
Allemanda(e)	92 96	Biber
	85	Fux
	EdM II/1	Ginter
	Bd 2 7 89	Muffat Gg
Amener(-ir)	92 96	Biber
Borea	89	Muffat Gg
Bourrée	EdM II/1	Ginter
	Bd 2 4 7	Muffat Gg
Canario(-ies)	92 96	Biber
	2 4	Muffat Gg
Chaconne	EdM II/1	Logi
	Bd 2	Muffat Gg
Contredanse	4	ders
Courante	96	Biber
	85	Fux
	EdM II/1	Ginter
	Bd 4 89	Muffat Gg
	115	Techelmann
	EdM II/1	Weichenberger
Echo	Bd 2	Muffat Gg
Escheggiata	Bd 85	Fux
Final	7	ders
Gagliarda(Gaillarda)	96	Biber
	4	Muffat Gg
Gavotte	96	Biber
	85	Fux
	2 4 89	Muffat Gg
Giga (-ue)	92 96	Biber
	85	Fux
	EdM II/1	Ginter
	Bd 84	Josy v.Losinthal
	2 4 7 89	Muffat Gg
	115	Techelmann
Hornpipe	7	Muffat
Menuett	85	Fux
	EdM II/1	Gaisruck
		Ginter
	Bd 29	Haydn M.
	84	Josy v.L.
	EdM II/1	Kohaut
		Logi Graf

(Tanzsätze:)			
(Menuett)	Bd	2 4 7 89	Muffat Gg
	EdM	II/1	Seidel
			Zechner
Passacaglia	Bd	92	Biber
		4	Muffat Gg
Passepied		85	Fux
Policinello		92	Biber
Retirada		96	ders
Rigaudon		85	Fux
		4 7	Muffat Gg
Rondeau		2 4 89	ders
Sarabande		90 96	Biber
		85	Fux
	EdM	II/1	Ginter
	Bd	84	Josy v.L.
	EdM	II/1	Logi Graf
	Bd	2 4 7 89	Muffat Gg
		115	Techelmann
Traquenard		4	Muffat Gg
Trezza		92 96	Biber
Tanzsätze, melodische Struktur im Spätbarock	St	25/397	(Pisk)
TAPPOLET Willy Mf (Genf) + 1890 6/8 Lindau b Zürich	St	25/539	Georges Becker
TASSO Torquato Dichter 1544 13/3 Sorrento 1595 25/4 Rom	Bd	77	Kaiserhof-K
Tasteninstrumente (Cembalo, Klavier, Orgel) Komp			
Anonym	Bd	56	
Albrechtsberger J.G.		33	
Berhandizki R.		50	
Biber H.J.F.		50 96 97	
Finck H.		72	
Froberger J.J.		8 13 21	
Fux J.J.		17 85	
Grefinger W.		72	
Hofhaymer P.		72	
Holtzer Th.		72	
Isaac H.		32	
Lapicida E.		72	
Mahu St.		72	
Muffat Gg		50 89	
Muffat Gb		7 58	
Pachelbel J.		17	
Peschin		72	
Peuerl P.		70	
Poglietti A.		27	
Posch I.		70	

(Tasteninstrumente)
Reutter Georg d.Ä. Bd 27
Richter F.T. 27
Schmelzer J.H. 105
Tallard Graf 50
Techelmann F.M. 115
Vaet 98

TAUCHMANN Johann Friedrich Komp — St 8/45 — Wr Tanzkomp(Nettl)

TECHELMANN Franz Matthias Komp — Bd 115 — (Knaus)
1649-1714 bD:115 — St 27/186 — ders

Te Deum — Bd 26 — Caldara (Mandyczewski)

TERAMO Zacharia de Komp — Bd 14/15 — TrC (ThK: 149)
61 — TrC V
St 11/3 — (Ficker)

TERENZIO Vincenzo Mf (Cerignola) — St 25/545 — Palestrina
* 1914 1/2 Foggio

TESSARINI Carlo Komp — St 25/115 — (Dunning) (engl)
1690 Rimini
um 1762(5)

Textbüchersammlung s Raudnitzer

Textbearbeiter (-revisoren)
s. Herausgeber

TEYBER Anton Komp — Bd 79 — Wr Lied (Kraus)
1754-1822 bD:79 — St 10/37 — (Alberti-R.)

THADDEO P. — St 25/183 — Kirchenm(Fellerer)

Thematische Kataloge s Werkverzeichnis

TIBY Ottavio Mf (Palermo) — St 26/187 — R.Wagner
1891 19/5 Palermo
1955 4/12 ds

Tiroler Instrumentalmusik (Falke - Sylva - Haindl - Madlseder - Paluselli) — Bd 86 — (Senn)

Toccata: Froberger J.J. — Bd 71 — (Schmieder)
Muffat Gottlieb — 58 — (Adler)
Techelmann F.M. — 115 — (Knaus)

TOL(L)AR J.B. Komp — St 8/45 — Wr Tanzkomp(Nettl)
2.H 17.Jh

"Tombeaux" musicaux	St 25/56	(Borren)
TOMEK Otto Mf (Wien) * 1928 10/2 Wien	St 27/18	Satz a tre
Tonartencharakteristik (Brahms)	St 22/142	(Rieger)
TORELLI Guasparo Komp 2.H 17.Jh	St 27/18/D7	Satz a tre
TOSI Pier Francesco Komp gegen 1645 Ceseno 1732 nach April? Faenza	St 6/5	Opern uO (Wellesz)
TOUROND(T) (TORONT) Jos.Komp	Bd 14/15 52	TrC I (Thk: 426 463 531-535 682-686 1298) TrC IV
Tractus	Bd 3	Fux
TRAEG Johann Musik-Vg (1794-1818) 1747 "Gogsheim im Reich" 1805 5/9 Wien	St 23/135 26/213	(Weinmann)
TRAUGOTT Johann Reichsgraf, Herr zu Kueffstein Wtr (Bruder des Liebgott)	Bd 4	Muffat Gg
"TRECCONI Giovanni" Institut in Rom	St 16/3	(Adler)
TRESSORIER Komp	Bd 14/15	TrC(ThK: 1065)
Trienter Codices ThK, Index der Textanfänge u der Komponisten der Cod.87-92 (Nr.1-1585) in Bd 14/15; ThK des Cod.93 (Nr.1586-1864) in Bd 61	Bd 14/15 22 38 53 61 76 120	Auswahl I II (Adler,Koller) III(Koller,Loew, Luntz,Schegar) IV (Ficker,Orel V VI (Ficker) VII (Flotzinger)

<u>Komponisten der TrCs:</u>

Alanus J. (niThK)
Andreas,Magister
Anglia de
Anglicanus
Anthony Christophorus
Arimino Ludbicus de
Atrio Hermannus de
Bassere Jo.
Battre H.
Bedingham
Benet
Benigni
Binchois G.
Bloym
Bod(o)vil
Bourgois
Brasart Johannes
Brugis Georgis A.
Broullis B.
Busnois A.

(Trienter Cod.,Komponisten:)

Caron Ph.
Caccus
Ciconia J.
Collis Heinr.
Compère Loyset
Constans
Cornago frater J.
Cousin Jean
Domarto P.de
Driffelde
Dufay G.
Dunstable J.
Dupont G.
Escafer J., dit.Cousin
Faugues (Fagus)
Forest
Frey Wal.
Frye Walter
G.
Gaius Jo.
Grenon
Grossin
Frossim de Parisins
Guillaume le Rouge; (niThK)
Hert-Okeghem; nicht im ThK
Heyne
Insula Simon d2
Isaac Heinr.
Joye
Krafft Ludovicus
Lantinis Hugo de
Le Grant G.
Le Grant Jo.
Leonel (Dunstable)
Le Rouge G. gen de Rublis
Liberti, Liberti, Liebert
Loqueville
Ludo Jo. de
Lymburgia Jo de
Maghuets; (niThK)
Maior Jos.
Markhan Ricardus
Martini Joh.
Merques
Merques C.de
Merques N.de
Okeghem
Piamor
Piret
Polmier
Pugnare
Pyllois Jo.
Rouge W.de
Roullet Jo.
Salice W.de
Sandley (Standley?)
Sarto Joh.
Sorbi (-Anglicanus)
Spierinck
Standley
T. (Tyling?)
Talafangi
Teramo Zacharias de
Touront Jo.(Toront)
Tressorier
Tyling
Velut Ed. (niThK)
Velut Egidius
Verben Johannes
Vide Jac. (niThK)
Vide Jo.
Vincenet

Trio (Daube)	Bd 84	Lauten-M (Schnürl)
TROMBONCINO Bartolomeo Komp * 2.H 15.Jh † nach 1535	St 25/205	(Gallico)
Trompetenmusik(Schmelzer)	Bd 6	
Tropus "Dies Sanctificatus" zum Alleluia "D.s."	St 25/504	(Stäblein)
TSCHULIK Norbert Mf * 1937 13/1 Wien	St 25/551	M.v.Menzingen

TYLING Komp	Bd 14/15	TrC (ThK: 160 161)
TYSOWSKY Georg Mf	Bd 120	TrC VII (Materialien)

U

UCCELINI Marco Komp um 1603 Forlimpopoli 1608 10/9 ds	St 26/25	Neudrucke(Schenk)
Übersetzer:		
GÜNTHER Alfred	Bd 82	"L'Innocenza giustificata" (Gluck)
HILLER Johann Adam	Bd 42-44	"La Contessina" (Gaßmann)
UMLAUF Ignaz Komp 1746-1796 bD:36	Bd 36	"Die Bergknappen" (Haas)
/Umlauf Michael Kpm 1781-1842 bD:36 Umlauf Carl Ignaz Franz Zithervirtuose 1824-1902 bD:36/		

V

VAET Jacobus Komp 1529-1567 bD:98 WV: 98 Lit 1951	Bd 98 100 103/104 108/109 113/114 116 118	Motetten Messen Salve Regina Magnificat Hymnen
VALABREGA Cesare Mf * 1898 27/12 Novara	St 25/558	"Bononcini" di Schenk
VANHALL s. WANHALL		
Variationenform(Brahms)	St 14/286	(Luithlen)
Variationstechnik(Palestrina)	St 23/11	(Schnürl)

VAUTOR Thomas Komp ?1590 Leicestershire ?	St 27/18[G]	Satz a tre
VECCHI Orazio Komp get 1550 6/12 Modena 1605 19/2 ds	St 27/18[C,D,E]	Satz a tre
VELUT Eg.(-idius) Komp	Bd 14/15	TrC I (ThK:33)
VERBEN Johannes Komp	Bd 14/15 76	TrC (ThK:150) TrC VI
Vergleichende Musikwissen-schaft,Aufgaben,Möglich-keiten	St 25/231	(Graf)
Verhältnis von Musik und Poesie	St 25/574	(Wellek)
Verlagsverzeichnisse: Kunst-und Industrie-Comptoir Johann Traeg	St 22/217 23/135 26/213	(Weinmann) ders
"Der verlorene Sohn" Arie a d Oratorium (Eberlin)	Bd 55(Anh)	
"Die vermeinte Bruder- und Schwesterliebe" (Leopold I.)	St 27/586	(Wessely)
Veröffentlichungen ad mw Institut d Universität Wien:	St 22/253 23/184 24/185 26/220 27/241	1945-55 1955-56 1956-60 u Nachträge 1961-64
Versetl (Muffat Gb)	Bd 58	(Schenk)
"Der verurteilte Jesus" Arie a d Oratorium (Eberlin)	Bd 55 (Anh)	
Verzierungen ("Segni delle Maniere") Erläuterungen	Bd 11 21 4 7 58 27	Biber H.J.F. Froberger Muffat Georg Gottlieb Poglietto,Reutter, Richter
VETTER Walther Mf (Berlin) * 1891 10/5 Berlin	St 25/561	It Oper Stilprobleme

VIDAKOVIĆ Albe Mf (Zagreb) * 1914 2/10 Subotica	St 24/5	Scrittura neumatica (it)
VIDE Jac. Jo.	Bd 22 Bd 14/15	TrC II TrC (ThK: 1565)
VIEUXTEMPS Henri Komp 1820 17/2 Verviers 1881 6/6 Mustapha b Algier	St 25/389	Brief(Mueller v.A.)
Villanelle	Bd 90	Bianco
VILLETO Komp	Bd 61	TrC (ThK: 1845)
VINCENET Komp	Bd 14/15	TrC (ThK: 1193-1197 1299-1302)
Violine-Sonaten	Bd 11 25 93	Biber H.J.F. Schmelzer
Violinkonzert in der Wr. klassischen Schule	St 14/125	(Neurath)
Violoncello-Konzert	Bd 39	Monn M.G.
VISCONTI Gasparo Violinist 1863 10/1 Cremona ?	St 25/378	(Monterosso)
VISMARRI Komp	St 6/5	Opern uO (Wellesz)
VITALI Giovanni Battista Komp um 1644 Cremona 1692 12/10 Modena	St 26/25	Neudrucke(Schenk)
VITRY Philippe de 1291-1361 bD:76	Bd 76	TrC VI (niThK)
VOGLER Georg Joseph (Abbé) 1749 15/6 Würzburg-Pleichbach 1814 6/5 Darmstadt	St 22/30	Ritter v g Sporn (Luin)

<u>Vokalstimmen,</u> Komp für ein- und mehrere (s a Wr. Liedmusik):

Alexander	Bd 41	
Arnold v.Bruck	72	
Bianco P.A.	75	
Caldara	75	EdM II/1
Conti F.	101/102	
Eberlin J.E.	55	
Ferrabosco M.	75	
Finck H.	72	

(Vorlagen,Standorte:)

Bologna: Bibl di Liceo Musicale	Bd 14/15 26 28
Bibl Universitá	14/15
Breslau: Stadtbibl	12 73 81
Brno: Hudebni Archiv Morawsky	84
Brüssel: Kgl Bibl	32 EdM
Bibl d kgl Konservatoriums	42-44 67
Cambray: o Angabe	14/15
Cambridge: University	14/15
Cortona: Bibl comunale	28
Darmstadt: Hofbibl	28
Hessische Landesbibl	67
o Angabe	60
Dijon: Stadtbibl	14/15 32
Dresden: Kgl Musikbibl	3 8 12 16 26
Kgl Privatsammlung	19
Sächsische Landesbibl	75 81
o Angabe	60
Eisenstadt: Fürst Esterházy'sche Bibl	33
Florenz: Bibl Nazionale	14/15 28 32
Instituto Musicale	28
Bibl Riccardiana	14/15
Frankfurt: Stadtbibl	71
Gmunden: Archiv d Ges der Musikfreunde	5
Göttingen: Universitätsbibl	70
Niedersächische Staats- u Universitätsbibl	87
Göttweig: Stiftsbibl OSB	3 84 EdM
Graz: Privatbesitz: Hofrat Dr. Ferdinand Bischoff	27
Greifswald: Universitätsbibl	28
Grimma: Landesschule	73
Haag: Bibl Scheurler	8
Hamburg: Staats- u Universitätsbibl	70
Stadtbibl	21 28
Heilbronn: Gymnasialbibl	28 32
Heiligenkreuz: Stiftsbibl SO Cist	62 88
Innsbruck: Universitätsbibl	18
Museum Ferdinandeum	18 86
Jena: Universitätsbibl	28

Vor -

(Vorlagen, Standorte:)

Klosterneuburg: Stiftsarchiv OESA	Bd 83 84
Köln: Stadtbibl	73
Königsberg: Universitätsbibl	54
Kolmar:	71 (jetzt München)
Kopenhagen: o Angabe	28
Kremsier: St.Mauriz-Archiv	11 27 56
Kremsmünster: Stiftsbibl OSB	5 31 46 49 59 67
Krumau: Fürstl Schwarzenberg-sches Zentralarchiv	42-44
Laibach: Lyceum-Bibl	73
Lambach: Stiftsbibl OSB	1
Leipzig: Stadtbibl	8 28 73
Universitätsbibl	28 56 72
Liegnitz: Bibl Rudolfina	70 73
Ritterakademie	12
o Angabe	28
Löbau: Ratsbibl	16
London: British Museum	17 32 44a 73 81
o Angabe	28
Marburg: Westdeutsche Bibl	84
Privatbesitz Prof.Richard Wagner	47
Melk: Stiftsbibl (OSB)	81 83
Michelbeuren: Klosterbibl OSB	29
Modena: Bibl Estense	14/15
München: Kgl Hof- u Staatsbibl	10 12 14/15 25 28 54 59 /62 71/
Bayrische Staatsbibl	72 73 89
Universitätsbibl	28 72
o Angabe	60
Nürnberg: Germanisches Seminar	28
Oxford: Bibl Bodleiana	14/15
Paris: Bibl Nationale	8 14/15 32
Bibl du Conservatoire	13
Pavia: Bibl Universitaria	14/15
Perugia: Bibl Comunale	14/15 28
Raigern (in Mähren): Stiftsbibl OSB	50
Raudnitz: Bibl d Fürsten Moritz v.Lobkowitz	2 4
Bibl d Fürsten Ferdinand Zdenko v.Lobkowitz	23
Fürst Lobkowitz'sches Familienarchiv	50

(Vorlagen, Standorte:)

(Vorlagen, Standorte:)

Wiesbaden: Landesbibl	Bd 16	
Wolfenbüttel: Herzogliche Bibl	42-44	
Herzog August Bibl	87	
o Angabe	28	
Zwickau: Ratsschulbibl	12 28 72 73	

Vorlesungen, Mw an den österr. Universitäten	St 23/189	1954-56
	24/196	1956-60
	26/227	1961-64
	27/251	1964-66

W

WAGENSEIL Georg Christoph Komp 1715-1777 bd: 31	Bd 31	(Horwitz, Riedel)
WAGNER Richard Komp 1813 22/5 Leipzig 1883 13/2 Venedig	St 26/187	(Tiby)
WALDNER Franz Mf 1843 21/10 Gratsch-Meran 1917 9/11 Innsbruck	St 4/128	Inventarien
WALLRANT et LAET Drucker	Bd 118	(Rvb)
Walther von der Vogelweide Minnesänger	Bd 41	(Rietsch)
Walzer: Lanner J	Bd 65	(Orel)
Strauß Joh.Sohn	63	(Gál)
Vater	68	(Gál)
Josef	74	(Botstiber)
Entwicklung	St 13/57	(Mendelssohn)
W(V)ANHALL Johann Baptist Komp 1739 12/5 Nechanice(Böhmen) 1813 26/8 Wien	St 10/37	Wr Lied (Alberti-R.)
Warschau-Wien, Beziehungen	St 25/174	(Feicht)
WEBER Carl Maria v. Komp 1786 18/11 Eutin (Holstein) 1826 5/6 London	St 13/57	Walzer(Mendelssohn)
WEBERN Anton v. Mf 1883 3/12 Wien 1945 15/9 Mittersill	Bd 32	Isaac

WECKBECKER Wilhelm Baron   Bd 1   Vorwort

WEELKES Thomas Komp   St 27/18/G7   Satz a tre
1575
1623 30/11 London

WEICHENBERGER Johann Georg Komp   Bd 50   (Koczirz)
   Lautenist 1677-1740 bD:50   84   (Schnürl)
                         EdM II/1   (Koczirz)
                         St 5/49   ders

WEIDMANN Paul TextA   Bd 36   "Die Bergknappen"
1744 10/9 Wien
1810   ds

WEIGL Karl Mf   Bd 67   Förster
1881 6/2 Wien
1949 11/8 New York

WEINMANN Alexander Mf   St 22/217   Kunst- u Industrie-
 * 1901 20/2 Wien   Comptoir
                         23/135   Traeg
                         26/213   (Nachtrag)

WEISSENBÄCK Andreas Mf SOA   St 14/143   Albrechtsberger
1880 26/11 St.Lorenzen(Wechsel)
1960   Klosterneuburg

WEIWANOWSKY Paul Joseph Komp   St 8/45   Wr Tanzkomp(Nettl)

WELLEK Albert Mf   St 25/574   Verhältnis Musik-
 * 1904 16/1o Wien   Poesie

WELLESZ Egon Mf   Bd 35/35   "Costanza e For-
 * 1885 21/1o Wien   tezza"
                        St 1/1   Cavalli
                         6/5   Opern uO

Weltliche Gesänge (Zangius)   Bd 87   (Sachs)

Weltspiegel 1613 (Peuerl)   Bd 70   (Geiringer)

Werkverzeichnisse (Thematische
  Kataloge u ähnliche Zusammenstellungen) in Bd oder St:

        Becker G. WV   St 25/539   (Tappolet)
        Berhanditzky R. WV   27/200   (Flotzinger)
        Biber H.Fr. WV   24/61   (Nettl)
        Dittersdorf C. Opern-WV   2/212   (Riedinger)
        Draghi A.WV   1/142   (Neuhaus)
        Förster E.A. WV der   13/3   (Weigl)
          Kammermusik
        Fux J.H. ThV   47   (Rietsch)

(Werkverzeichnisse:)			
Gallus(Handl) J.	Bd	24	(Bezecny,Mantuani)
Gluck Ch.W WV (Ergänzung zu Wotquenne)	St	13/3	(Holzer)
Haydn M. Instrumentalw ThV Kirchenw ThV	Bd	29	(Perger)
Hofmann L. ThV d Messen	St	26/79	(Prohászka)
Lauffensteiner W.J. WV		27/200	(Flotzinger)
Mann J.Chr. ThV	Bd	39	(Fischer)
Monn G.M. ThV		39	ders
Oswald von Wolkenstein WV		18	(Koller)
Posch I. ThV		70	(Geiringer)
Trienter Codices ThV		14/15	Nr 1 - 1585
		Korrekturen u Konjekturen Bd 22	
		61	Nr 1586 - 1864
WESSELY Helene (-Kropik) Mf * 1924 29/7 Wien	Bd	92	Rvb
	St	22/85	Purcell
		22/253	Veröffentl
		23/184	dass
		24/44	Archivmitteilungen (Rom)
WESSELY Othmar Mf * 1922 31/10 Linz	Bd	99	Arnold v.Bruck
		120	TrC VII (Materialien)
	St	22/253	Veröffentl
		23/79	Maximilianischer Hof
		24/185	Veröffentl
		25	Vorwort
		25/586	Leopold I.
		26/220	Veröffentl
		27/241	dass
Wiener Ballett-Pantomime im 18.Jh	St	10/6	(Haas)
Instrumentenbauer 1791-1815		24/120	(Haupt)
-macher		26/194	(Schaal)
Instrumentalmusik vor und um 1750	Bd	31 I	(Horwitz,Riedel)
		39 II	(Fischer)
klassischer Stil, Entwicklung	St	3/24	(Fischer)
Klavier- und Orgelwerke a d 2.H d 17.Jhs	Bd	27	(Botstiber)
Lied von 1778 bis 1791 a a Grünwald - Hackel - Hoffmeister - Hofmann - Holzer - Kozeluch - Paradis - Pohl - Ruprecht - Steffan	Bd	54	(Ansion,Schlaffenberg)

(Wiener:)		
Liedmusik von 1778 bis 1789	St 5/97	(Pollak-Schlaffenberg)
Liedmusik von 1789 bis 1815	St 10/37	(Alberti-Radanowicz)
Meßkomposition in d 2. H d 17.Jhs	St 4/5	(Adler)
Musiker, biographische Quellen	St 26/194	(Schaal)
Oper, Studien zur Geschichte	St 1/1	(Wellesz)
Tanzmusik i d 2.H.d 17.Jhs s a Hoffer - Poglietti - Schmelzer	Bd 56	(Nettl)
Tanzkomposition i d 2. H d 17.Jhs	St 8/45	(Nettl)
Tanzmusik: Lanner J.	Bd 65	(Orel)
Strauß Vater	68	(Gál)
Sohn	63	(Gál)
Josef	74	(Botstiber)
Walzer Entwicklung	St 13/57	(Mendelssohn)
WIESSNER Edmund Hg (Text) 1875 25/4 Wien 1956 11/11 ds	Bd 71	Neidhart
WILBYE(S) John Komp get 1574 7/3 Diss (Norfolk) 1638 Sept Colchester	St 27/18[G]	Satz a tre
Wissenschaft, Zweierlei im Spiegel der Musik	St 25/516	(Steglich)
WLACH Hans Mf * 1901 17/2 Wien	St 14/107	Oboe b Beethoven
WÖLFL Josef Komp 1773 24/12 Salzburg 1812 21/5 London	St 13/57	Walzer(Mendelssohn)
WÖSS Margareta Mf	St 22/253	Veröffentl
WOLF Johannes Mf 1869 17/4 Berlin 1947 25/5 München	Bd 28 32	Isaac Weltliche W dass Nachtrag
WOLFF Hellmuth Christian Mf * 1906 23/5 Zürich	St 25/609	Melodiebildung Bachs

WOLKAN Rudolf Mf 1860 21/7 Prelautsch(Mähren) 1927 16/5 Wien	St 8/5	Heimat der TrC
WOLKENSTEIN s OSWALD		
Wort-Ton-Problem in der Kirchenmusik d 16./17.Jhs	St 25/183	(Fellerer)
WOTQUENNE Alfred Mf 1867 25/1 Lobbes(Hennegau) 1939 25/9 Antibes	St 13/3	Ergänzung zu ThK Glucks (Holzer)
WÜNSCH Walther Mf	St 26/220	Veröffentl

Z

ZABARELA Andreas Komp	St 6/5	Opern uO in Wien (Wellesz)
ZACCONI Lodovico Theor 1555 4/6 Pesaro 1627 23/3 Fiorenzuola b Pesaro	Bd 118	(Rvb)
ZACHARIA Cesare Komp * Cremona, lebte um 1590 in München	St 21/3	Kaiserhof-K (Einstein)
ZACHER Johann Michael Komp † um 1707	St 8/45	Wr Tanzkomp (Nettl)
ZAGIBA Franz Mf * 1912 20/10 Rosenau (Slowakei)	St 22/253 23/184 24/185 26/220 27/241	Veröffentl
ZANGIUS Nicolaus Komp um 1570-vor 1620 bD:87	Bd 87	(Sachs)
ZANOTTI Camillo Komp * gegen 1545 Cesene	Bd 77 St 21/3	Kaiserhof-K (Einstein) dass

ZECHNER Georg Komp Lautenist	EdM II/1	(Koczirz)
ZIANI Pietro Andrea Komp 1620 Venedig 1684 12/2 Neapel	St 6/5	Opern uO (Wellesz)
ZIANI Marc' Antonio Komp 1653-1715 bD:101/102	Bd 101/102 St 6/5	Motetten (Schoenbaum) Opern uO (Wellesz)
ZINGERLE Hans Mf	St 27/151 27/241	Chromatische Harmonik bei Brahms u Reger Veröffentl
ZIN(C)KGRA(E)F Julius Wilhelm TextA 1591 3/6 Heidelberg 1635 12/11 St.Goar	Bd 79	Wr Lied (Kraus)
ZOILO Annibale Komp Sänger um 1537 Rom 1592 Loreto	Bd 2 St 27/18[C]	Satz a tre
ZWETER s REINMAR		

NACHTRAG

Portraits:	Caraffa Carlo	Bd 93
	Hammerschmidt A.	16
	Kuenberg Gandolph v.	96
	Leopold Wilhelm Erzhg	111/112
	Scherffenberg M.E.v.	23
Scenenbilder:		
	Die Bergknappen	Bd 36
	La Contessina	42-44
	Costanza e Fortezza	34/35
	Orfeo ed Euridice	44a